ブダペストの映画館

都市の記憶・１９８９年前後

小島　亮

まえがき

本書はもともと『ハンガリー知識史の風景』と題して風媒社から二〇〇〇年一月一日の日付をもって刊行されたエッセイ集である。幸い四半世紀にわたって読み継がれ、本書の内容について今でも時たま問い合わせを受け、著者としては望外の僥倖という他ない。

本書刊行のアイデアは、一九九九年四月から愛知県春日井市の中部大学国際関係学部に専任助教授として採用された時点で生まれた。名古屋は母方家系のルーツであるも、関西育ちの私自身にとっては未知の土地であった。外国滞在のあと日本の大学機関で正規に雇用されるのも初めてでもあり、言ってみれば、「名刺代わり」にエッセイ集の上梓を思いついたのであった。当初は徳永康元先生の名著『ブダペストの古本屋』に肖って『ブダペストの映画館』を候補に挙げるも、衣鉢を継ぐごとき僭称を避けるべく最終案から除外した。徳永先生の名籍は千野栄一氏（『プラハの古本屋』）のような碩学でない限り、踏襲は儘ならないと思い遣った。結果的に学術研究を髣髴させるタイトルになってしまったから、今から考えれば、角を矯めて牛を殺した感も否めない。と考えて今回の復刻版に際してはタイトルを復初し、「都市の記憶・一九八九年前後」をサブタイトルにした。ちなみに『ブダペストの古本屋』の復刻（ちくま文庫、二〇〇九年）に際しては、書肆の依頼によって厚顔にも私が解説を執筆した。今は亡き徳永先生には無礼をお許しいただきたい気持ちである。

本書出版にあたって、名古屋赴任記念に地元の書肆に出版をお願いしたいというこだわりを持っていた。すぐさま風媒社の名前を思い浮かべ、大学研究室のパソコンから私信を認めて編集部あてにお送りした。ややあって劉永昇編集長からご返答に接し、鶴舞駅から上前津の旧社屋を訪ねていった夕刻を昨日のように記憶している。

二〇〇四年からは、中部大学の公費によって『アリーナ』と題する総合学術誌を編集する機会に恵まれ、六号からは風媒社には版元として二三号（二〇二〇年）の終刊まで大きなご支援を受けた。私にとって出発点でもあった大池文雄氏の著作集（『ただ限りなく発見者』、別冊『批評』復刻版）もお願いした上、亡き母・小嶋十三子の作品集『ながめせしまに　和紙ちぎり絵の風景』、『草書体　小倉百人一首』（ともに二〇一七年）も風媒社から公刊されたのであった。さらに二〇二二年三月の退職前に回想三部作（吉田伊佐夫氏との共著『生駒新聞の時代―山崎清吉と西本喜一―』、『青桐の秘密―歴史なき街にて―』、『星雨の時間帯―近代日本知識史論集―』）に加え、本書の続編『モスクワ広場でコーヒーを―小島亮中東欧論集―』も出していただき、中部大学在職中にはお世話になりっぱなしであった。

さて本書は主として激動の東欧政治体制転換期の中にあってノートに走り書きしていた個人

的なメモを同人誌『丁卯』(代表・大池文雄氏)に発表した小文などよりなっている。一番古い原稿は地人会の「大麦入りのチキンスープ」公演パンフレットに依頼された「ハンガリー五六年反乱と知識人―アーノルド・ウェスカーの仕事―」であろうか。この小文は『ハンガリー事件と日本』(中公新書、一九八七年)を読まれた木村光一氏から直接依頼を受け、脚本を読みながらシカゴ大学レーゲンシュタイン図書館で執筆した。冊子と原稿料をブダペストの科学アカデミー社会学研究所の事務室で受け取ったのを記憶している。逆にタイトルに「シカゴ」を冠した「シカゴの古本屋」はブダペストのセーチェニ図書館で日本から持参していた原稿用紙に書き綴った小文である。これを端緒として私を取り巻く状況をノートに取り始め、大池氏の慫慂もあってテーマを立てて書き直し、次々に『丁卯』にお送りしたのであった。一九八八年末からはコシュート・ラヨシュ大学社会学科に博士学位候補生(旧体制下では欧米流の大学院課程はまだなく、ドイツ的な徒弟制度であった)として在籍することになり、ブダペストとデブレツェンを往来する興味深い日々が始まった。この時期からベルリンの壁崩壊に至る東欧政治体制転換のクライマックスまでの「風景」が本書収録エッセイの過半を占めるものである。研究室で横にいたカバイ・イムレ(当時、助教授、のちにジグモンド・キーライ専門大学〈現在のミルトン・フリードマン大学〉教授)にコンピュータで原稿用紙を作ってもらい、手書きの文章を大池氏にエアーメールで書き送ったものだ。本書に収めた小品類は「付録」を除きパソコンもインターネットもない手書き時代の遺産なのである。博士論文の草稿をまとめるためにスウェーデンのヨーテボリ市の遊園施設リセベリ近くのアパートを友人（クリスチーナ・グスタフソン）から一夏借り受け、気晴らしにカフェに座ってペンを走らせていた日も走馬灯さながらに脳裏に浮かぶ。こうした事情は「レトロスペクティヴ・ノート」と題する後注に記した通りである。いずれにせよ執筆時にほんの備忘録であったとしても、四半世紀を経て読み返せば、類のないドキュメントとして再読できる。もしかすると出版直後よりも本書の価値は高いかも知れないのである。思い出せば、シカゴを皮切りに長い外国生活に出る直前、陣内秀信氏の『東京の空間人類学』（筑摩書房、一九八五年）や赤瀬川原平氏らの『路上観察学入門』（筑摩書房、一九八六年）などを愛読していた。まさに「街頭観察メモ」を私が滞在地で書き残したのもこれらの著作の影響であった。

付章に収録した「セント・ラースロー病院の日々」の執筆経緯は文中に明記した通りである。本書を構成する文章のコピーを風媒社に送付してハンガリーに旅立った一九九九年の夏休み、帰国直前にトランシルヴァニアの風土病である脳膜炎（agyhártyagyulladás）と疑われる症状を発症し、最初はセント・ヤーノシュ病院、次いでセント・ラースロー病院に一ヶ月入院する羽目になった。やや体調を持ち直してから、病院の人々と日々を観察した文章がこの小文に他ならず、手書き原稿でなくノートパソコンでキーボードを打っていった。奇しくも本書の末尾に収録した予期せぬ小文こそ、一九八九年の体制転換から一〇年後に記したミクロな社会観察メモに他ならなかった。

なお本書には『ハンガリー知識史の風景』にはない「ハンガリーとEUの現況」を補遺として収録した。これはたまたま本書の校正中に出版された書評文で、本書と『モスクワ広場でコーヒーを』の時代まで四半世紀を経た昨今の状況への寸評である。オルバーンたちは八〇年代末から九〇年代初にかけてブダペストの街頭や広場にいた世代に他ならず（「ブダペストの街頭書店」を参照）、「三五年後のエピローグ」と捉えて下されば幸いである。オルバーンを狡猾な悪漢のように描きたがる論調にしばしば接するも、彼の「転向」は新左翼から反ユダヤ陰謀論に転じたロジェ・ガロディや太田竜よりは理解でき、私には北一輝さながらに胸に落ちる。バークやトクヴィルの顰みに倣うまでもなく、民主主義とポピュリズムは同義であり、プーチンからオルバーンに至る統治も長期政権ゆえの制度疲労と腐敗はあるとしても彼らは独裁者に豹変したわけではない。八九年や九一年の事態を「市民革命」として描き、ヨーロッパ統合への過剰評価した側に欠陥があったに過ぎず、「民衆の意志」が旧東欧の強面政権を誕生させたのである。若き日のドリアン・グレイを美化をした画家は、生身のスカーフェイスをあえて肖像から省略して描いていただけなのだ。

中部大学国際関係学部の崩壊とともに、私自身は『アリーナ』編集や教養科目の担当に専心するようになり、ハンガリー研究への精神的時間をなかなか取れず、結構な量を書き溜めていたノート類も度重なる国境を超えた転居によって喪失してしまった。ほぼ唯一の例外はハー

ヴァード大学時代の草稿で、出たばかりのワープロ（日立With me BF-1）を持参していたから
MITの木村俊一氏と始めた同人誌『ケンブリッジ習作集』（現在、中部大学三浦記念図書館所蔵）にエッセイ風に仕立てて連載した。これらは辛うじて散逸せず冊子として残ったため、中部大学に赴任後「小島亮コレクション」と題する二冊本（『思想のマルチリンガリズム』、『白夜のキーロパー』、ともに現代思潮新社、二〇〇四年）に編集してもらった。もっとも帰国後は日本の制度的学問には関与する能力も気力も皆無で、むしろ距離を取る姿勢に矜持を有していたからさほどの学的貢献もできなかっただろう。『山月記』の筆鋒を以てすると「性、狷介」にして「快々として楽しまず、狂悖の性は愈々いよいよ抑え難がたくなった」私はあえて孤客たるを選択した。こうした事情については「廣松哲学を再読しつつ」（『星雨の時間帯』所収）、「世界を震撼させた日々によせて」（『モスクワ広場でコーヒーを』所収）という二つの「前書き」的エッセイを参照いただければ幸いである。

第二次大戦の終結から四半世紀を経た一九七〇年、私が中学に入って間なしの頃、巷では「戦争を知らない子供たち」（北山修作詞・杉田二郎作曲）というフォークソングが流行していた。一九八九年を始点とすると、四半世紀後は二〇一四年、ウクライナの親露政権転覆のクーデターとロシアの侵攻の年に他ならない。あれから約一〇年をさらに閲しているから、現時点までの時間は日本の敗戦から一九八〇年、つまりポストモダニズムの旋風が巻き起こりつつある

期間に相当する。その当時の日本と言えば、ポップカルチャーからは「戦争を知らない子供たち」風のフォークソングなど霧消し、ユーミンやサザンオールスターズの楽曲にとって替わっていた。ハンガリーを含めて旧東欧諸国民にとって、体制転換を基点にするとこれくらいの星霜をウクライナ戦争までに閲していたわけで、「旧体制を知らない子供たち」は、そうした曲名で表現される時代感覚すらも想像外であろう。本書のような内容も現在のハンガリーの若者にとって、ちょうど日本のポストモダン世代が火野葦平の『麦と兵隊』を読むような距離感を持っているに相違ない（ちなみにこの小説は再読されるべき名作である）。時代が変わるとはそういった事態なのである。今ではもはやここに書き留めたハンガリーのことどもは旧地名もろとも記憶からも忘却されつつあり、まもなくわれわれの世代も歴史の闇に消えてゆくであろう。

二〇二三年一〇月二三日

奈良登美ヶ丘にて　小島亮

ブダペストの映画館　都市の記憶・1989年前後――目次

第三章　ハンガリーの内と外　221

付章　セント・ラースロー病院の日々　300

補遺　ハンガリーとEUの現況

＊表記について

本書ではハンガリー人名は姓・名の順で記載した。

また表記は、ハンガリー語〝S〟音を〝シュ〟でカタカナ化したが、〝ブダペスト〟のみは慣用化しているため例外とした。

同じく〝V〟も〝ヴ〟表記を努めたが〝ビデオ〟、〝テレビ〟、〝スラヴ〟のように慣用表現を採用した語句もある。

（追記）私の誤記憶や単純な誤植のみは本書において訂正を施した。

第一章

社会をめぐって

チェペルの Kossuth Lajos.u. にあるいわゆる「スターリン・ゴシック」住宅の内部。1950 年代にブダペスト周縁部にこのような新興住宅が次々に建設されて行った。それらのほぼすべては現役である。

東中欧変革の基本的見取り図
―ハンガリー社会からの視点―

今日の東中欧ほど何月何日といった瑣細な日付が大きな重みをもつところはあるまい。歴史は非弁証法的に進みゆくものと自がじしを納得させてきた我々であったが、革命・争乱・戦争などといった記号群に再び血湧き肉躍る時間が到来したことを、今日の東中欧はいやが上にも思い知らせてくれる。但し、かかる言辞の指し示す方向性は、戦後日本が暗黙のうちに前提としてきた「思考の準拠枠」とも言うべきものを無化し、かつ根源的な組み替えを要求するものではあるが。

歴史学をも含む科学なるものが再びユートピアの領域に帰ってしまったとするならば、思いきったユートピア構築という実践的営為に身を委ねるのも、むろん知識人の身の処し方である。

しかし、要するに問題は「近代」の原点に戻ってしまっただけに過ぎないという、日本の知識社会ではきっと盛んに喧伝されているであろう議論にむしろ私は信頼を置きたい。以下は、この東中欧の激動の渦中に、ブダペストとデブレツェンという対照的なハンガリー都市で研究生活を送りつつある一近代社会研究者の備忘録であるが、何らかの参考にして頂ければ幸いである。

Ⅰ

ハンガリーの社会的変革はごく最近に始まったものではないが、この「変革」という言葉を「劇的な変革」と言いかえるなら、その起点は、八八年六月末、ブダペスト英雄広場を中心に行われた元チャウシェスク政権の農村統合政策への大衆抗議デモに求められる。五六年反乱以降最大の三万人余を動員したと言われるこの大デモンストレーションは、日本では「自然発生的」なものと誤報されたらしいが、私たちは約二週間前に情報を入手しており、MDF（マジャール民主フォーラム）などに集まるメンバーによって周到に準備された組織的運動であった。

ハンガリーでは八〇年代に入ってから、事実上、言語表現の自由は保障されていたものの、公然たる発表の自由および大衆的運動の自由はなく、「言論の自由」の中に、大ざっぱに言って三つのタブー、即ち（一）五六年反乱（二）国外のハンガリー系少数民族（三）ソ連軍の問題が存在していた。このうち（二）にあたる、トランシルヴァニアでのハンガリー文化の危機に対するナショナルな抗議が、その後、堰を切ったように流れ出るハンガリーの急進的社会改革への起爆剤となったわけである。この事実は、何はともあれ、ひとまず特筆をしておくことにしよう。

そして、この時期に主として、ハンガリー科学アカデミー、大学研究者より成る自主労組ＴＤＤＳＺが結成され、半ば非公然懇話会だったＭＤＦが盛んに活動を開始する。同時に、各種の政治協会が産声を上げ、八九年一月の新政党法公布とともに政党移行が始まる。片や独裁政党だった旧社会主義労働者党は八八年五月にカーダール・ヤーノシュを解任、しばらくグロス・カーロイ主班の中道左派連立政権を擁するも、八九年早々のポシュガイ・イムレらの「五六年は人民蜂起」とする歴史見直し委員会の見解公表を画期として左派の党外追放・脱党が相次ぎ、いわば改革派のクーデターというかたちで一〇月に党を解散、社会党を創立する。目につくところでは、ハンガリーのいたるところに掲げられていた赤い星の撤去が始まり、一〇月二三日、新憲法公布と国名のハンガリー共和国への変更というクライマックスを迎えるわけである。

さて、今日の東中欧はハンガリーをも含め、一種の民族解放というかたちで、いわゆる民主化、厳密には近代的制度化が進捗したわけであるが、ここでは、なぜ民族解放だったのか？という問いかけへの試答として、特殊ハンガリーの状況を考慮しつつ幾つかの論点を整理してみたい。

まず単純に言ってソヴィエトの軍事支配の問題が掲げられる。これは今さら言うまでもないくらい自明の事実なのだが、東中欧におけるソ連軍の存在は、しかし、しばしば無視されがちな次の論点への考慮を要請する。ソヴィエトが長期にわたって帝国主義支配下に置き、子飼い政権によるテロル独裁を施いていた東中欧―バルカン地域というのは、かねてより民族対立がすさまじく、ソヴィエト軍の存在と「ソヴィエトの平和」の維持は、起り得たかもしれない「より大きな」民族矛盾をミニマム化したのではないかという問題である。換言すれば、歴史的に憎悪・敵対関係にある近接民族間の対立のテンションを、ソヴィエトという「より大きな」敵によって漸減され、「予想外」の結果として東欧民族対立の緊張度を下げはしなかったか、という仮説である。ところが、事実はそうならなかったばかりか、ハンガリーの場合では、むしろ近隣民族との対立は深まった観すら呈している。日本のハンガリー研究者の一人・羽場久美子氏は「現在、ソ連による旧来の中央集権的締め付けに反発として、分離・独立・ナショナリズムの要求が強まっているが、それが排外主義的になれば、解決の糸口は見えず、テロと混乱を招くしかないであろう」(『朝日新聞』九〇年一月三一日付、西島建男氏「民族問題をめぐって」(下)より引用)と述べられているが、私は氏の結論に賛同しつつも、少し逆方向の見解を述べてみたいと思う。即ち、社会主義という名で君臨した東中欧のレジームそのものが、却って民族対立のテンションを高めた、という意見である。

ハンガリーの近代的制度化への「劇的な変革」の起点は、反ルーマニア・デモに求められると先述したが、反ソよりも反ルーマニアが先行したという点に注意して頂きたい。ハンガリー人の「敵対感情」は第一にルーマニア人と近隣諸民族に対してであり、反ソ感情を上廻ることは、当地では常識の一つである。私のコシュート大学社会学科の同僚セケレシュ・メリンダ氏の研究では、ランダム・サンプリングで調査したハンガリー青年層の「嫌いな政治家」のトップは、スターリンでもブレジネフでもなく、常に近隣社会主義国の独裁者の名前が挙がってきたという。（なお旧政治体制下で「どの国が嫌いか」という調査はなかった。）これは、私たちハンガリー滞在者の個人的感想とも完全に経験的に一致する。この民族対立の潜在的火種は、「友好」関係にあったはずの社会主義諸国間をズタズタにしており、ソ連は、これを緊張緩和する必要性すらあった。

コシュート大学が存在するハンガリー東部の拠点都市・デブレッツェンは、東中欧で最大級規模のソ連空軍基地の街だが、デブレッツェン—ソ連領内の距離はデブレッツェン—ブダペストの半分程度である。デブレッツェンのソ連空軍とデブレッツェン北部に展開するソ連陸軍のプレゼンスは、ルーマニア—ハンガリー間の軍事対立を抑止する目的だったことは明白と言える。

つまりは、ソヴィエトは自らの子飼い政権維持のみならず、高まった東中欧国家間の対立抑止のコストすら払い続けてきたと言えそうなのである。

さて、この理由として最も簡単に思いつくのは、ソヴィエトによる分断支配という仮説である。

事実、恣意的な国境を東中欧各国間で引きまくってきたソヴィエトにとって、東中欧諸国が反ソの統一戦線を組んで挑みかかってくる図は一つの悪夢であったろう。だが、歴史的にみて、東中欧諸国の統一はかなり考え難いものであり、しかもソヴィエトは、先述の如く、東中欧間紛争抑止の過剰コストを払い続けてきた形跡すら存在するのである。私見によれば、分断支配という現象は、結果的にそうなっているというまでで、いわんや意図的に創出したものでなく、むしろ、社会主義体制そのものの内的矛盾によって形成された産物だと思われる。これは次の理由による。

東中欧の社会主義体制というのは、つまるところ、一種の近代化政策に他ならなかった。あるいは、スターリン・モデルに基づく近代化の押しつけであった。この過程で、工業先進国チェコは、三流国化し、ハンガリーではガンツなど輝ける戦前の優良産業はスクラップ化されてしまったが、この「近代化」とは、産業革命から第一次大戦に至る工業化を理念的にモデル化し、「数と量」において先行国をキャッチ・アップしようとした戦略の謂であった。同時にここで言う「近代化」とは、一国社会主義モデルという国民国家形成の意図をも指していた。ところが、かなり恣意的に引いた国境線内で「一国社会主義」的近代化を目指そうとすると、東中欧―バルカン地域に歴史的に展開する自然的分業を寸断せねばならない。この自然的分業の寸断は、自国内にいる少数民族と近隣国の分業―交通関係を政策的に根絶する措置を伴わずしては達成不可能である。そして、分業の寸断とともに惹起する社会的混乱のコストは、言うまでもなく国内少数民族に過重負担され、しかも、この国内少数民族なるものは、往々にして近隣国の多数民族を形成しているから、社会主義的近代化が進めば進むほど隣国間関係は疎遠化し、対立・敵対を深めてゆく構造になってしまったわけである。

私はコシュート大学社会地理学科のシュリ＝ザカル・イシュトヴァーン氏に誘われて、ハンガリー東部国境地帯、特にハイドゥ・ビハール県、ベーケーシュ県の農村調査に頻繁に同行したものである。かつてはコロジュヴァール（クルジ・ナポカ）、ナジヴァーラド（オラデア）などトランシルヴァニアの拠点都市とブダペストを結ぶ要所として繁栄したこの地域は、まずトリアノン条約に基づくトランシルヴァニアのルーマニア併合によって「辺境」化し、次いで、第二次大戦後のルーマニア―ハンガリー関係の絶望的悪化によって、ほとんど廃村地帯と化してしまったのであった。

逆にトランシルヴァニアに住むハンガリー人が苛酷極まる搾取と文化的ジェノサイドを歴代のルーマニア社会主義政権によって受けた事実は、チャウシェスク政権の崩壊とともに全世界周知の事実となった通りである。

トランシルヴァニアにおいては、ハンガリー人は歴史的に支配者の地位にあって被支配者たるルーマニア人と仲が悪く、チャウシェスクは独裁の安泰化のため、ルーマニア人のハンガリー人への敵愾心を煽動したという解釈はよく耳にするが、この説明法は私には一面的であるように思われてならない。私の考えを要約するなら、故チャウシェスク大統領は、一国社会主義モデルまたは「独立・民主・平和・中立・繁栄」の「民族国家・ルーマニア」を、最も古典的な手法の一つで追求したが故に、ハンガリー人やドイツ人など国内少数民族を抑圧する挙に出たのである。

同様の民族対立は、ルーマニア—ハンガリー間ほど危機的ではなくとも、チェコ・スロヴァキア—ハンガリー間、ユーゴスラヴィア—ハンガリー間でも存在し、スロヴァキアではハンガリー系議員への脅迫が相次ぎ、ユーゴのヴォイヴォディナでは、ハンガリー人の自治への制限が強化されつつあると伝えられている。

領土が縮小され、単一民族国家にやや近づいた現在のハンガリー共和国において、幸にも、犠牲者となるべき他民族はさほど存在せず、せいぜい街頭で聖イシュトヴァーンの版図地図（ハンガリーの最大領土）を売りまくり、隣国の不快感を買う程度の実害に留まっているが、近年の激烈な反ユダヤ主義の復活と、革命後のルーマニアに対しても続けられる民族偏見的プロパガンダを見聞するにつけ、東中欧ナショナリズムの明暗を思わずにはおれないのである。

論点を整理しておこう。今日の東中欧がハンガリーを代表格として「民族解放」の様相をとっている原因は、ソヴィエトの支配ということよりも、民族錯綜地域に恣意的に引かれた国境内でスターリン的一国社会主義を導入した近代化政策自体の矛盾に基づくものであり、過半は社会主義の責任である。それは「インターナショナリズム」という名の抑圧を強いたからナショナリズムの反動が発生したというほどの単純な現象ではない。東中欧の社会主義は十分にナショナルな存在であったが故にインター・ナショナルな矛盾が爆発したのである。

II

私がハンガリーにアメリカからやってきたのは八〇年代の後半であった。

当時は、カーダールも健在で、むろん多党化などは思いの外であった。本屋では、マルクス、エンゲルス、レーニンの本は片隅でホコリをかぶっているか、あるいは最初から陳列などしていなかったけれど、社会主義的出版物はそれでも幾つか数えることはできた。八八〜八九年に出版状況がいかに激変したかについては、本書収録の「ブダペストの街頭書店」に記したが、しばらく、八八年初頭という時期にこだわってみたい。

私のハンガリーの第一印象は、今もって鮮明な記憶のうちにある。名も知らぬスパイスのエキゾチックな香り。ものは豊かにあるが、何かしら淋しい街頭。どことなくあきらめ顔の人々の表情。汚く濁った空気と交通ルールをちっとも守らない大量の車。むろん、こうした第一印象は、ある種の異邦人的スタンスがかかっており、ハンガリー生活を続けるうちに、その多くは撤回・修正を迫られてくることになる。

しかし、今もって、あのモノクローム な印象風景は眼にちらついて離れず、しかもハンガリー人自身が同じような回顧を「近過去」に対して行っているのに接して、あながち、私の偏見ばかりではなかったと確信するのである。

そのうち、ハンガリー人との交際が増えるにつれ、私が特に注意を引くようになった一つの事実がある。確かにハンガリー人は所得水準も低く、それに不照合な物価高のため、生活はかなり困難だということは否定しがたい事実である。ところが、彼らの生活苦と、わが純粋資本主義国・日本の生活苦を比べてみた場合、ひょっとすると、日本の方が遥かに貧困で、労働時間も長く、生活苦の度合いも高いのではなかろうか、という疑念が浮上してきたのである。むろん、私は日本の友人に送る手紙の中で次のような事実を常に特記してきた。完全雇用というのは大ウソで、実態は、潜在的失業者の山を抱えている。たとえば、スターリン―ラーコシ時代の花形産業の一つ、ミシュコルツのレーニン製鉄所は、日本や韓国で一〇〇人規模で動かせる生産ラインに二万人もの労働者を雇用し、生産様式はマニュファクチュアのレヴェル、しかも製品は一〇〇％粗悪品である。

ハンガリーにおける老人福祉は、要するにオバ捨て山の水準であって、たとえば、ブダペストのセルフ・サーヴィス・レストランには、身なりの悪くないお年寄りが沢山待機していて、客の食べ残しを漁っている、等々。また、社会の隅々に横溢する官僚主義と不効率についても、私は、山のようなグチを友人に書き送ったものである。局によって違うことを言う郵便局。ツリ銭を投げる店員。

さらには、ものを尋ねに行けばケンカを売られる駅のインフォメーション・オフィス等々。この手の話は、書き出せば際限がなく、すでに日本でも周知の事実なので、書き加えるだけ退屈になろう。

後論への伏線を張るため、別角度の事実も、アト・ランダムに並べよう。いつか、ハンガリーの代表紙『マジャール・ネムゼット』が日本のテレビ番組からの再引用というかたちで紹介した有名な話がある。ハンガリーの外債は現在約一八〇億ドルを計上し、国民一人あたりでは東中欧の最高額になっている。ところが、ハンガリー人がウィーンに買い出しに出かけ、外国製品購入のために落とす外貨の年間総額は、この外債額の三分の一に上るというのである。また、私がデブレツェンのDEKOという食品工場の非熟練労働者宅にしばしば招かれ、彼らの生活レベルを観察したところでは、日本のように奢侈製品で溢れ返っていなかったけれども、それは貧困のイメージからよほど遠かった。

ハンガリーは本当に「貧困」なのだろうか？

ハンガリーの社会学者に私の感想を洩らすと、彼らは自分たちのレーゾン・デートルが危うくされたとばかりに、真顔になって、あなたのはただの皮相の観察にすぎない、と食ってかかるように否定するのが常であった。シュリ＝ザカル・イシュトヴァーン氏などは、貧困層の住宅にわざわざ私を自家用車で案内してまで、ハンガリーの「貧困」を立証するのに躍起になった位であった。

こういう事実を並べたからと言って、私はハンガリーの生活レヴェルの高さを礼讃しようという目論みは持っていない。ハンガリーの一見しての「豊かさ」も、後述するように大きな問題と表裏一体だという事実は百も承知である。

さて、巨額な外債、日本に比べても高いかも知れない生活水準……こういうキー・タームを並べてみて、ハンガリー社会の分析を試みようとする際、私は次の現象に注目する。それは、ハンガリー人が、ハンガリー社会を、おそらくは、その実態よりも遥かに悪いものと信じきっているということに他ならない。実際の生活苦よりは遥かに、いや異常に高い社会的緊張も、言ってみれば、この一種の社会的イデオロギーの所産だと思われるのである。

イデオロギーというのは、改めて言うまでもなく、現実をそれに似せて形作ってしまう力である。然りとすれば、ハンガリー社会は、「そのイデオロギーに似せて」実態をより悪化させる構造ができ上がっていたわけで、社会的統合と体制内変革のためのコストは常に割高になりがちだったのである。

これを、もう一歩進めて、社会科学的考察のための端緒を作ってみよう。およそ、スターリン的工業化であれ、資本主義的工業化であれ、産業社会の形成に伴う労働疎外なり生活苦というのは必然であろう。問題は、人間が社会的存在である限り払い続けねばならない苦痛を社会的コストと自覚した上で、社会改革の意思と自己努力の度合いを漸増できるか否かである。

換言すれば、労働疎外なり生活苦を、社会的コストと認識する値が増加すれば、社会改革の志向性と自己努力は、ある時点で、トレード・オフする状況を脱する。二つのファクターが、トレード・オフするかの如く認知されるのは、とりも直さず、社会が、社会構成員から高度に疎外されているからに他ならない。

ちょっと本題をはずれるが、戦後日本のある時期までは、明白な貧困状況にあったにも拘らず、両者はトレード・オフしてはいなかったと仮説化可能かもしれない。肉体磨耗的労働と市民運動という双方向への体制内改革のオリエンテーションは、貧困にも拘らず、むしろ貧困ゆえに、結果的に日本社会をテイク・オフせしめたのである。

これに対して、ハンガリーの場合では、明らかに社会構成員は社会を「敵」と認識し、社会的費用を支払う意欲を減退させ、従って社会改革を目指す意欲も喪失し、個人消費に自己努力を専心するという図が出来上がっていたのだった。私見では、この状況は、五六年反乱以降形成された旧社会主義労働者党独裁政権がその努力の積み重ねにも拘らず、社会的正統性を欠いていたことから惹起したと思われる。

そこで、本節冒頭に記した八八年初頭という「近過去」にひとまず戻り、この時期を座標軸のゼロ原点に据え直して、「正統性」問題と社会の動向を眺望してみることにしよう。

八八年初頭のハンガリーの「小印象」は先述の通りだが、あの時期、私は、科学アカデミー社会学研究所の友人・ゲルゲイ・アティッラ氏から、「ハンガリーがだんだん五六年反乱直前に似てきた」と盛んに示唆を受けたものであった。エトヴェシュ大学の若手研究者たちも、

「ハンガリーはポーランドのようになる」と悲観論を高唱していた。

折しも、ハンガリー人に悪くない評判を取ってきたカーダールの人気は地に墜ちつつあり、とりわけカーダール政権が絶望的な外債を作り上げた行為を攻撃する声が大きかった。これは、考えてみれば奇妙な姿かもしれない。カーダール政権の巨額外債は、要するに、ハンガリーの国民生活改善の社会的費用だったにも拘らず、ハンガリー国民は、外債の重荷、フォリント貨の価値逓減、インフレによる物価高という事象のみをあげつらったのである。しかし、これも「近過去」から、「過去」に遡り、カーダール政権の構造自体にはらむ矛盾を分析してゆけば、その理由を掴めそうな気がする。

カーダール政権というのは、よく知られているように、五六年一一月五日、ソヴィエト軍の後援により樹立された傀儡政権であった。カーダールがソヴィエトの提案を受諾して五六年反乱の「悪役」になった理由は、今もって諸説があり、フェイトー・フェレンツなどは、「この頑固だが誠実な軍人」の去就をしばらくは信じ切れなかったとさえ書いている。おそらく、根生いのコミュニスト、カーダールは、民族と社会主義の両壊を選ぶよりは、「よりまし」な次善策として、ソヴィエトの提案または脅迫を受け入れ、「悪役」を百も承知の上で買って出たのだろう。

カーダール政権は、当初は、反乱後の再建に専心するが、六〇年代に入って、「敵でないものは味方」という有名なスローガンに表現されるように、極めて寛容な統合政策を開始した。

少数派中の少数派たる地点から、外国軍事力に依拠して国土再建を企てねばならなかったカーダールにとって、テロル独裁を極力回避しての緊急事態下の国民動員のためには、こうした手しか残されていなかったのだろう。

ところが、カーダール政権は六〇年代以降の寛容政策遂行の中で、極めて特色ある構造を持つに至ったのである。私は、このカーダール主義を「社会党独裁」という概念で分析する有効性を主張しつつあるが、これは次の謂に他ならない。まず一党独裁であったということである。しかし、次に、一党独裁の党が、マルクス・レーニン主義という全体主義イデオロギーによって排他的に正統性を主張していたとは言え（ハンガリー旧社会主義労働者党にとって、この題目は往々にして対ソ配慮に過ぎなかった）、よりリアリスティックな政策次元での派閥対立が党内ダイナミズムとして機能していたという点である。おまけに、党内派閥は、党内の対立派閥よりも、しばしば、党に非協力の姿勢をとる同傾向の知識人筋との関係の方が何倍も深かったのである。

アナロジー以上の意義はないという非難の声を恐れずにいえば、これは、東中欧の他の共産党または疑似共産党独裁のケースよりも、我々が「社会党」とか「社会民主党」という名前でよく知っている政党による一党独裁のモデルに近似するように思われる。私がオーストロ・マルクシズムの古びた考え方を博物館から探してきて、「社会党独裁」を仮説化する所以である。

ところで、「社会党独裁」はソヴィエトの支配という枠の中で、ある矛盾を内包せずにはおられなかった。それは党内は、事実上、プルーラルであり、政治的ダイナミズムのレヴェルも高いながら、そして、この機能的プルーラリズムが国民統合に少なくない貢献をしながら、一党独裁という擬装はついに捨てられなかったという問題である。さらに、この矛盾を糊塗するために、カーダール政権は、実力以上に「パンとサーカス」を国民に提供する必要に迫られ、先述の如く、その提供量は、常に国民によって実勢よりも過小評価されるという図式が出来上がったのである。

機能的プルーラリズムと一党独裁の矛盾は六八年に始動する経済改革をも貫いてしまった。

何次かにわたって行われ、一時、社会主義経済改革の旗手のように謳われたハンガリーの実験も、今から考えれば、まことに面白い特色を持っていた。ハンガリー経済改革のメイン・テーマは、一般的に社会主義経済では地下に潜行し、「闇」の領域を形成する部分を第二経済として大胆に合法化し、この部分での良好なパフォーマンスによる第一経済部分への波及効果への期待と、第二経済部門での蓄積を社会的費用に有効に吸収する意図を持っていたと一応は概括できる。

だが、ここで先述の「正統性」をめぐる小括を想起していただきたい。社会的コストを負担する社会構成員にとって、所与の「社会」が正統性を保持しないとすれば、二つの経済部門は、ますます敵対的に感取され、国家はレーニンの『国家と革命』のテーゼさながらに「社会からますます疎外」されてゆくばかりではないだろうか。

かくて、第二経済の相対的良好パフォーマンスは第一経済部門に波及して来ず、第二経済に参加できる階層が豊かになっただけで、社会的には古典的な所得格差すら生まれるに至ったのだった。

機能的プルーラリズムと一党独裁の擬装の矛盾は、経済的には、機能的キャピタリズムと社会主義経済の擬装の矛盾となって現象する。この領域でも、旧政権は、社会主義という擬装を解除できなかったから極めて不効率かつ粗悪な第一経済部門の維持、そして何度資本投下しても改善されないハードな経済機構への堂々廻りの出費、片や第一経済部門依存の国民多数派への悪くない社会保障と「パンとサーカス」の提供を止めるわけにはゆかなかった。そして、この隘路を打開すべくカーダール政権が導入したものこそ、次から次へとふくれ上がってしまった巨額外債なのだった。私の仮称「近過去」は、ちょうど、これらの矛盾が爆発しかけていた状態だったのである。もし、この期に及んで、党内左派によるクーデターが敢行されていたなら、ハンガリーはまちがいなくポーランドナイゼーションしたか、五六年並みの反乱が発生していたことだろう。しかし、ハンガリーの社会はもはや後退のできない地点まで来ていたし、ソヴィエト自体がゴルバチョフの登場によって、相当な変化をしていたのである。

第一節で略述した「近過去」から「現在」に至る「劇的な変革」とは、単純に言えば、政治と経済の二つの領域に前提されていた擬装を撤去し、機能的プルーラリズムを制度的プルーラリズムに、機能的キャピタリズムを制度的キャピタリズムに代え、究極には、近代的制度化を介する社会の正統性の回復の試みに他ならなかったのである。

最後に、やや論争的な本稿を終えるに際し、多くの反論・批判を期待して、挑発的な整理を行っておこう。

まず、ハンガリーの「劇的な変革」を改革派コミュニストによって主導されたとする見方は、ハンガリー社会について何物をも知らない者のみが言いうる勇気ある誤解だということである。旧社会主義労働者党とは、本物の社会党相似の政党だったのであって、よく知られた概念を用いれば、山川均の「協同戦線党」に他ならなかった。若干、戯れて言えば、それは「第五列の集まり」であったと言って良く、各派閥即ち「各第五列」は非党員・反党員より成る「第一列」との連絡の方が、党内他派よりも、ずっと緊密であった。

八九年一〇月の旧社会主義労働者党解散は「第五列」の集団を複数の「第一列」群化＝制度的プルーラリズム化したものである。旧社会主義労働者党という名の共産党が改革を進めたのでなく、旧党の一セクトがクーデターを行ったという方がふさわしく、新社会党の中心メンバーとなったポジュガイ・イムレらは、もともとコミュニストでも何でもなかったのである。

次に、ハンガリー（いや旧東欧全てか）の経験は、近代市民社会のマネージメントに一党独裁がいかにコスト高なものか、という好例を歴史上の長い教訓として残したということである。国民生活の個々の局面が、日本など純粋資本主義国より、いかに「まとも」に見えても、そして、それが、教条的歴史研究者をも含む観察者たちに感涙を催させて余りあるものであったとしても、マクロ・レヴェルでの社会矛盾を解決できる選択ではなかったのである。

レトロスペクティヴ・ノート

本稿は九〇年三月八日にデブレツェンで書いたもので、東大研究生時代の指導教官・西川正雄先生のあっせんで『歴史学研究』の「連続時評」に掲載されたものである。

（追記）なおチャウシェスクの「農村統合政策」には後日譚がある。詳しくは私の「世界を震撼させた日々によせて」（『モスクワ広場でコーヒーを』所収）を見られたい。

ハンガリーと日本の間

I

東ヨーロッパと称されてきた政治地域内の国家のうちで、ハンガリーは最も日本人になじみの深い国であったのではなかろうか。

ハンガリーはスラヴ圏内に孤島の如く存在する「アジア人」の国であり、ハンガリー語は日本語によく似た言語で、ハンガリー人は日本人を同族だと考えている、といった紋切型ハンガリー像の所以である。

残念ながら、いま述べた事柄は一つとして事実ではなく、ハンガリー人はアジア人でもないし、ハンガリー語はアジア系言語でもない。

むしろハンガリー語は、日本語と印欧語の距離程度に疎遠な関係しかなく、日本人にとって並の外国語以上の努力なしには習得不可能な超難解言語である。ハンガリー語の属するフィン＝ウゴル語群が、「アジア」系言語だと言われる場合、それは、非印欧語群だというだけの意味に過ぎない。

さらに、一般的にハンガリー人は日本人を同族だとはつゆ考えていない。

後述のように、ハンガリー社会のごく一部にそういう主張も存在するが、「天皇はユダヤ人だ」とか「キリストは日本で死んだ」という議論が日本社会の片隅にあるからといって、日本右翼はユダヤ系でもないし、日本人の多数派がキリスト教徒でないのと同一である。こうしたナンセンスを離れても、日本人は意外に多くのハンガリー人の名前を知っている。

音楽家のフランツ・リスト（リスト・フェレンツ）、ベラ・バルトーク（バルトーク・ベーラ）、社会科学者ではゲオルグ・ルカーチ（ルカーチ・ジェルジ）、カール・ポランニー（ポランニー・カーロイ）、文学者ではフランツ・モルナール（モルナール・フェレンツ）といった面々である。

この偉人列伝に、五六年のハンガリー反乱のステロタイプのイメージを重ね合わせ、日本人好みの「悲劇の国・ハンガリー」という物語が再生産されてゆくわけである。

ところが、右に掲げた人名は音楽家の二人を除き（この二人もハンガリー国外で活躍した）、すべてユダヤ人でハンガリー人ではない。

ルカーチですらハンガリー人の絶対的多数は読んだこともないばかりか、往々にして名前も知らず、日本でよく知られているポランニーに至っては、今のところ専門家ですら例外的にしか注意を払っていない。平均値を取り出せば、ルカーチはスターリニストのユダヤ人として悪名が高く、ハンガリー人の最も忌み嫌う人間の代表格ですらある。

こう書くと多少ハンガリー事情に詳しい人は即座に驚くかも知れない。ルカーチは五六年反乱の一つの精神的支柱になった「西欧型マルクス主義者」であり、八九年の体制転換に至るまでのハンガリーの「良心」の灯だったのではないか、と。

この別種のステロタイプは、一定の根拠を有している。五六年の反乱のあと、ソ連の官僚哲学者は、ルカーチをしばらく「小ブルジョア哲学徒」として駁撃したし、六〇~七〇年代、アメリカ合衆国、西ドイツ、オーストラリアに散ったフェヘール・フェレンツやヘレル・アーグネシュを代表とするルカーチ学派は、ブダペスト学派を自称し、一種のラディカリスト的反対派として、日本でもその著作は数多く翻訳されたからである。

ところが、この点でもハンガリー国内の事情はまったく異なっている。ブダペスト学派の論客がまだハンガリーに住み、ルカーチも健在だった六〇年代半ば、ルカーチ学派内に大分裂が発生する。

ブダペスト学派を自称するグループ（これはルカーチと親称を用いて呼び合えた範囲）がルカーチの弟子なら、孫弟子にあたるグループ（ルカーチ幼稚園児《オヴォダシュ》と呼ばれている）がマルクス主義との完全な訣別を表明したからである。

このルカーチ幼稚園児たちは、ハンガリーの反体制ユダヤ系インテリゲンツィアの多数派を占めてしまい、いわゆるブダペスト学派の亡命は、実は政治的重圧というよりも、彼らの教条的ルカーチ主義が完全孤立してしまった結果だった側面も持っていたのである。

そしてルカーチ幼稚園児は代表的イデオローグ、キシュ・ヤーノシュ、コンラッド・ジェルジらを擁して地下出版『発言者』の発行を続け、今日の急進的自由主義政党・自由民主連盟（第二党）に結晶するに至る。三代目がお家を壊し、二代目を破門したわけである。すべて、こういう具合で、日本人のハンガリー像は現実のハンガリーとはそれほど深く切り結んではいない。

むろん私は、ルカーチやポランニーで形成される日本人のハンガリー像は極めて有益なものである、と思っている。ハンガリー人自身が「ハンガリー的知性」と考えている思想・文学は、どんなに深読みしても今日の日本人には通底しない排他性を持っているからである。このハンガリー的作家の代表者の一人、ヴェレシュ・ペーテルは、先の「アジア人云々」というナンセンスに代表作『大平原の農民』の中ではっきりと反論していることも付言しておこう。いわく「われわれは断じてトゥラン人（アジア起源）などではない」と。

ところで本稿の課題は「ハンガリーと日本の間」ということであった。私はここで、日本人のハンガリー像を逆転させたハンガリー人の日本像を紹介し、異文化理解のための深いギャップを嘆息するという極めつけの紋切型に与するつもりはない。異文化は、深く知れば知るほど摩擦が大きくなるケースの方が一般的だからである。私見を述べれば、むしろ必要なのは相互の文化の意識的・計画的抑制・変容であって、そのために一度くらいは他文化の論理に潜入する必要を持つと思われる。

歴史的に形成されたことどもを「文化」の名前で肯定するのは私の立場ではない。

また、ここに紹介する「ハンガリーと日本の間」のエピソードは「社会主義」的単色絵巻の中にともすれば埋もれがちだった旧東ヨーロッパ像を若干修正する役割をも果たすかも知れない。

II

まずハンガリーに擡頭しつつある反日黄禍論を紹介してみよう。ハンガリー人の大多数は反日でも親日でもなく、日本に全く興味を持ってはいない。ちょうど日本人が反アイルランドでも親アルゼンチンでもなく、どちらも日本社会に全く意味を持たないのと同様である。また反日黄禍論が力を持ちつつあるからといって、かつて欧米各国で荒れ狂っていた反日感情のような激しさは今のところ持ってはいない。過日、パリに一週間程滞在した折、私が議論を闘わせた約三〇人のフランス人の全員が猛烈な反日感情の持ち主であった。ブダペストで仮に日本人がハンガリー人と論じ合ったとしても、そのような面々は今のところ三〇人に二人か三人というところに過ぎないだろう。

反日黄禍論のイデオローグは与党マジャール民主フォーラム（ＭＤＦ）の代表的理論家の一人で劇作家のチュルカ・イシュトヴァーン氏である。ことの起りは九〇年一月中旬にハンガリー国営コシュート・ラジオの人気番組『日曜日のメニュー』にチュルカ氏が登場し、日本の脅威を警告したことから始まる。

これは与党MDFの多数派の政策の一つである西側資本呼び込みと対立する内容であったため、MDF内でチュルカ氏を批判する声も上ったが、チュルカ氏も全く屈しはしない。その後、ハンガリーの代表紙の一つ『ネップサバッチャーグ』が九〇年一月二二日号に「何を恐れねばならないか」と題するチュルカ氏の談話を大きく載せ、世論形成の歩みを始めたのである。

氏の主張は、簡単に言えば、「反日」の前に「反アジア」という絶対的前提を持ち、黄禍論的人種主義の色彩の極度に濃いもの、という特徴を持つ。『ネップサバッチャーグ』のインタヴュアーもその点を衝き、「何だか往時の黄禍論のようですが……」と質しているが、チュルカ氏はそのレッテルを拒否せず「歴史的事実を述べましょう。中国には一〇億人以上の人間がいるのです。そして異常に膨張する大帝国・日本が存在するのです」と答えている。そして、このアジアの脅威はヨーロッパにとって決定的に危険であり、何らかの手を打って防衛せねばならず、さもなくばカリフォルニアが日本の「完全な手中」に落ちたように、アジア人によってヨーロッパは支配されてしまうだろうと警告するのである。

さてここに出現した黄禍論であるが、はっきりとした名指しの日本嫌悪と結びつくことは今まで極めて稀有のケースであったにせよ、チュルカ氏の主張は典型的な、あまりにも典型的なハンガリー人のアイデンティティの表明法である点をまず指摘しておきたい。

ハンガリー人のものの考え方というのは、日本人ともアメリカ人とも西欧人とも決定的に異なる特殊な世界地図で彩られている。世界国家・アメリカ合衆国は言わずもがな、植民地争奪戦を準地球大的に展開した西欧諸国は、それぞれ自国中心の三六〇度の世界像を持っている。ところが、ハンガリー人の場合はこれが一八〇度に縮小され、全世界はヨーロッパとアジアの二つからのみ成立していることになってしまう。そして驚くなかれ、ハンガリーをもって区切られるヨーロッパ世界と対立するアジアには、ルーマニア、セルビア、アルバニアなどバルカン諸国、ロシア、アラブ世界そしてアフリカまで入るというのである。ハンガリー民族こそヨーロッパの防衛線であって、ハンガリーはアジアへの十字軍的使命を帯びた聖地だと言うわけである。

こうした地図を私の創り上げたカリカチュアだとする向きは、ハンガリーに約一カ月滞在することをおすすめする。上は科学アカデミー会員から下は市井の主婦まで、伝統的にハンガリーではアジアという語を何やら得体の知れぬ汚ないものを指す差別用語として専ら頻用されている事態を即座に周知するに至るだろう。

ハンガリー人のアジアへのデマゴギーの上限は測り知れないから、割合有名な一例を持ち出そう。よく知られているように、ハンガリー人が世界一嫌いな民族はルーマニア人である。ところがこのルーマニア人は、ローマ帝国の辺境にあったダキア人の後裔だという自己主張を持ち、しかもルーマニア語はロマンス語という純ヨーロッパ言語に属するため、「ヨーロッパの純血」ハンガリー人にとって甚だ面白くはない。「ルーマニアのアパートには便所がなく野糞をしている」といった他愛ないデマに加え、どうしてもルーマニア人が非ヨーロッパ人種だと証明する別形態のデマが必要になってくる。

そこで、「ルーマニア人はアフリカのベルベル人とフン族など中央アジアの遊牧民が混血した」もので、さらに「ローマ帝国の性病患者の血が入ったため」見かけは白人化し、この説はハンガリー科学アカデミーで立証された科学的結論だとするデマが登場するのである。もちろん、ルーマニア語はロマンス語であるわけなどなく「スラブ語の一方言」と分類されなければならない。（公平を期すために注記すれば、ルーマニア語彙へのスラヴ語の貢献は否定できないし、ルーマニア語がイリュリア語系の純バルカン語であるとする有力説は実際に存在する。）

この話は、ブダペストで二ケタにのぼる数のハンガリー人から聞いたし、私の第二の研究の場、デブレツェンのコシュート大学の教授からも聞かされた。

欧米で盛んな反日世論の典型法は、日本社会の片隅に存在する珍奇な意見があたかも日本の多数意見であるかのごとく誇張するというやり方である。私も西欧に出るたびに、この手の論法にさんざん悩まされたので、私のハンガリー人式「アジア観」紹介法にも、かかる偏見が入っていないか自問してみて、「主観的には入れていないつもりだ」とまずは自己弁明できる。

さて、以上のように述べたからといって、「ルーマニア」と「日本」を同一に見て、ハンガリー人が反日黄禍論を作為したと断定すれば、これまた虚偽となる。

要点はこうである。ハンガリー人はヨーロッパの非中心部に国家を建設して、長年、都市文化はドイツ・オーストリアを模倣し、常にハンガリーより東に位置する民族（モンゴル、トルコ、ロシア）によって侵略されてきた歴史を持っている。客観的に見れば、オーストリア、ドイツなど西方の民族もハンガリーを長年搾取してきて五分五分と言えば言えなくもないが、ハンガリー人は同時にドイツ・オーストリアの文化（武器、国家機構をも含む）を用いて東方のスラヴ系小民族やルーマニア人を徹底的に搾取し、かかる「アジア人」に対して「ヨーロッパ人」の顔で君臨したため彼らの自己主張が反「ヨーロッパ」には結びつかなかったのである。

おまけに、第一次大戦後のトリアノン条約で、国土の六〇パーセント以上を周辺各国に割譲され、ハンガリー人が「アジア人」と馬鹿にしきっていた民族の国家の中で、ハンガリー人は少数民族として支配される側に廻ってしまったのであった。

そして極めて重要な点は、ソ連の武力の下で形成されていた旧東欧「社会主義」準世界システムは、「民族国家」を大前提にしたうえで各国家の「一国社会主義化」を進め、そのうえでタコ足形態のモスクワ中心型各国分業を促進するものだった経過である。このため、隣国内に残されたハンガリー人は、それぞれの「民族人民共和国」に同化することを強いられ、ハンガリー文化の継承発展は、社会主義的分業システムと著しく矛盾を来す事態に至ったのだった。

かくて、ハンガリーでは、狂信的ともいえる「反アジア」主義とヨーロッパ・パラノイアが現象し、ことあるたびに「ヨーロッパ」対「アジア」という二分法が登場してしまった。「民族国家」型近代主義の極致ともいうべき社会主義旧体制は、ハンガリー人にとって自らの意志で選択したものでなく、ロシア＝「アジア」のスポンサーによる「外的」な体制ゆえ、非社会主義化のスローガンが「ヨーロッパ」という固有名詞に凝結したのも首肯できるだろう。このハンガリー人の「ヨーロッパ病」は西欧人ですらほとんど驚嘆し、例えば英国紙『オブザーバー』の東欧特別プロジェクト班の『降ろされたカーテン』でも「非社会主義化を〝ヨーロッパ〟というスローガンと結びつけた元祖はハンガリーである」と特記されるに至っている。これは、ハンガリー人が「アジア的」と考える国際分業システムの中で、隣の「アジア人」たちの民族国家内で自民族の数分の一もが抑圧を受けた経緯に照らせば、一応諒解可能かも知れない。

イデオロギーの役割は模倣による創造である。ハンガリーの超特別級「ヨーロッパ・イデオロギー」も然りである。かくて、ヨーロッパで反日が荒れ狂うと即座に反日を模倣し、ＥＣに加盟していないのに、ＥＣのレッテルを付けた自家用車がＥＣ諸国以上に走り、果ては名刺にまで「ヨーロッパ」と印刷するに至るわけである。

ところで、より危険なのは日本人の方かも知れない、とチュルカ人の人種主義的偏見には与しないという留保つきで、私も考えないわけではない。

冒頭に述べた紋切型ハンガリー像を日本人自身が実態を抜きにして信じてしまい、日本企業などは「日本」を表面に出してハンガリーで大宣伝を開始したからである。

九〇年の春、ブダペストの全市バスにMカメラが Japán Csoda（日本の驚異）と大書したピンク色のポスターを掲げ、さんざんハンガリー人から批判を受けた。最近は家電メーカーH社が「H・ヤパーン！」とがなり立てるラジオCMを頻繁に流し、あたかも「日本」を武器に何事かを言わせせんかのごとくである。

こうしたやり方は、ハンガリー人たちの微妙な自尊心と「外的」なものへの防衛心を即座に呼び起こし、例の「ヨーロッパ」対「アジア」の図式が登場する契機を形成してしまう。私は、以上の警告を含め、ブダペスト日本人会機関紙『ドナウ通信』に日本企業の自粛を求める意見を送付したところ、会長A氏の裁量で却下された。こうしたやり方を「アジァ」的と言えば、これまた偏見に与してしまうが、日本企業は自らの首を自らで締めていることにまだ気づいてはいないのである。折しも、ハンガリー最大の読者数を持つ風刺漫画誌『ルーダシュ・マーチャイ』では黄色い顔のサムライがハンガリー人をなぶり殺しにする式の漫画が続々と載りだした。ハンガリーがヨーロッパ最大の反日国家として登場する日も近いかも知れない。余り知られていないが、戦前の黄禍論の絶頂期に反日イメージ形成に最大の貢献をした「戦犯」の一人は、ハンガリー人、レンジェル・メニュヘールトに他ならない。レンジェルの反日劇『タイフーン』はブダペスト・コメディ劇場での三〇〇回近い公演成功を皮切りに、ヨーロッパ中に出廻った。アメリカでは、ノベライゼーションされて二〇〇版以上を重ね、果てはハリウッド映画となって早川雪洲主演で大評判を取り、日系人排斥の準拠となったのであった。

III

以上の一般的なハンガリー人の自己主張法とそれにリンクを開始した反日黄禍論とは逆に、社会のごく片隅に、日本人とハンガリー人は同族であると本気になって信じている人々の運動も存在する。日本では、この手の奇抜な見解・動向を不用意にも拡大し、それがいかなる社会的関係性のもとに生じたものごとかを無視して紹介するため、問題をわかりにくくさせてしまうが、ハンガリー人は、この手の人々を馬鹿にしきっているかあるいは極度に危険視している。彼らの存在形態を今日の日本に喩えれば、九〇年代に満蒙生命線防衛論を高唱するドン・キホーテの姿を想起すれば良い。この種の主張は、今日の日本右翼ですら本気で行わず、危険度を通過して、すでに一種の冗談の域に達しているのではなかろうか。

戦時中、ハンガリーでは「トゥラン」運動というのが存在し、半ば政府公認の下で、「ハンガリー人・日本人同族論」を主張した。

私は「トゥラン」運動の生き残りの一人、スーケ・パール氏と会った際、「トゥラン運動には、ナチス・ドイツへの完全従属を防ぎたいというハンガリー・ナショナリズムの発露の側面も確かに含まれていた」と聞かされたが、これは大いに納得できる。

前節でも述べたように、ハンガリーは西欧列強、とりわけドイツに従属させられた過去も持ち、ドイツのプレゼンスが異様な大きさをとると、「ヨーロッパ」対「アジア」の関係場にいまひとつ特異な要素が登場するからである。

伝統的にドイツの敵だったフランスはルーマニアとの関係が良好なため、フランスと外交的に結ぶ「ヨーロッパ」の自己主張はハンガリーではあり得ない。そして「ドイツともまた異なる別な文化」としてハンガリーを見つめるとき、その「ハンガリー的」と称する部分は実のところ、ルーマニア、クロアチア、セルビアなど「バルカン」＝「アジア」と共有する側面に他ならないのだが、「バルカン」＝「アジア」という「野蛮」な仲間の一員だとはハンガリー人は絶対に思いたくない。

そこで、わが極東の新興帝国主義国家・大日本帝国という実体不明ながら何かしら強そうな遠方の国家を形成する日本人とハンガリー人は同族だ、という説明が登場するわけである。

こうした言い方が茶化し過ぎと言われるなら、私も反論の用意を整えている。ハンガリー人が「トゥランの民」だとして、「トゥラン」は広大なユーラシア諸民族を包括する「メタ民族」に想定されるが、他のユーラシア諸民族でなくことさら日本人だけを対象として「連帯」せねばならない理由が「トゥラン」理論の内部に発見できない点である。事態はむしろ逆と思われる。「トゥラン」主義は遠方の帝国主義強国・日本の威を借りたハンガリー人の屈折したナショナリズムの特殊形態に過ぎなかっただけなのである。

但し繰り返し強調するが、大戦中ですら、この「トゥラン」運動はハンガリー人の多数派から嘲笑されていた。ハンガリー人は、ナチス・ドイツと組んで失地回復を目指して戦ったし、「アーリア人種の敵」ユダヤ人虐殺に協力し、東中欧最大規模のジェノサイドを現出せしめたのだった。

ついでに紹介すれば、「トゥラン運動」が公認されていた時代のハンガリー人のアジアへの本音の視座を知るための恰好の資料はカールマール・ラースロー監督の映画作品『シーアミ・マチカ』（シャム猫）である。戦前の大ヒット映画の一つで、今日でもブダペストで上映されることが多いから、チャンスがあったらぜひハンガリー人と一緒に見てほしい。コメディ調で進む恋愛映画ながら、最後は悲劇で終るこの作品は、娯楽作品として今見ても新鮮な部分がある。本作品の舞台は、ブダペストに住むオリエンタリストの家なのだが、結末の悲劇を示唆する「不気味な」シャレードこそアジア人なのである。

チラッと何気なく映るアジア人の顔に、私が見た時のハンガリー人観客は激しい拒否反応を示し、果たしてシャレードの意味を正しく読み取っていたのだった。映画の話を加えると、一九四一年に先の反日黄禍劇『タイフーン』のハンガリー版映画化すら企てられ、実現しなかったものの台本まで執筆されていたのであった。

ところで、今日の「トゥラン運動」であるが、メンバーはせいぜい一〇人程度ではなかろうか。彼らが発行した書籍『東でもなく西でもない極東』は、一般書店ではボイコットされ、ブダペストの一部の古本屋でのみ購入可能である。表紙に漢字で「大日本帝国萬歳」と書かれ、愛国行進曲の歌譜まで入ったこの本は「トゥラン協会」のクリン・バーン氏によって編集されている。

戦時中の「トゥラン運動」と異なる点は、運動の目的を当面限定し、トランシルヴァニアのハンガリー併合と千島列島・南樺太の日本併合という二つのレコンキスタを「トゥラン民族の領土回復」運動として関係づけようとする点である。いわば「極右インター」を目指そうとするわけである。

私はすでにトランシルヴァニア専門誌『エルデイ・トゥケル』第五号に小論稿「日本人はトランシルヴァニアについて何を知っているか?」を発表し、両「レコンキスタ」の相違を述べ、さらに彼らと論戦を準備中である。

ハンガリーでは「トゥラン」という言葉だけは一応人口に膾炙しているようである。何度も言うように、しかし、悪いジョークまたは珍無類の奇談として知っているのであって、ハンガリー人の多数派が「トゥラン」主義者だとは信じてはならない。

それかあらぬか、日本の愛国行進曲などを唱和してブダペストの街を行進されたりすると、ただでさえ「アジア」嫌いのハンガリー人に、また一つ黄禍論の恰好の素材まで提供してしまうわけで、日本の将来にもさほど有益とは思えない。

Ⅳ

私はいわゆる文化摩擦や文化ギャップという問題の立て方には一切興味がない。どの文化主体も自己の置かれた関係位置によってしか他文化を吸収できず、文化を知ったからといって理解が進むわけなどあり得ないからである。

それに今日の世界では「文化摩擦」という概念自体が作為された「反動イデオロギー」のように思われ、私は全面的に首肯できない。文化摩擦はもう少し個的なミクロなレヴェルで発生するのであり、「文化摩擦」という言い方自体、現実的なコンフリクトをある方向に誘導せんとする思想的構えに見えて致し方ないのである。

ハンガリー人の「アジア嫌い」について言えば、ごく最近まで「アジア」の中に「日本」は含まれておらず、大多数のハンガリー人にとって日本は「カルパチア山脈より東に位置していることは知っているが、大西洋のどちら側にあるか見当もつかない」エキゾチックな異国に過ぎなかった。

ところがここ一～二年間に日本商品の大量流入と、ハンガリー人が大嫌いなヴェトナム人、カンボジア人そっくりの人間の出現により日本が「アジアの国」だという事実にハンガリー人は気づき始めたわけである。

ブダペストに住んだことのある日本人のほとんど全員が経験するのは、「アジア人」への強烈な差別感と「日本人」だとわかったときに見せるハンガリー人の驚きの態度である。要するに日本がエキゾチズムの彼方にあったのも、日本が「アジア」ではないというハンガリー人の「名誉白人」観が作用したゆえの錯覚に過ぎなかった。

私はこの手の「名誉白人」号を日本にとっても有害極まるレッテルだと考え、かねて心苦しく思っていたが、反日黄禍論の登場は、ある意味では、ハンガリー人の日本認識がようやく出発点に立った事実を示すわけである。

「ヨーロッパ文化の優秀さ」を繰り返し繰り返し誇示してくるハンガリー人を前にして平静さを保つのは時として厄介であるが、ハンガリー人の「ヨーロッパ・パラノイア」への社会学的補足を付けて小稿の結びとしよう。

それは、ハンガリー人の言う「ヨーロッパ」の思想的意義についてである。

ハンガリー人にとって本音の部分では「ヨーロッパ」という存在はかなりパラドキシカルなのである。例えば、トリアノン条約によるトランシルヴァニアのルーマニア編入を招いた事態も、ルーマニア自身よりも、フランスなどヨーロッパ列強の責に帰すべきであろう。また、戦前の「ヨーロッパ」時代のハンガリーは「ヨーロッパ」ではなかった。「三百万人の乞食の国」と呼ばれ、ハンガリーの社会学者、例えばエルデイ・フェレンツは「アジア」という辱称を『両大戦間期のハンガリー社会』の中でそのままハンガリー社会に用いていた。

つまり、ハンガリーのヨーロッパ・パラノイアは福沢諭吉が『文明論之概略』から『脱亜論』に至る論説で述べた「文明論」と近似のイデオロギーであると考えれば、その意義を深い部分で掴めそうな気がする。

戦後日本でも「文明論」の末裔たちはほんの少し前まで健在であったはずで、ハンガリーの「ヨーロッパ」論は、日本近代主義、例えば丸山政治学や大塚史学の理念的「純粋ヨーロッパ」モデルとウリ二つのもの、と評すれば良いかもしれない。

それがいかほど「事実」と異なるか、という批判は私見では意味をなさない。繰り返すが、イデオロギーとは模倣による創造である。ハンガリーのヨーロッパ・パラノイアは、いかに虚勢・虚飾であっても、ハンガリーの混乱を極小化し、社会統合に積極的な貢献を果しているのである。

最後に日本人に特徴的な「ハンガリー人＝アジア人」論に二つの余論を加えておこう。

まず、アジアの隣国人をちっとも対等に扱わない日本人が、どうして「アジア人」であると称してハンガリー人を特別扱いするのだろうか。フィン＝ウゴル語族ということでは、マリ人やモルドヴィン人、マンシ人などもっと「アジアに近い」民族がいるし、フィンランド人もその一員であるが、「フィンランド人＝アジア人」説くらいになると、かなりキワモノめいてくるので自粛しているのだろうか。

思うに、「ハンガリー人＝アジア人」説は、「日本人も脱亜に撤すればハンガリー人のようにヨーロッパ人になれるかもしれない」という「ヨーロッパ偏愛＝究極の脱亜論」が化けの皮を被っているだけではないのだろうか。『アエラ』誌などで繰り返される低級な「ハンガリー人＝アジア人」論は、オリジナルを求めれば田口卯吉や内村鑑三に遡る。田口は、実に日本人はアジア人でなく「白人」だという特別級の妄想を抱いた上で、ハンガリー人と日本人の近似性を立論しているのであり、片や内村は、「黄色人でもハンガリー人のように頑張れば文明化する」と述べているのである。

つまりは、「ハンガリー人＝アジア人」論は、ハンガリー人をネタにして、脱亜論を再確認しているだけであって、アジアが大嫌いな連中によってのみ創作された神話に過ぎないのだ。

もう一つは、ヨーロッパ人にとっての「アジア」という概念である。アンリ・ピレンヌの『シャルル・マーニュとモハメット』という古典的作品が分析するように、「ヨーロッパは非ヨーロッパによって形成された」ものであって、「ヨーロッパ」は「非ヨーロッパ」＝「アジア」という「それ」を仮想敵にして初めて「内側が固まる」構造を持っている。この「それ」はスティーヴン・キングのホラー小説の怪物が『それ』という名を持つ他ないのと同じように、「それ」としか表現できない非実体的な「関係そのもの」と言ってよい。（本書所収「リトアニア・オリエンタリズム・日本」も参照。）

この「それ」を関係づける論理こそ、サイードの整理したオリエンタリズムである。

ハンガリーは、ごく稀にヨーロッパ中枢部のオリエンタリズムの犠牲になって、「アジア」

扱いされたことがあったことは事実である。しかしこれは、ドイツ人の祖先がフン族だとする『ニーベルンゲンの歌』に依拠して、「ドイツ人＝アジア人」説が冗談半ばに仮説化されたのと同じ程度の軽いものに過ぎない。ハンガリー人に同化されたセーケイ人に「アジア起源神話」があるといっても、これはハンガリー人のアイデンティティにとってあくまで周縁的なエピソードに留まる。ハンガリー人の文化的・知的自己主張は、アウエルバッハの創出した「ミメーシスの神話」に自らの幸福な場所を求めるものなのだ。ハンガリーでもっとも普及しているハンガリー古代史のグラビア版一般書のタイトルこそ、『ハンガリー人―あるヨーロッパ民族の生誕―』に他ならない。

問題は、ヨーロッパの中枢部が絶えず対象を七変化させては発する「アジア」という関係概念を、まるで実体そのものであるかに誤解してしまう日本人の知的退廃の方といえる。「ハンガリーと日本の間」から出発して、ヨーロッパ論で結ぶことになるが、日本人としては、むしろ「アジア」という用語をまず疑ってかかるところから外国認識を出発させたいものである。

その意味で「ブダペストの練習問題」は、日本にとって徹底的な「外」人を理解できるか否かのテーマとなろう。

レトロスペクティヴ・ノート

本稿は九一年一月七日にブダペストで執筆したものである。この当時、数千人の規模で中国人がハンガリーに住みつき、大混乱が始まった頃である。私などが驚いたくらいであるから、ハンガリー人が黄禍論を叫ぶのも完全に納得できる話である。ここに日本と韓国の極東資本攻勢が加わり、ハンガリー人は、突然「得体の知れない」極東文明とかかわりを持つことになった。本稿は、こうした過渡期の緊張を背景に書かれたわけである。

なお日本のマスコミが「ハンガリー人＝アジア人」論を今なお大量生産している醜態はどうしたものか。カルチュラル・スタディズの学徒よ、どうか話題を「ハンガリー」にまで広げてほしい！

(追記) ハンガリーは黄禍論の舞台となるとともに、西欧への幻滅によって「トゥラニズム」、つまり東方志向のイデオロギーもしばしば登場し、現下、どうやらこの両方が台頭しているようである。人種主義的アジア人排斥は常道としても、時たま惹起するハンガリー版「トゥラニズム」は基本的にバルカンを支配下に置き、トルコと同盟関係を模索するプチ帝国主義思想である。中国はこの対象に入らないにもかかわらず、日本が含まれるのは大日本帝国が強国であったからに他ならない。「補遺」の書評でも述べたが、ポーランドと並びハンガリーは帝国秩序を維持した準大国であり、「悲劇の小国」のイメージで把握してはならない。日本のマスコミは飽きもせず「トゥラニズム」的視点からハンガリーを紹介しているが、そろそろステロタイプから卒業してはいかがなものか。

トゥラニズムに関しては Ablonczy Balázs, Keletre, Magyar! A magyar turanizmus története, Budapest, 2016, Jaffa. という書が近年刊行された。著者に直接聞いたが、本書出版時に「どうしてトゥラニズムのような「トンデモ説」を研究するのか」と非難轟々であったらしい。ただしEUへの怨嗟からハンガリー右翼に「トゥラニズム再評価」論も登場し、本書は時宜に叶った批判的研究として高評価を受けている。

ハンガリー文献の関係場

I

私の収集したハンガリー語文献がこのほど大阪外大図書館に収納されることになった。

私の集めた文献はハンガリー研究者の個人蔵書にも劣るほんのささやかな基本的コレクションに過ぎないものであるが、ハンガリー国内の物価上昇率から考えて、将来、同規模の文庫設立のためにさえ私の払ったコストを数倍も上回る経費を要するに相違ない。

私のハンガリー滞在期間は一九八〇年代半ばすぎから始まり、首都ブダペストのみならず、ハンガリー人ですら退屈をもてあますという東部大平原のデブレツェンにも約二年間「禅修業」の思いを込めて篭城したことが私の自慢である。

私の一般的に認知されている専門は近代思想史研究であるが、ハンガリーという一個の社会、歴史システムを分析的に対象化する作業は、私をしてジェネラリスト足らしめざるを得なかった。

この度寄贈した文献類に決定的な焦点を欠如するかのごとく感知されるものは、かかる私の研究姿勢の素直な反映に他ならない。

とは言え、狭義の研究を離れても、書を探究し、書をめぐって人と遭遇する悦楽は私の幸福概念の根本に関わる、しかし最も安上がりな「知的遊戯」でなければならなかった。かくて書店めぐりは、私のハンガリー滞在中、おびただしい数に上る映画館通いと合わせて、社会解読のための最も有用な鍵であり、最も心踊る知的アトラクションでもあったのである。

加うるに、次のようなハンガリー国内の情報のアクセス機会の問題が、本屋通いをほとんどマニア化させた背景に存在していたかも知れない。

ブダペストの場合、国立セーチェニ図書館にはほぼ全ての分野の専門研究員がいてかなり本格的なビブリオグラフィーを編纂する能力を所持している。都立サボー・エルヴィン図書館も社会科学のスタッフを擁し、定期的にビブリオグラフィーを刊行する能力を持ち、専門図書館としての力量を有している。ところが大学図書館や科学アカデミー図書館くらいのクラスになると、インフォメーションの機能が未だしという現状に留まっており、図書館を戦略的に利用するために、研究者はそれぞれ自前のソフト開発能力を磨かねばならなかったのである。さらには、徳永康元氏が『ブダペストの古本屋』でオマージュを捧げたような職人的古本業者も社会主義時代に消えうせたから、古本屋を利用するためにさえこちら側の力量がものを言ったのである。

さて本稿では、関西でのハンガリー研究の進展とハンガリー文献利用の扇動もかねて、ハンガリー書籍の「場」をめぐる私的注釈を加えてみたい。

II

ハンガリーの古本屋は淘汰のただ中にあり、本稿が公表される時点で既にして状況が変わっているかも知れない。

現在進行形のプロセスというのは、手短かに言えば、国営の非専門家事務員によって営まれてきた中間平均型書店から高級専門店と大衆向け書店への分化である。

同時に店数も漸減中にあり、活字離れとビデオ・メディアへの代位という一般的趨勢はハンガリーにおいても進行している。

社会主義時代の国営ショップといっても、人間が営む店舗たる以上、無論それぞれ他に代えがたい特色を有していた事実は特記するにやぶさかでない。私は、可愛い梟のマークの国営古本屋を心底から愛していた事実に今さらのように気付くのである。

私は新政権になってから次々に閉店に追い込まれた古本屋の店先に立ち止まり、奇妙な喩えを用いれば、密かに愛でてきた雑草の花をむしりとられたかのような無念をかみしめては一人涙を殺していた。

消えた古本屋の棚は、私のハンガリーそのものであったし、そのハンガリーは確かに薄汚れてはいたが、私にしか理解のできぬ記号群で囲まれていたのである。

レーニン（現テレサ）ケリュートの古本屋がもはや存在しないというのは、私の人生にとって何事かではあるのだ。センテンドレの古本屋も雙脚の主人の死とともに地上から消えうせた。これも今は亡きバルザック・ウーツァの私設古本屋は、気さくな女主人がいつもコーヒーを入れてくれたものだった。ネーメト・ラースローの『少数派のなかで』を探していたら、「これもほしいだろう?」と言って、サボー・デジェーを奥から出してきたウーイペシュトのこわそうなおばさんも記憶に残っている。

どうか愚にも付かぬ地名をわざとハンガリー語のまま列挙するのをお許しいただきたい。アールパード・ウート、ムンカーシュオトホン・ウーツァ、マヤコフスキー・ウーツァ、バイチ＝ジリンスキ・ウーツァ、カーロイ・ミハーイ・ウーツァ、ヨージェフ・ケリュート、カールマーン・ウーツァ、バーチ・ウーツァ、マルチロク・ウーチャ、ラヨシュ・ウーツァ、ソンディ・ウート、バルトーク・ベーラ・ウート、トゥクリ・ウート、ボソロメンニ・ウート、ムーゼウム・クリュート、ヴァールフォキ・ウーツァ、オルサーグハーズ・ウーツァ、デブレツェン、ソルノク、セゲド、ベーケーシュチャバ、ケチケメート、エゲル、ペーチ（三軒のうち一軒はビデオ屋になった）、ショプロン、ジェール、ソンバートヘイ……これらの古本屋は今後も健在だろうか?

III

私はシュタンドと俗称されるハンガリーの街頭書店に寄せて五六年反乱の文献に関する準ビブリオグラフィーをまとめたことがある。（本書所収「ブダペストの街頭書店」）ハンガリーを訪れた人なら路上の民芸品売りや闇ドル買い、そして街娼などと並んで簡易店舗の街頭書店を即座に思い出すに違いない。

私見を述べれば、ハンガリー名物のシュタンドも、他の三つの路上生活者と同時に遠くない将来消滅の運命は免れまい。

私は、前述の文章の中で、街頭書店をハンガリーの政治的転換期の象徴として描いてみたのであるが、八〇年代末の状況を「街頭書店の英雄時代」と仮称してみるならば、この四年ほどの間に街頭書店は次のような四季を通過したといえそうである。

まず第一期はカーダール政権末期の様相である。シュタンドに並ぶ本は一般書店のものと変わりなく、モスクワ広場や西駅などターミナル周辺の路上に立地するという条件が客を引き付けているに過ぎなかった。採算がとれた秘密は、ゾッキ本を定価販売していたため、マージン率が高かったからである。この時期のハンガリー読書界においてゾッキ本になる確率の高かったジャンルは社会主義書、学術書そして「その他」だったが、シュタンド本は大体が「その他」

の雑本とわずかな学術書よりなり、間違っても社会主義書を並べる愚は犯さなかった。

次いで私の言う「英雄時代」とは、八九年を挟む前後一年を指す。出版の自由が確立されて小出版社が雨後のタケノコのごとく簇生し、旧来タブーだった書籍が堰を切ったように次々と刊行され、一般の書店に並べられる遥か前にこれらの書籍をシュタンドに見出しえたのである。欧米のハンガリー語出版社、例えばニューヨークのピュシュキ出版社専門のシュタンドや新政党の出版物専門のシュタンドまで登場した。この時期のハンガリーの広場や道路は、相次ぐ葬式とデモで活気づき、熱気に包まれた群衆の傍らには必ずシュタンドが開店していたものである。

第三期は新政権誕生後である。建物から共産党のシンボル・赤い星が撤去され、ブダペストではピンクのネオン・サインが輝き始めたこの時期、シュタンドの機能に大きな変化が見られ始めた。

八九年一二月のクリスマスに焦点を合わせたロージャ・ヤーノシュ監督の映画作品『半ば夢』は、この時期のブダペストを街頭少年の目から撮った現代版『パール街の少年たち』といえるが、この『パール街の少年たち』ならぬ『ラーコーツィ街の少年たち』が路上を駆け回っていたとき、歩道上には街頭賭博師（ゴタール・ペーテル監督の『アメリカのように』のニューヨークの賭博師を想起されたい）という新商売が出現し、シュタンドはポルノ・ビデオ・ショップに化けていたのである。風刺漫画誌『ルーダシュ・マーチャイ』には毎号のごとくポルノグラフィーに埋もれたブダペストの状況が描かれたものだったが、実際、それは誇張ではなかった。だが、やがて法規の改正によりなりふりかまわぬポルノグラフィーの販売にピリオドが打たれ、シュタンドの冬の時代とも言うべき第四期に突入したのである。

第四期とは、かくて現在進行形の姿で、シュタンドが死滅しつつある過程を指す。

書店も自由競争のただ中におかれ、餓死の自由が与えられたから、今やゾッキ本を定価販売する大名商売はできないし、逆にシュタンドはディスカウント競争に追い込まれ、本では食えなくなった分をビデオ・カセット、スウェーデン製の薬酒からコンドームに至る雑貨を売り捌く路上闇市場を兼ねることになったのである。

ゾッキ本のディスカウント専門店としては、古くからバーチ・ウート（バーチ・ウーツァではない）沿いに大型店舗が店を構えており（ゲルゲイ・ウーツァの学術書ゾッキ本専門店は店仕舞し、外国書籍輸入店となった）、シュタンドの「本屋」たる部分は専門の大規模店に今後完全に客を奪われるだろうから、ハンガリーの街頭書店もまもなくその歴史を閉じるに相違あるまい。

Ⅳ

ハンガリーの地方出版は、二〇世紀に入ってからだけでも輝かしい歴史を持っている。

例えばデブレツェン、コロジュヴァール（現ルーマニア、クルジ・ナポカ）、ベーケーシュチャバという中規模都市を拠点とした出版文化に思いを馳せるだけでその一端に接しえるが、出版業衰退後も、これらの都市には有力な図書館が設置され、往時を忍ぶよすがとなってきた。

もちろん戦後においても地方史の出版などは営々と続けられてきたのであるが、商業的出版社を設立する企てはたび重なる試みにもかかわらず失敗に終わってきたと言ってよい。ところが新政権誕生と旧東ヨーロッパ全体の構造的変貌により、デブレッツェンのチョコナイ出版社、セゲドのヨージェフ・アティッラ大学出版部、ベーケーシュチャバのテヴァーン出版社などの地方出版社の創業が相次ぎ、このところ地方出版が再びよみがえりつつある。このうちチョコナイ出版社に関しては、私もイーヴァ・ペーリ・アールパードネー氏とのインタヴューを踏まえた小論（本書所収「国境を越えるハンガリー出版界」）を発表しているのでぜひとも参照されたい。

地方出版の再興隆という一見控えめな現象は、ハンガリーのみならず周辺地域総体の関係構造の変化と関わっており、その意義を把握するためには少し回り道をした考察を要請する。

地方出版の拠点となっていたデブレッツェンなどの都市は、今日でこそ国境線の内側にほんの一寸入ったばかりの辺境都市に過ぎないが、第一次世界大戦終結前までは文字どおりの中心都市であった。トリアノン条約によってハンガリー側に極度に不利に国境線が引かれ、これらの都市は歴史上初めて辺境と化したのである。そして自由と繁栄をもたらすはずであった民族自決の思想は、バルカン―東中欧地域ではまことにパラドキシカルに機能し、むりやり作り出した「民族国家」を防衛するために国境の壁を異常なまでに高くさせ、結果的には歴史的に展開していた分業を断ちきって「民族国家」の境界線付近を荒廃させてしまったのである。この経緯は、戦後の社会主義体制に見事に受け継がれた。戦後社会主義準世界体制はハンガリーの場合、トリアノン国境を基本的に承認した上で「一国社会主義」の建設を目指すかたちをとったが、これは正しい意味で「民族国家」という二〇世紀の神話を徹底したものだったのである。そして国境を超えて往来する歴史的民族の存在は「一国社会主義」をおびやかす反革命的なものと弾劾され、ときには暴力的抑圧すら受けたから、社会主義の建設の度合いと辺境の荒廃とが比例し、今や辺境と化した中規模都市において出版文化も根刮ぎにされたのである。

伝統的な地方拠点都市に替わって新興拠点都市・レーニンヴァーロシュ、ドゥナウーイヴァーロシュなどが建設されたが、これらの都市は地方の振興のために寄与はせず、ブダペスト中心型の社会分業を強化したにすぎなかった。

この文脈で捉えて見る時、地方出版の再興は、単なる「地域興し」といった次元ではなく、ハンガリー近代の運命全体の再検討と密接に関係することが了解されよう。デブレツェンのチョコナイ出版社が戦間期最大のベストセラーにして反ルーマニア的かつ反ユダヤ主義的扇動ゆえ戦後長らく禁書となっていたサボー・デジェーの『潰された村』を復刊し、また国境外のハンガリー語出版社と共同で現在のウクライナ共和国に住むハンガリー人の小説を提携出版した意味は単に新刊の話題提供に留まらないのである。

V

ハンガリー文化史上、一種の「百科全書の時代」というものが存在していた。

西欧の水準に匹敵する、本格的な百科事典を目指した『レーヴァイ・レキシコナ』全二一巻が完結した戦間期は、同時に王立大学出版社の大冊シリーズ『ハンガリー史』全五巻、『ハンガリーの人と土地』全四巻、『ハンガリー文化史』全四巻、『ハンガリーの民俗』全四巻の出そろった時期でもあった。

これらの出版物は、社会主義時代においてもスタンダードな「知の体系」として圧倒的な権威を持ち続けてきた文献で、一寸した知識人の書架には必ず並んでいたものである。

この百科全書的スタイルの知の形は社会主義時代の科学アカデミーの出版物にも受け継がれたが、政治的配慮とは無縁でありえなかったために知的正統性を持っていたとはいえず、ハンガリー人は実に戦前の大冊を古本でずっと読み続けてきたわけである。

私は、比較社会思想史的見地から、ハンガリーのこれら戦間期のシリーズ物を格別注意深く考えてみたく思っているものである。

一般的に言って、社会思想とは社会の現実を説明し、社会のプログラムを提起し、社会の多数派を説得しようとする言葉と雰囲気のシステム、並びに思想学派・潮流の生活の再生産にかかわるサブ・システムを指す。システムであるという認識は、一つには社会思想の「本質」を求める式の考え方を拒否し、二つには、思想と思想との間主体的関係場において、アジェンダが生まれ、それぞれの思想は応答環境を形成するという知見をさしあたり前提する。社会思想の時系列変化は「様々なる意匠」の交代の歴史でもないし、「支配的イデオロギーは支配者のイデオロギー」だとはいえないのだ。

とは言え、思想の関係場の中で、多数派獲得に成功し、学校や学会などの暴力装置を支配した思想を「制度化された思想」と呼ぶならば、この制度的枠組をいかに超越できるかどうかが思想の「深さ」を議論する目安となろう。

さて、ハンガリーの研究者が一般的に提唱し、日本でも追従者に事欠かないハンガリー近代思想史の説明法は、第一次世界大戦後、社会思想が「近代主義」から「民族主義」に変化をしたとするものである。「民族主義」とは本来的にモダンな考えだから、この説は実のところ論理になっていないのだが、期するところは、ユダヤ人によって指導された素朴近代主義が反ユダヤ的ナショナリズムに取り替わったと述べたいのだろう。さらに、この説明法は一九三〇年代に台頭する「第三の道」を「近代主義」と「民族主義」の「統一物」だと主張してみたい様子である。

私は、これに対し素朴近代主義の代表格に挙げられるヤーシ・オスカルの近代社会のイデアリスティックな像が「第三の道」のエルデイ・フェレンツ等にも完璧に継承されていることに注目し、「近代主義」＝「民族主義」のパラダイムがトリアノン条約以降「一民族一国家」となったハンガリーで「第三の道」として完成したという仮説を提唱した。（小著『近代の境界にて』）

ここで私が「直感」的に、いわば論理以前に気付いたのは、二重帝国期のハンガリーの社会・文化・学術の制度化たる百科全書的刊行物が戦間期に集中的に出されたという事実だった。ところで話を急いでもとに戻さねばならない。今ここで論じた百科全書的著作類は『レーヴァイ・レキシコナ』を始めそのすべてがレプリントされつつある。

政府の出版助成に依拠しない独立出版社の事業ゆえ、各巻の定価は極めて高く、売行きも予想されていたほど伸びていないらしいが、若手の知識人の座右におかれる程度には普及したであろう。

現在のハンガリーはいかなる時代にもまして「レプリントの季節」といえようが、いまさらながら、社会主義政権下で出版されえなかった書の多さに驚かざるを得ないのである。

レトロスペクティヴ・ノート

本稿は九一年一二月四日にハーヴァード大学クーリッジ・ホールの当時の私のオフィスで執筆した。ワープロを用いて初めて書いた文章ということでも記憶に新しい。

本稿中で「予測」したことどもは、すべてその通りになってしまった。但し、古本屋のレヴェルは格段と上り、いずれ徳永康元氏が『ブダペストの古本屋』で回顧された熟達の書肆が街中に現れるだろう。

地方出版では、デブレツェンのコシュート大学出版部が創業し、チョコナイ出版社とともにユニークな活動を開始した。小著『近代の境界にて』もコシュート大学出版部の出版にかかるものである。

（追記）二一世紀以降の書籍をめぐる新情報を二つ。まず博物館環状道路（Múzeum krt.）のAstoria駅からKálvin tér駅の間にもともと多かった古本屋に加え、新しい店が次々に開店して「古本屋通り」を現出した近況である。この通りを歩くたびに黒い風呂敷を持った徳永康元先生の幻影を私は見るし、二重君主国時代の書籍を手に取ってはカフェや酒場に集った知識人に思いを馳せる。今ひとつはネット環境の整備である。全国各地に支店を持つ同国最大の書店Libriがネットサービス（libri.hu-online könyváruház）を開始し、新刊、古本、さらに電子書籍に至るまでを扱う（https://www.libri.hu）。このサイトはAmazon並みのラインナップを揃え、国内の主要古書店とも提携、さらに「日本の古本屋」サイトと同様の価格形状比較機能を備え、受け取りは近所のLibri実店舗でできるようになっている。

調べたわけではないが、ネット専売の書店、古書店も簇生しているのではあるまいか。昔は滅多に入手できなかった稀覯本も今では当サイトによって容易に発見できるようになったが、同時に無料のデジタル・アルカイヴも国立セーチェニ図書館で整備されたためか、古本価格は意外にリーゾナブルではある。私も長期滞在の折には毎回お世話になり Széna tér の Mammut にある Libri でいつも本を受け取っていた

民族問題からみたハンガリー

（インタヴュアー・尾川昌法）

I

尾川　小島さんは海外での長い研究生活の体験をもっておられます。とくにハンガリーは長期で、その後も毎年訪問されていますので、ハンガリーを中心に民族問題の現状について、お聞きしたいと思います。

小島　僕は民族問題の専門家ではなく、ハンガリーを通して民族問題を考えているにすぎません。ただ一般的に言って、民族問題は二〇世紀を通じてきわめて大きい問題でありました。それは研究分野を問わず必ず答えねばならない問いであったのです。

戦後の世界を通じて、「民族解放」と「民族の独立」が肯定的に語られてきました。ところが、一九九〇年代に入ると民族問題は、それまでとちがう様相を持ちはじめたと言えます。つまり、民族解放をまっすぐにおし進めていくとインターナショナリズムに結びつくという基本的に肯定的評価、オプティミズムが九〇年代に入ると、「民族解放」は本当にいいことか、という疑問にとって代えられたのです。

二〇世紀にわれわれは二つのサラエヴォの銃声に驚かされたといえます。一発目（第一次大戦）は、民族解放へのかけ声で、二発目（「ユーゴ内戦」）は、民族解放への根本的な疑いの声でした。論争的に、あらかじめ問題を出しておきたいのですが、それは「民族の平和的共存は可能であるか」、という疑問です。僕はハンガリーに長く住んで、ナショナリズムを前提にする限りは、「不可能ではないか」と思うようになったのです。

民族の成立というものは、対自的なものです。A民族が形成すると同時に並んでB、C民族が形成されます。民族は、スターリン・モデルにあるようにナロードノスチといいますか、前民族体的なものが生成してそれが成長してできる実体的なものでなく、「他者」との相互関係の中で現象し、ナショナリズムの言説の中に固定化されてゆく間主体的な存在ではないでしょうか。ナショナリティを「想像の共同体」と言うならば、ナショナリズムは仮想敵を明示する共同幻想と言えましょう。A民族が自らを比類なき優れた民族と自己言及すれば、それはB、C民族はダメということを暗示しているわけです。つまりナショナリズムにはまわりの民族と対立するモメントが最初から含まれているのです。ですからナショナリズムの言説やアイデンティティそのものを制限、または抑制することによってしか、民族の平和的共存はありえないのではないか、と思うわけです。異論もあるでしょうから、今後議論してほしい私の問題提起です。

尾川　はじめに「民族」という言葉をどう理解しているかについて話しておきます。「民族」は、ヨーロッパのネーション（nation）の翻訳語として明治につくられたことばですが、もともとのネーションは、ラテン語のナチオ（natio）、「生れを同じくする者」の意味から始まっているようです。一八世紀のアメリカ独立革命、フランス革命、それに産業革命を経過して、ヨーロッパではウィーン反動体制下でナショナリズムの思想と運動が展開します。とくに一八四八年のいわゆるヨーロッパ革命以後にはいっきょに広がり、一九世紀はナショナリズムの時代とよばれるわけです。そしてドイツ、イタリアの統一にみられるように国民国家（nation state）をつくっていくわけですから、この時代のナショナリズムというのは、一民族一言語一国家の三点セットを理想とする国民国家形成運動であったといえます。

このナショナリズム運動の中で、ネーション（nation）は、「民族」という意味をもち、さらに国家形成によって「国民」とも「国家」ともなっていったわけです。二〇世紀になってもこの枠組みは基本的につづきます。たとえば、第一次大戦後の国際連盟は League of Nations ですし、第二次大戦後の国際連合も United Nations です。国民国家を基礎単位としています。

二〇世紀には、また社会主義体制が出現しますが、社会主義体制下では、民族問題はあたかもないかのように扱われ封印されてきました。ソ連邦の解体、冷戦構造の終結によって、民族と国家をめぐる状況が変わったように思われます。一九九〇年代にナショナリズムの状況は変化したのではないでしょうか。噴出する「民族紛争」を国民国家の枠組みで解決できるのか、古い時代おくれなものとなってしまったのではないか、とも思われます。とりあえず簡単ですがこのように僕は考えています。

小島　誰がやっても民族の規定は似たものになるでしょう。スターリンの民族理論というのは、その意味では驚くほど常識的・平均的なものです。無理に民族の規定からはじめても無意味です。あいまいにしておいていいと思います。

尾川　同感ですね。概念規定からやっても意味はない。

小島　一八四八年のヨーロッパ革命でつくられた民族国家、これが近代国家の形成ということなんですが、僕が注意したいことは、今日の民族対立、民族紛争とかの民族問題の根は、この時から起こっていた、ということです。

従来の歴史学では、急進的な民族独立運動家たちへの評価が高いですが、今日からみれば、民族解放をたたかった指導者たちは、猛烈な民族差別主義者でもあって、自民族以外の他民族の解放運動を抑圧しているのです。中央ヨーロッパの場合、ハンガリーのコシュートやポーランドのピウスツキがその典型です。このように民族国家、国民国家の形成については再検討すべき研究課題を含んでいます。ヨーロッパ統合は、この民族国家へのアンチ・テーゼという性格を持っています。

つまりヨーロッパ統合は経済的にヨーロッパを蘇生させるだけでなく、これまでの国境のあり方を改めて、民族の共存をはかろうという思想によっても促進されつつあります。

尾川　具体的には、今のEUのことを指しているんですか。

小島　そうです。ハンガリー周辺でも「ユーロ・リージョン（ヨーロッパ地区）」という地域が五つほどあり、国境の垣根をぐっと下げて、従来とちがった形の超民族的協力関係をEUの援助をうけて、作ろうとしている。

尾川　「民族」という用語についてもう一つ注意しておきたいと思います。われわれの間では、「民族」を歴史学や政治学の用語として使っていますが、原住民の研究からはじまる「民族学」（ethnology）では、少しちがう意味で「民族」を使いますね。エスニック・グループ ethnic group（民族集団）というふうに。

小島　そうですね、「ネーション」というとどうしても国家に結びつきますが、国家を作らない、または作れない民族の場合がありますから、国家を基準にせずに最近ではエスニシティが一般的に使われています。

尾川　厳密に「ネーション」と「エスニシティ」と、区別できない場合もありますが、我々はここではごく一般的常識的に民族という言葉を使うことにしましょう。

II

尾川　それでは、まずはじめにハンガリーについて私たちに地理感がないので、それを教えてください。

小島　地理的に言いますと、だいたいブダペストは札幌と同じ緯度です。いわゆる旧東欧はすべて寒い国だと思われているのですが、ハンガリーは日本と気候的にそんなに変わりません。湿気がない程度の違いで、どちらかというと温暖な、一年中過ごしやすいところです。

国と民族について語りましょう。ハンガリーは旧東ヨーロッパにおいて特別な性格をもちます。それは、ハンガリー語という言葉はどこにも似た親戚をもっていない言語であるということです。フィン＝ウゴル語族の一員ですので、あえて五千年位前までの親戚関係をたどっていくとフィンランド語と似ていますが、他のまわりのいずれの言語とも共通点はありません。ハンガリーのまわりの国、ルーマニアはイリュリア語系のルーマニア語。チェコやスロヴァキア、それからセルビア、クロアチアは全部スラヴ語です。西の方にあるオーストリアはドイツ語圏です。

ハンガリーの人口は今、一千万人でこれは日本を基準にしたら小さい民族となりますが、これも旧東欧を考えるときの誤解を解くひとつのカギです。ハンガリーは悲劇の小民族のように思われていますが、これは完全なステロタイプであってハンガリーは一千年間にわたってこの中央ヨーロッパ地域を支配した大民族です。逆にセルビアとかクロアチアとかスロヴァキアとかルーマニアとか、地理的にハンガリーより領土が大きい国を現在作っている方がずっと一貫して従属民族です。ハンガリー民族というのは、この地域では例外的に国家形成の長い歴史を持っているきわめて強い民族なのです。

それから、ハンガリー人が五〇〇万人以上も外国に住んでいる事実も注意すべきです。これを日本で喩えれば、五〇〇〇万人の在外日本人がいるということを意味するわけであって、その五百万人の内の半分以上が、隣のルーマニアの中のトランシルヴァニア地方に現在も住んでいるわけです。ハンガリーがこの地域で大帝国をつくっていた時代に、ハンガリー人やドイツ人移民がトランシルヴァニアを開拓しました。第一次世界大戦後に、トリアノン条約によって、敗戦国ハンガリーは分断され隣国ルーマニアに割譲され、ハンガリー人は少数民族と化したのです。

尾川　日本では「東欧」とかということばをよく使うのですが、地理的には「東欧」ではないんですか。

小島　はい。ポーランドとチェコおよびスロヴァキアとハンガリー、これは「中央ヨーロッパ」です。バルト三国やオーストリアもこれに含めても結構です。中欧という概念を作ったのはドイツ人ですから大きくはドイツを含めてもいいでしょう。あとは、ルーマニア、ブルガリア、旧ユーゴスラヴィアとかアルバニアとかは「バルカン地域」。この区分が説得力を持つのは、民族分布の状況や宗教の分布、さらに近代までの歴史がこの二つの地域ではっきり異なるからです。ハンガリーより北の国というのは、一応大きな民族のまとまりを持っていまして、いわゆる民族国家という形があります。ところがバルカン地域というのは、分布がモザイク状になっているわけです。ちょうど、モグラたたきみたいな状況があって、A民族が独立したらどこかの民族が思わぬところに現われ、民族浄化の対象になるわけです。だから民族の存在形態が二つの地域は根本的に異なるわけで、それを同一の東欧という言い方でくるのはむつかしいような気がします。

宗教では、中欧はカトリックかルター派もしくはカルヴィン派のプロテスタント、いわゆる「西」のキリスト教ですが、バルカンは「東」の正教です。近代までの歴史的相違点というのは、神聖ローマ帝国に「内部」として関与し、ハプスブルク帝国の一員となった中欧と、トルコの長い支配にあえいだバルカンとの決定的違いです。「東欧」とは、厳密にはロシアとロシア正教の勢力圏、つまりベラルーシ、モルドヴァとウクライナに限定すべきではないでしょうか。

尾川　日本ではもっぱら「東ヨーロッパ」ですからね。

小島　そうですね。東欧というのは、第二次世界大戦後つくられた政治的な体制の違いをさして使うことばだということではないでしょうか。

尾川　ああ、社会主義体制ということなんですね。

小島　そうなんです。東欧ということばでヨーロッパの東側を全て一括する用法自体がひょっとしたら、新しいかも知れません。

尾川　おもしろいですね。要するに中央ヨーロッパという言い方を、普通にしているわけですね。

小島　「東欧」というものの化けの皮がはがれたことによってはじめてその社会の実態が登場したと言えます。

尾川　それが九〇年代ですね。それでよくわかりました。中欧とロシア世界である東欧とそれからバルカン、大ざっぱにはこの三つくらいの地域を考えていいんですね。

小島　はい。

尾川　今までお話しいただいたことでハンガリーの大体の地理上の位置ということを説明していただいたのですが、それを理解した上で、ハンガリーの持っている固有の問題というか、ハンガリーの特徴的な、とくに民族的な問題ですが、そういうことについてお話しいただけますか。

小島　先ほども言いましたように、バルカン地域と中央ヨーロッパ地域というのは民族の存在状況がぜんぜん違うのですが、わけてもハンガリーの民族問題というのは特別変わっていますす。ハンガリー民族のかなりの部分がハンガリーに隣接する国に少数民族として住んでいるということです。普通民族問題というと、いわゆる国家という境界に区別された地域内で民族がお互いに戦いあう、だから国家というまとまりを分裂させるひとつのモメントですけれども、ハンガリーの場合は逆でして、現在ハンガリー国内、ハンガリーの国境の中の九〇パーセント以上はハンガリー人ですから、民族問題というのは国内ではまず起こりえない、あるいは起こってもかなり小さな問題です。だからハンガリーにおける民族問題というのは国境の外にいるハンガリー人が、その属している国によって抑圧されたり、乱暴に扱われたりするという問題です。民族問題はハンガリーに関して言えば国を分裂させるモメントではなくて、国を統合させるモメントと言えます。これがハンガリーの大きな特徴であるわけです。

私はこの夏にハンガリーにいたわけですけれど、ちょうどハンガリーのNATO加盟と、そのNATOによるユーゴスラヴィア空爆の直後でした。ハンガリーはユーゴ空爆のために運輸基地などの提供をしたわけで、ハンガリーから飛び立った輸送機などもあったわけです。爆撃対象になったのは、ベオグラードのみならず、ヴォイヴォディナの中心都市のひとつ、ノヴィサドという町でした。日本ではほとんど知られていませんが、このノヴィサドというのは、実はヴォイヴォディナに残されたハンガリー人少数民族の中心都市のひとつです。アメリカに亡命したセレシュ・モニカというテニスの選手がいますけれど、彼女はそこのハンガリー人です。ハンガリー人から見たら、ハンガリーから飛び立ったＮＡＴＯの爆撃機が、隣国ユーゴスラヴィアのハンガリー人の町を爆撃しているような受け取り方ができます。ではハンガリー人はＮＡＴＯのユーゴスラヴィア爆撃、そのハンガリー都市であるノヴィサドなども含めた爆撃に対してどのような見解を持っていたかというと、否定的な見解はほとんど聞きませんでした。

もちろん、夜、ジェット機が飛んでうるさいとかいう話はよく聞きましたが、爆撃自体に対してはハンガリー人はずいぶん肯定的でした。なぜかと言いますと、ルーマニアにとり残されたハンガリー人問題があったからです。とりわけチャウシェスク政権の終わりくらいに、トランシルヴァニアのハンガリー人はかなりひどい目にあいました。ハンガリー語の地図を持っているだけで逮捕されるとか、墓碑銘をハンガリー語で書くことは禁止されるとか、もちろん教育からハンガリー語は完全にシャットアウトされました。

一種の文化的な民族浄化をチャウシェスクが進めたのです。おまけにハンガリー人が信仰しているカトリック教会を壊したり、あるいはハンガリー人の村をブルドーザーで潰して人工的な工業団地を作ったり、とにかくチャウシェスクは殺す以外の乱暴の限りを働いたわけです。現在のルーマニア政権は、そんなひどいことはやっていませんけれども、対立は今もいろんな形で残っていて、それほど完全にルーマニアとハンガリーとの関係がうまくいっているわけではありません。最近もトランシルヴァニアの中心都市であるクルジ・ナポカのフナル市長、こはルーマニア人ですが、彼が盛んに反ハンガリー政策をすすめ、反ハンガリー宣伝をしてはポピュリスト的扇動を行っています。状況に応じては、トランシルヴァニアのハンガリー人が再び民族浄化の対象になるということすらあり得るわけです。だからユーゴスラヴィアの事態は、ハンガリー人にとってルーマニアに対する格好の見せしめだった。つまり、もしハンガリー民族に対してルーマニアがひどいことをやった場合、今回のように強硬手段をとるというメッセージだったわけです。

尾川　トランシルヴァニアのハンガリー人は、ルーマニアの中でそうとう徹底的にやられているわけですね。

小島　そうです。現在のルーマニアのトランシルヴァニア地方とか進んだ地域はハンガリー人とドイツ人が開拓してヨーロッパのいろんな文明をこの地域にもたらした。それに対してルーマニア人は、ワラキア地方のどちらかというと農耕民族だった、遅れた民族だったといえます。マルクスも『ルーマニア史ノート』の中で、いかにルーマニア農民が無知であるかを強調しています。ところが第一次世界大戦後、トランシルヴァニアを含めてこの地域全体がルーマニアの領土になったわけです。このあと先進文明を担ってきたドイツ人とかハンガリー人とかに対していろんな権益などを認めていったらルーマニア人はどうしても弱い立場のままにおかれてしまう。そこで徹底的に抑圧してルーマニアナイゼイションすることによって自分たちの民族国家をつくろうとしたわけです。これはルーマニアサイドから見たら正当なナショナリズムの発露でしょうが、同時にハンガリー人とドイツ人が徹底的に民族浄化されるということになります。

尾川　ハンガリーにとって民族の問題というのは国内問題ということではなくて、主に国外にいるハンガリー人の問題である、それがトランシルヴァニア問題であるということですね。

小島　トランシルヴァニア問題というのはそんなに周辺的な問題でもないのです。歴史的に見た場合、今のハンガリー地域というのは他民族に結構抑圧・侵略されているわけです。大平原地域はトルコによって占領されたことがありました。そして西の方はハプスブルク帝国に併合されているわけです。ところがそういう時期にトランシルヴァニアだけが独立していたんです。エルデイ公国という名前で、近代初期のトルコ占領時代です。だからハンガリー人の考え方からいえば、ハンガリー民族の連続性がトランシルヴァニア地域によって守られてきたという、アイデンティティの問題があるわけです。

トランシルヴァニアのハンガリー人の数は現在、二〇〇万から三〇〇万の間ですが、これはヨーロッパ全体をみると、最大の少数民族の数です。これだけ大きかったら少数民族という言い方自体がナンセンスだといえます。だから、民族問題として考える場合、従属民族であるとかの別の概念を導入した方がいいと思います。

尾川　ハンガリーの民族性、バルカンとの違いについてちょっとお話しいただけますか。

小島　民族性という言い方自体があいまいではっきり定義できないので、現象を並べるだけになるかも知れません。さきほど歴史的にこの地域ではハンガリー人は例外的に強力な民族だということを話しましたが、その点で、非常にプライドが高くて、ハンガリーこそヨーロッパの防衛線であるという考え方が強く存在します。ハンガリー人は大きな帝国を支配してきたわけですが、バルカン半島の小民族は国家形成につねに失敗してきた歴史をもっているわけです。それとハンガリーが支配した地域は、いつも民族の交差点のような位置を占めていて、モンゴルがやってきたりトルコがやってきたりして、ハンガリーより東にいる民族が、—最近ではロシアがそうですが—中央ヨーロッパの先進文明をつぶしたというようにハンガリー人は受け取っています。だからハンガリー民族はそういうハンガリーよりも東の方の野蛮な民族に対して、あるいはハンガリーより南の方にいる、国家形成に失敗しつづけてきた「低段階」の民族に対して、われわれはヨーロッパ文明を常に防衛してきた、またはヨーロッパ文明をもたらしてやったという強烈な自己意識があります。

だからハンガリー人のヨーロッパ意識というのは強烈です。たとえば社会主義体制をつぶす時ハンガリーでは、「われわれはヨーロッパ人だ」というスローガンを特筆大書したわけです。社会主義体制というのは東のロシア人が持ち込んだアジア的なものだ、自分たちハンガリー人はヨーロッパ文明のやり方を復興するのだという、それがスローガンになったくらいヨーロッパ意識というのが強烈にあった。これはチェコでもポーランドでも似たような状況があるのですが、とくにハンガリー人は境界線にいますから、ヨーロッパ意識が強烈であるということは民族性のひとつの特徴です。

尾川　たぶんこれは間違っていると思いますが、日本のジャーナリズムではしばしば今言われたことをこういうように理解するんです。

ハンガリー人というのはヨーロッパ人ではない、だからヨーロッパにすり寄るというかヨーロッパに近いことを強調することによって自分自身の立場を高める、そういうような意識が働くのだという言い方を、日本のジャーナリストはしばしば言ってきました。ところがこれは違うということですね。

小島　それは一〇〇パーセント嘘です。というのは、たとえば一八四八年革命にあたってエンゲルスが、中央ヨーロッパの小民族をいわば差別して、「歴史なき民族」と呼んだ際、そういう名前で呼ばれていないのが、ハンガリー人とポーランド人です。だいたいハプスブルク帝国内でドイツ人やのちのオーストリア人が対等に扱った唯一の民族こそハンガリー人なのです。伝統的に西ヨーロッパはハンガリー人とポーランド人の二民族だけはヨーロッパの仲間だというように特別な親近感を持っています。これは現代でもそうです。遠く離れたスペイン人やアイルランド人なども、ハンガリー人とポーランド人は仲間だといいますし、アイルランドの場合「ハンガリー＝アイルランド主義」なる思潮まで存在します。ところがブルガリア人とかルーマニア人とかになると外的なものだと思っています。だからハンガリーはヨーロッパで孤独な感情などは全然持っていません。西ヨーロッパもハンガリー人を除け者にするような感情は持っていません。今、一つだけ例をあげましょう。一九八九年のいわゆる東欧革命をエドムンド・バークのひそみにならって分析したラルフ・ダーレンドルフの『ヨーロッパ革命の考察』です。著者は『産業社会における階級および階級闘争』で有名なロンドン大学教授の社会学者です。彼は、ハンガリー人は明らかなヨーロッパの仲間だが、ロシア人はそうとは限らない、と同書で明言しています。

尾川　日本では、そういう意味ではまったく誤解されていますね。

小島　はい、日本のジャーナリストの流すデマにも若干の「歴史的理由」がありますが、長くなるので今日はパスさせていただきます。ともあれハンガリー人はアジア人だというのは、真っ赤な嘘です。

尾川　それは日本のマスコミが流したサイードの言うオリエンタリズムですね。

小島　まったくそうですね。日本のジャーナリズムは、いびつにそれを受け継いだんですね。

尾川　そのほかにハンガリーの持っている民族の特徴ということで何かありますか。

小島　そうですね。中央ヨーロッパ、バルカン地域で大帝国をつくった民族だけあって他の民族に対してハンガリー人はある種の寛容さを持っている点でしょうか。

これは、ハンガリーを理解するときのひとつのカギかも知れません。ハンガリーの代表的な詩人であると同時に革命家であったペテーフィという人がいますが、この人はスロヴァキア人だったようです。それからハンガリーの国民的オペラを作ったブラハ・ルイーザという女性もスロヴァキア人です。ハンガリーの国民的詩人のひとりにヨージェフ・アティッラという人がいますが、彼はルーマニア人の血が混じっている人です。ハンガリー人は多民族帝国みたいなものを維持した民族だけあって、この辺は寛容な部分がありまして、ハンガリー語とハンガリーの民族性を受け入れたら異民族であっても、完全にハンガリー人として扱います。これは日本人には理解できないハンガリー人の特徴で、また民族浄化に狂っているようなセルビア人にもない特徴だと思います。

尾川　なるほど。言語について誇りを持っているということですか。

小島　誇りは持っていますね。言語というのは社会の従属関数のようなものであって、言語に誇りを持っているということよりも、長期的に大帝国を作った、それを支えた言語であるという部分があるような気がするんです。

尾川　それは、いわゆるナショナリティと呼んでいいのでしょうか。

小島　そうですね。そういう大きな帝国を支えた言語であるということと同時に、いろんな西ヨーロッパの文明をハンガリー語で表現できるように、ハンガリー語を改良しているんですね。自国語ですべてを表記することに失敗して借用語でしか表記できないという言語とは違うわけです。ハンガリー語とハンガリー・ナショナリズムについては、日本でも有名なベネディクト・アンダーソンの『想像の共同体』でも大きな話題となっています。僕は言語学の素人ですので、憶測を述べることになりますが、ハンガリー語の国語化という研究課題では、ベネディクト・アンダーソンの述べたラテン共通語とドイツ語からのハンガリー語の自立と地位交代よりもっと面白いテーマは、まわりのスラヴ系言語とルーマニア語とハンガリー語との関係、とくにその表記法問題と「バルカン化」というハイブリッド言語問題です。順を追って述べましょう。ハンガリー語の表記法、つまり現代の正書法はきわめて簡易なものですが、同時にまわりのスラヴ系言語やルーマニア語と差異が大きく、西ヨーロッパ系列の諸言語に近いという意味ではユニークなものです。この対談の冒頭で僕は民族の対自的形成について述べたわけですが、ハンガリー語の特殊な正書法は、この地域の「野蛮な」スラヴ系言語との差異を強調する方向で進化した結果だと思うのです。あくまで類推だとおことわりしますが、僕は「歴史なき民族」ではない今一つの中欧民族・ポーランド人の採用したポーランド語表記法も、ひょっとすると反ロシア語意識の産物だと推定しています。

スラヴ語系の通常の表記法は、ラテン文字であれキリル文字であれ、文字を重ねなければ表記できない子音を補助記号や造字を用いて一文字で表わす方向で進化をしたのですが、ポーランド語は、わざわざ文字を重ねたり、他のスラヴ語とは異なる記号を用いたりしています。

ハンガリー語はむろんスラヴ語でなくフィン＝ウゴル語系言語ですが、ラテン文字では面倒になる発音を、わざわざ面倒なままにしたり、造字を禁欲する一方、スラヴ系言語と著しく異なる記号を発明しています。

次に「バルカン化」の問題です。バルカン半島は、スラヴ語系、トルコ語系、イリュリア語系の三つの異系言語が交差する地域ですが、「バルカン化」というのは異系統言語がハイブリッド化して共通の特徴を帯びる状況を言います。現在、ルーマニアのクリテリオン出版社から刊行されている歴史的・批判的な『トランシルヴァニア・ハンガリー語語彙集』が全冊揃った時点で全貌が明らかになると思いますが、ハンガリー語もこの「バルカン化」の影響があったに相違ないのです。

今日、知られるハンガリー語の重大な変化は、関係代名詞と冠詞の発生ですが、これは一種の「バルカン化」とは言え、印欧語に共通のものです。ルーマニア語やスラヴ系言語との間にはっきりした「バルカン化」の形跡が現代ハンガリー語に仮に見られないとすれば、それは「バルカン化」した部分をハンガリー語の言語ナショナリズムが「方言」化し差別し排除したためではないでしょうか。

僕は福沢諭吉とカジンツィ・フェレンツというハンガリーの啓蒙文化人の比較分析などを構想したくなりますが、ハンガリー語も「言語発達史」でなく「ハンガリー・ナショナリズムによる国語化政策史」的な観点で再検討すべきだと考えています。

尾川　さて、社会主義時代には民族問題というのはまったくなかったんですか。

小島　それは次のような構造を持っていたと思うんです。社会主義時代の国際協力体制というのは、ワルシャワ条約という軍事体制と、コメコンという経済協力の体制の双頭馬でした。

これは西ヨーロッパの旧ＥＣやＮＡＴＯというような同盟に対する、いわば対抗組織として作られたのですが、西ヨーロッパの旧ＥＣのような協力のあり方と、コメコンやワルシャワ条約という旧東ヨーロッパの協力体制とは、性格が全然違います。旧ＥＣ諸国から現在のＥＵに引き継がれているような統合政策というのは、先ほども強調したように国家というものの重みを下げることによって、エスニシティというものをもっと大きく上昇させるとともに、ヨーロッパという、国家を乗り越えたひとつのメタ共同体を作るという構想です。これに対して、コメコンとワルシャワ条約体制によって作られていた旧東欧の国際関係というのは、民族国家の壁を高くするという構造があった。

というのは旧東欧というのは、第二次世界大戦後人工的に引かれた国境を引きずっていまして、その国境内にははっきりしたいろんな民族対立があったのですが、その国境を大前提にしてまずはスターリン時代に一国社会主義モデルを導入した。それは、一九六五年以降のブレジネフとコスイギンの体制も基本的に引き継ぎました。社会主義建設は、人工的な国境によって引かれた国家がひとつのユニットとして、絶対的なものであったんですね。さらに、それぞれ隣り合った国同士の関係はきわめて疎遠で、モスクワ中心のタコ足状の構造が作為的に形成されました。コメコンはパラドキシカルにもこの状況を固定し、「社会主義分業論」はその名に反し「民族国家絶対化論」に結果しました。ですから社会主義的な経済建設が進んだり、あるいは社会主義国家なるものが発展すればするほど隣り合った国同士の仲が悪くなる、あるいは隣り合った者同士の協力関係が少なくなるというような関係にありました。

象徴的なことをひとつ言いますと、ハンガリーの中心にドナウ川が流れています。ウィーンから流れて今のスロヴァキアの首都であるブラチスラヴァの横を通って、ハンガリーのエステルゴムという町で九〇度カーブを描いて、ブダペストの真ん中を通って南の方に流れていくのですが、スロヴァキアとハンガリーの間に橋は何とひとつもなかった。厳密に言うと、昔あった橋が破壊されてわざとドナウ川を渡れなくしてありました。信じられないことですが今年はじめて、橋を建設しようという話がはじまりました。スロヴァキア内にハンガリー人はたくさんいましたが、ドナウ川に一本も橋がなかったのは、旧チェコ・スロヴァキア政府による人工的にハンガリー人の連帯とか共同性などを切断してしまう政策であったわけです。スロヴァキアとハンガリーの悲しい戦後史も今タブーが解禁され、いろいろと取沙汰されています。この二国は、戦後、「民族国家」のために—但し、チェコスロヴァキアは二民族国家でしたが—、相互に無理やり住民を交換したのです。

スロヴァキアにはハンガリー人はほとんどいないことになっていましたが、現在、二〇万人くらいいると言われています。

僕もスロヴァキアに行くたびに、ハンガリー語がよく通じるのを前々からいぶかしく感じてきました。逆にハンガリー内のスロヴァキア人も最近言語の権利を確立させたようですし、いくつかの研究書も刊行され実態が明らかになりました。ちなみに、六八年のチェコ事件のドプチェクはスロヴァキア人ですが、ハンガリー語を流麗に話す人で、ハンガリーにも親近感を持っていたと言われています。それから、ルーマニアとハンガリーの間ですが、もともとハンガリーの領土でしたからいっぱい道路があったものの、その道路が全部遮断されて数えられるくらいの道路しか残されなかったのです。このため、東部ハンガリーは、すっかりさびれ果て、経済的停滞が始まりました。これは社会主義時代にすでに議論されていたことですが、今もハンガリー経済最大の困難の一つです。

尾川　社会主義下の民族問題というのは、中国でも封印されてきたんですね。回族とかチベットですね、いまでも大きな民族問題で、独立運動があるわけです。

小島　社会主義と民族問題で言いますと、人権という論点で民族問題が再検討されるばかりか、同時に社会主義的共同体というものの分業関係のあり方自体に民族問題を隠してしまう原因があったという見方での再検討がされるべきです。

尾川　ソヴィエト連邦時代のソヴィエト内部の民族問題はたいへん悲惨なものでしたね。これからもどんどん出てくるだろうと思います。それがとくにいわゆる東ヨーロッパの社会主義諸国では、いち早く噴出してきているというのが現状ではないかという気がするのですが。

さて、ハンガリーでの少数民族問題研究について少し伺えますか。

小島　社会主義時代は最大級のタブーであったとは言え、体制転換後、少数民族問題というのは、ハンガリーの研究者の中でもかなり大きな意義を占めるようになりました。特筆すべきは少数民族問題研究をサポートするためにテレキ・ラースロー財団というものが創立された事実です。

テレキ・ラースロー財団自体は、いくつかの研究所を持っていて、その中で中央ヨーロッパ研究所というのがヨーロッパの少数民族を専門に研究する研究所です。『レギオ』という少数民族を専門的に研究する水準の高い機関誌が刊行されていますし、この研究所はいろんな調査をし、たくさんのレポートを出しています。研究所に所属する研究員も結構います。

尾川　次に、ハンガリーの民族問題について特徴のある問題として、ロマの問題と最近の現象としての中国人問題について少しお話しいただけますか。はじめにロマ、ジプシーと呼んできた人々についていかがでしょうか。

小島　ジプシーというのは差別語または他称でしょうか。ドイツなどではロマ・シンティという言い方以外では出版できないらしいです。ロマとシンティは別々の集団ですからロマ・シンティという使い方をします。

尾川　ロマの問題というのはハンガリーではどのように現れているのでしょうか。

小島　日本でもハンガリーとロマは結びついたイメージで知られているのではないかと思います。ロマの音楽、「ジプシー音楽」のことですね、それがハンガリー音楽と間違われたりしています。伊東信宏さんの『バルトーク』という本によると、作曲家のリスト・フェレンツなどは、ハンガリー人の民族音楽はロマの音楽とは違うとわざわざ強調せねばならなかった程、あいまいだったんです。ロマというのはハンガリーの顔であったりしたわけです。これくらいロマはハンガリーとかかわりが深いのですが、社会主義時代にロマ問題というのがあいまいになりました。結局ロマという社会集団と言いますか、民族と言いますか、そんなものはないということにされてしまったのですね。

あるいは、別の言い方をすると無理やり国家に統合しようとしたのです。ロマは伝統的に放浪する生活形態を持っていますが、団地住まいをさせたり、定住化させるということを社会主義時代にしています。これはまったく実態と合いませんから失敗しましたが、国民として統合するというそれなりの善意の政策だったものの、破産すると同時に、ロマ問題の真実が隠されたんですね。したがってロマ問題も、体制転換後の公開的討論の対象です。伝統的に「あなたはロマですか？」という統計は、ハンガリーには存在していません。実は「何民族ですか？」という統計自体も存在していなかったのですが。その理由は、判定が難しかったからです。ハンガリーでは「あなたは何語を母語としますか？」という統計でだいたいの民族分布を調べていましたが、しかし、「あなたはロマですか？」という設問はありませんでした。ところが最近は堰を切ったようにその研究は盛んになってきています。

一九九八年に『ハンガリーにおけるロマ人口』という、ほとんど初めての科学的な統計分析が出ました。これまでロマの人口については、さまざまな説があったのですが、この統計によるとハンガリー全体でだいたい四・五パーセント、ただしブダペストはとりわけロマの人口が少ないので、それを別にすると、五・一パーセントらしいです。ハンガリー国民の二〇人に一人くらいがロマということになります。この統計はかなり信頼できるものだと思いますが、地域偏差があって、ハンガリーの東の方と北の方はロマの人口がかなり高く、一割以上いるところもあります。西に行くとロマの人口はだんだん少なくなります。四・五パーセントというのは一見少ないようにみえますが、潜在的には大きな問題を含んでいます。それはロマの家庭には、だいたい一〇人から一五人の子どもがいる一方、ハンガリー人の家庭ではだいたい一人とゼロの間くらいの子どもしかいないのです。社会主義時代からこの少子化傾向が続いていて、ハンガリー人の人口はどんどん減っており、これをどうするかが、ハンガリー社会学の最大のテーマのひとつです。ロマが一〇人から一五人の子どもを抱えているということは、只今現在では四・五パーセントという数字ですが、長期的にみるとハンガリーの社会統合をゆるがすくらい大きな人口問題を抱えているということになります。

それから、差別問題に関して言いますと、はっきり差別されています。皮膚の色、習慣が違いますし言語も違います。ロマは国境を越えて行き来しますから、ロマの言語というものがあり、それもいくつかの種類があるようです。ハンガリーに住み続けているロマの言語の二割くらいのボキャブラリーはハンガリー語からの借用ですが、完全にはお互いに通じません。もちろん人によって差異は激しく、僕個人の小さな経験でも、完全にハンガリー語でコミュニケートできる人もおれば、ほとんど全く通じない人もいました。そう言えば体制転換後、はじめて

『ロマ語＝ハンガリー語辞典』も出版されました。ロマこそ現在のハンガリー共和国内の最大の少数民族問題であるといえますし、少数民族という言い方でロマ問題をとらえること自体が新しいことなのですが、今、ハンガリーの社会学者ははっきりそういうことばを用いるようになりました。一九九七年に僕も報告者として参加した「多文化主義」のシンポジウムが、ハンガリー科学アカデミー・デブレツェン支部で開催されましたが、ロマ問題を正面からとり上げたレポートがあって、チョバ・ユディットという若手研究者がロマを少数民族と捉え、ロマとの共存をテーマとしているのに新鮮な感銘をうけました。

尾川　具体的な差別はどんなことがありますか。

小島　結婚や就職のときに、はっきりとした差別を受けています。近寄ったら嫌がるとかということが日常生活の中でもあります。東ハンガリーにはロマの人口が多いと言いましたが、村から分かれて枝村が形成されています。いわゆるロマ村というのがあるんです。

もう一つ強調しておきますと、ロマ問題の中心地はハンガリーではなくてルーマニアです。ルーマニアのロマ人口は、ハンガリーのように客観的に分析されていませんが、多分三百万人位いるといわれています。この数も学者によってはさまざまです。将来的には科学的に分析されればもう少しはっきりしてくるとは思います。

尾川　ロマ自身の民族的な要求はあるのでしょうか。

小島　それは、現在新しくつくられつつありますね。自分たちの生存権を法制化せよとか、あるいは仕事をする機会が少ないから援助してほしいなどです。実際ハンガリー政府はずいぶん援助しています。政府は国民に対して三人以上子どもがいれば援助金を出します。ロマは十人以上いますから、子どもの数で生活している人すら多いと思います。ただ、十何人も子どもがいますとそれだけでは無理ですから、もっと援助金を増やせという要求ですね。もっとロマとコミュニケーションを持とうという努力もされています。ロマのほとんどは字が読めませんし、もちろんハンガリー語以外の言語をしゃべっていますし、あまり学校も行きません。テレビのニュースキャスターの一人をロマにして、ロマ語でニュースを流せという提案もあります。ロマの中にもインテリはいますし、ハンガリーの大学を出た人もいて、自助の努力もされています。

ユダヤ人問題を少しお話ししましょうか。ロマ問題と並んで伝統的なハンガリーの少数民族問題はユダヤ人問題でした。現状ではユダヤ人問題は基本的に大きな問題としては存在しません。ほとんど殺されたからです。ハンガリーの首都であるブダペストは、ヨーロッパ全体でも最大級のユダヤ都市でした。戦前ナチが占領してジェノサイドを始めるまでのブダペストの人口の五〇パーセント以上はユダヤ人でした。この事実は割合日本人が知らないことですが、中央ヨーロッパの大都市はたいていユダヤ人が過半数を占めていたのです。ブダペストの場合は町が大きいですし、百万人近くのユダヤ人が住んでいました。彼らはハンガリー語をしゃべりませんから、同民族間ではイディッシュ語、それから共通の言語としてはドイツ語を話していました。ブダペストの文化はドイツ的であると同時にユダヤ的で、非ハンガリー的であったんですね。どうしてそんなにユダヤ人がブダペストにいたのかと言いますと、先述のようにハンガリー人は割合他民族に寛容であったためです。ユダヤ人は文化レヴェルが高くてヨーロッパの文明を受け入れていましたから、例外的にハンガリー語をしゃべらなくても、ユダヤ人に対しては寛容だったんです。これはユダヤ人とチェコやポーランドなど中欧の他の民族の関係を比べても、ハンガリー人とユダヤ人というのは協力関係が強かったといってもいいと思います。ハンガリーへのステロタイプのイメージの一つに「ユダヤ人虐殺の戦犯」というのがありますが、少なくとも、ハンガリー史を通じてユダヤ人へのポグロムは行われませんでした。ポグロムと言えば、ミュージカルや映画の『屋根の上のヴァイオリン弾き』のテーマですが、ハンガリーとポグロムが誤解されて結びつくのは次の事情によります。ポグロムの歴史で、最も大規模かつ悲劇的な事件は、一九世紀の末に当時帝制ロシアの一部であったモルドヴァで発生したのです。「キシニョフの虐殺」などという名前で歴史に記憶されるこのポグロムの戦犯は正教徒、つまりロシア人・モルドヴァ人・ルーマニア人たちです。ところが、このモルドヴァにはハンガリー人も住んでいるのです。ハンガリー人と正教徒たちはまったく別なコミュニティですから、一緒にポグロムに走ることはあり得ません。のちのブダペストのユダヤ人ジェノサイドが逆にイメージを誇張させ、ハンガリー王国内でハンガリー人が伝統的にユダヤ人ポグロムを行っていたかの虚像を作り上げただけの話です。ハンガリー民族の歴史を通じて、とりわけ親ユダヤであったとは言えませんが、ハンガリーは他民族の国よりはユダヤ人にとって住みやすい国だったことは事実です。

いずれにせよ、ユダヤ人が排斥されて殺されたというのは、ドイツによって持ち込まれた、外的圧力によるのです。もちろんドイツの占領下においてハンガリー人の一部分はユダヤ人排斥に手を貸しました。矢十字党というナチもどきのテロル政党がユダヤ人虐殺を行ったことは、アメリカ映画の『ミュージック・ボックス』や『ハンナの戦争』などで日本でもよく知られているでしょう。あるいはラウル・ワレンベリ（ワレンバーグ）というスウェーデン人の英雄的ユダヤ人救済と彼の悲劇的な死とブダペストが結びついている人も少なくないでしょう。さて一気に現在の状況に飛びましょう。今日でも政治生活でよりナショナリスティックな党派がよりリベラルな党派を非難する悪口に「ユダヤ的」という言葉を使うことはありますが、むしろ危険なのは極右の動きです。

ハンガリーの極右に二派があって、一つはスキンヘッドなどいわゆるネオ・ナチ、もう一つは少しはまじめに国民統合を考えているグループで、代表者はチュルカ・イシュトヴァーン、作家で反ユダヤ人的な発言を頻発します。この人はマジャール民主フォーラムの重要な代表者の一人でしたが、あまりにも極端なのでこの政党から除名されて独自な党派を創立したようです。ついでに言うとこの人は日本人も大嫌いで黄禍論者でもあります。

尾川　ユダヤ人はナチス占領以前に大量にいたが、ナチスにより虐殺され、今日では例外的な存在である、ということですね。
小島　現在、ユダヤ都市としてブダペストを再認識する努力もハンガリーで始まりました。ハンガリーとユダヤ人の関係史に明るい光もさし込んで来たと言えます。世界最大級のブダペストのジナゴーグの再建も始まりましたし、最近『ユダヤ人のブダペスト』と題する大きな研究も出たところです。
尾川　それでは、最近の現象として注目されているハンガリーの中国人問題について聞かせて下さい。
小島　一九八九年の体制転換直後に、中国人がハンガリーにヴィザなしで自由に来ることができる瞬間がありました。
尾川　社会主義の初期ではなく、一九九〇年前後の時期に来たのですね。
小島　はい、社会主義時代のハンガリーは中国人に何の魅力もなかったでしょう。魅力ができたのは、八九年転換直後の瞬間だったのです。大げさにいえば、ある日、突然五〇〇〇人の中国人がやって来て街にあふれたのです。そして乞食をはじめたり、街中をブラブラ歩き廻ったのです。ハンガリー・中国友好協会の代表者でさえ、「無教養な中国人」と言ったくらい、ハンガリー人をおどろかせたのです。
尾川　中国のどこからきた、どういうグループですか。
小島　それは知りませんが、調べればわかります。ハンガリーだけでなくチェコやポーランドにも押しよせています。体制転換した国に来れば西側に行けると、最初は、期待してやって来たと思われます。しかし、そう簡単に西側へのヴィザが出ない。そこでハンガリーに滞在してしまったのです。ハンガリーは物資も豊かで美しい国ですから、「住めば都」で次第にハンガリーを移住先にねらいだしたとも思われます。

その後さらにすこしずつ増え、今では七〇〇〇人から一万人の中国人が、ブダペストなどハンガリーの大都市にいます。

ハンガリー人にとってはじめて見る中国人の大群でした。当初は人種対立の緊張がありました。先にあげた作家チュルカ・イシュトヴァーンが、中国人や日本人など黄色人種のヨーロッパ侵略とか言い出すのはこの時からですが、ともかく中国人が街にあふれ、乞食をはじめたのですから、ハンガリー人は、もうびっくりしたのです。

中国人たちは、やがて中華料理店や服装店などの商店をはじめます。今ではブダペストに一〇〇軒以上の中華料理店と僕の知る限り数軒の巨大な中国人市場があります。

ハンガリー政府は、チャイナ・タウンは作らせない方針ですが、ブダペストの一部はチャイナ・タウン化しつつあるといえます。ハンガリー人は、嫌がっていますが、暴力的に排除するなどの行為はかなり減りました。

尾川　どうしようもないことですからね。

小島　どうしようもない。今年の夏、中国人女性と彼女を追跡するハンガリー警官を主人公にしたラブ・ストーリー映画が上映されていました。ついでに言うとその中国人女性を演じた女優は日本人でした。

ハンガリーで最大の民族問題は、ロマだというのははっきりしていますが、その次の民族問題はといえばこの中国人問題になってしまいました。

最後に、今日「問題化」のレヴェルの低いドイツ人問題とブリューゲンラントについて簡単に触れておきましょう。このドイツ人とはドイツ移民のことでシュワーペン地方などからハンガリーやトランシルヴァニアにやってきた人々です。日本でも阿部謹也氏の『ハーメルンの笛吹き男』という本で、少年たちの消えた先が東方であった、という説が紹介されているので知られていますが、何世紀にもわたってドイツ人の移民があったのです。戦後、こうしたドイツ人たちは、ナチスのスパイ扱いを受けてハンガリーから追放されました。残ったドイツ人も、完全にハンガリー化していたにもかかわらず、スターリン＝ラーコシ時代には、例えば「フリードリヒ」という名前のようにドイツ人名がついているだけという理由で監視対象にされ処罰を受けることもありました。旧西ドイツ政府は、先祖にドイツ人が一人でもいれば国籍を与える政策を出したため、デタント以降は合法出国のケースも続出しました。旧東欧の国々は、ある時期以降、西ドイツの援助を頼りにするようになりましたから、国内のドイツ人を手荒に扱えなくなりましたし、ドイツ人の出国のカベを下げることで援助金も増えたのです。『ドイツ人悲史』のような内容の本を最近目にしますが、まとまったドイツ人の要求としては、最近、ドイツ語教育の公認ということがありました。

後者のブリューゲンラントとはオーストリアの東方で、ハンガリー王国の歴史的領土でありながら、オーストリアに併合された地域です。パリに住むフェイトー・フェレンツなどは、この地方出身の人で、彼の書いた本では、ブリューゲンラントのハンガリー人も一時期ひどい目にあったようです。

しかし、戦後、この地域はオーストリアに併合されていたため高い生活水準と自由を享受し、しかもオーストリアの寛容な民族政策のために「問題」化は消滅しました。以上がだいたいハンガリーのかかえている民族問題の概要です。

III

尾川　それではこれで一応のまとめをしたいと思いますが、僕はオーストラリアの先住民であるアボリジニーについて最近の研究書を読んだのですが、オーストラリアのアボリジニー研究者の中に、こんな意見が出てきています。もともと国民国家というのは少数民族を、つまりアボリジニーのことですが、抑圧するどろどろした不正義のうえにつくられたものだから、少数派民族と多数派民族とでは集団的権利がちがっていてこそ真の平等である、と指摘した上で、国民国家の中で平和的に共存できるのか、このちがった権利を承認して共存するというのは、お互いの合意とか和解というよりは、がまんし妥協するしかないのだ、という議論です。
これは、小島さんがはじめに提起された問題に結びつきますね。つまり国民国家は、そもそものはじめから多数派民族が少数派民族を抑圧することで成立したということです。
小島　ニュージーランドの憲法では、先住民マオリの文化を尊重しなければならない、となっていますね。オーストラリアではそうはなっていないんですか。
尾川　いや。アボリジニー文化を尊重するという多文化主義を宣言しています。しかし具体的にはアボリジニーの「土地権」(land right) とどこでおりあいをつけるか、という問題がずっとあるんですね。今日は話しはできませんでしたが。
小島　ロマは先住民族ではありません。あとから来てハンガリー国王から居住を許可された民族だとはっきりしているので先住権は主張できない。混血が結構いるので、ブダペストでは自分から名のらないと分からない人もいます。田舎に行くとはっきり分かるんですが。
尾川　アボリジニーのはじめての人口調査は、一九七一年でしたが、その時、自分でアボリジニーと思う者がアボリジニーでした。
小島　そうしないと調査はできないんですね。
尾川　皮膚の色だけでは区分できない。先祖に白人がいるから、自分はアボリジニーではない、という人もいるわけです。もちろん、オーストラリアの民族問題を全体として考えるなら、アボリジニー以外の問題もあります。

現在ではヴェトナム人、中国人などが多く、シドニーでいえば四人に一人が外国生まれのオーストラリア国民で、国籍をもっています。ですからオーストラリア国民のアイデンティティを主張して、流入してくるアジア人の排除を唱える人々も一定の政治勢力としているわけです。

小島　ハンガリーでも、中国人をこれ以上入れてはならないという意見は、国民的コンセンサスを得ていると思います。

尾川　オーストラリアで多文化主義は、連邦政府の政策ですから、アジア人だからといって排除することはしていません。

さて、むつかしいですが、一応のまとめをしましょう。民族問題というのは結局は民族差別・人種差別の問題だといえますね。最近のユーゴで起こった「民族浄化作戦」が代表的です。

小島　民族国家または近代国民国家を作るためには他民族差別や排斥を何かのかたちで導入せざるをえない、といえます。

尾川　国民国家のワクにおさまらない問題が、いま歴史の新たな問題として出てきている、浮上してきた、といえるでしょう。

小島　結局、民族自決の考え自体が問題だったのです。

尾川　一九世紀はともかく民族国家を作ることを、一民族一言語一国家の三点セットを理想として追求してきた。二〇世紀はそのフレームのままで、社会主義体制でも、民族問題を封印してきた。一九九〇年代になって、その矛盾が激発した。

小島　その通りですね。民族差別というのは、近代国家の中に構造的に入っているのですから、ナショナリズムという前提自体を疑ってみる必要があります。単純な日常会話でも、ハンガリー人が自らを科学的才能があり、芸術的伝統をもっているというとき、それは同時に、ルーマニア人にはそれがない、ということを自他に向かって語っているのです。

尾川　話は、民族の平和的共存は可能か、というはじめに小島さんが提起された問題にもどってしまいました。

小島　ティロルやアルザス・ロレーヌ（エルザス・ロートリンゲン）など民族共存が比較的うまくいっている地方では、互いの民族主義を言い合わない。互いに抑制しあっています。「地域主義」といえばよいでしょうか。

たとえば最近、われわれは「トランシルヴァニア人」だという意識がその地域のルーマニア人に少しずつ出てきています。民族国家の垣根を下げて「地域社会」での共存をさぐる動きだと思います。日本語ではニュアンスが矮小化されるので、将来は別の言葉になることを期待しますが、この「地域」という考え方に希望をもっていいのではないでしょうか。

尾川　小島さんには、多忙な中で、特に今年の夏はブダペストで三週間入院を余儀なくされて、退院し帰国した直後にこのインタヴューに御協力いただきました。感謝申し上げます。どうもありがとうございました。

（追記）インタビュアーの尾川昌法先生は高校時代の恩師（日本史）で、この時は部落問題研究所所長の重任にあった。個人的経験で恐縮ながら、私は高校時代に住井すゑ作『橋のない川』に心を奪われ、鈴木良氏らの『奈良県水平運動史』（部落問題研究所、一九七二年）などを耽読した日々もあった。同じく高校の恩師（英文法）・守安敏司先生も後に水平社博物館初代館長に就任され、『中上健次論―熊野・路地・幻想』（解放出版社、二〇〇三年）を上梓された。奈良に生まれた私自身、部落問題を早期に認識し得た意義は大きかったと考える。進学した立命館大学は立場を問わず部落史研究者を多く輩出（尾川先生もその一人）した学窓でもあり、特に関西の日本史研究にとってこの課題への取り組みは本質的であった。

本対談は中部大学に勤務直後に尾川先生から依頼されて行ったもので、学生時代の思い出深い同誌に掲載された僥倖を改めて噛み締めている。

なお対談中にチャウシェスクの「農村整理」についての発言は、やや皮肉なニュアンスの私の同時代認識（本書の「東中欧変革の基本的見取り図―ハンガリー社会からの視点」を参照）とも異なる誇張内容である。「世界を震撼させた日々によせて」（『モスクワ広場でコーヒーを』所収）にも記したように、私はこの政策そのものを捏造であったとは見抜けなかったが、「大げさな対応」くらいには考えてはいた。

第二章

都市をめぐって

ドナウ川の近代的な運輸設備整備と航路拡大は1886年（千年紀）から具体化され、20世紀に入ると港と倉庫などの本格的な建設も始まる。自由港としての地位を公的に宣言したのは1937年であったが、戦争と社会主義によって発展はしなかった。現在は新たな可能性も開け、ブダペスト郊外電車の「自由港」駅周辺は再開発も進む。

シカゴの古本屋

およそアメリカの大都市のうちでシカゴほど偏見に満たされたところはないだろう。

特にこの偏見は日本人において強く、ニューヨークやロサンゼルスに関する文献は汗牛充棟もただならぬ有様ながら、最近までシカゴについては観光ガイド一つ満足に備わっていなかったという状況なのである。

もっとも、シカゴは、日本人旅行者の興味をひく魅力的な部分に今一つ欠き、訪問者の印象も概して良くはないが、一たびこの都市の魅力にとらわれたなら容易に去りがたい場所となることは受けあいである。

シカゴへの偏見のうちで、最も罪の軽いのは犯罪都市というレッテルである。一時期、シカゴ市当局は、この汚名を返上すべく必死の宣伝戦を展開したと聞くが、シカゴ・マフィアの拠点がラス・ベガスに移り、ニューヨークとロサンゼルスというより狂悪な犯罪都市が浮上した今、シカゴはブライアン・デ・パルマの『アンタッチャブル』をノスタルジアを交えて楽しめる街に変ってしまった。

もちろん、今日なお市内南部・西部に広がるスラムは「アンタッチャブル」な状態にあって、間違って迷いこむだけで生命の保障はない。

だが、これはアメリカの大都市に普遍的な現象であっても、シカゴの「風土病」では決してありえないのである。

これに反して、シカゴへの偏見のうちで最も犯罪的なのは「文化果つる地」という認識と思われる。この偏見の被害を最もこうむっているのはシカゴ大学で、全米のみならず世界有数の超名門校として知れわたっているシカゴ大学は、日本で相対的無名という奇怪な現象が生れてしまっている。

これは日本人のアメリカ認識を極度に浅くさせるもので、哲学、経済学、社会学、政治学、宗教学など、およそ学問的に信頼するに足る内容を備えた概説書なら、必ず「シカゴ学派」の項目を持っているように、シカゴおよびシカゴ大学を二〇世紀の科学・思想の一大拠点として再認識する必要がありはしないだろうか。強調したい論点は、個別学問の一潮流が、シカゴ大学で形成されたというのではなく、社会科学・人文科学のほとんど全ての分野において「シカゴ学派」の同時多発的な成立を見たということである。

ごく一般的に言って、経済的活動の中心地というのは、何らかのかたちの緊張が存在する。雇用・物質材の交換に伴う「他者」との不断の遭遇は、自足した静的な社会的結合を常に脅かし、慢性的なアノミー状態を作り出すからである。そして、緊張が時に危機的状況に変貌する強度を持つとすれば、均衡回復を目指した社会再編成のための知的営為が成立するのは、必然でないまでも蓋然的ではあろう。知の生誕は病の自覚だという図式は、おそらく正鵠を射ているわけである。

つまるところシカゴという都市は、二〇世紀前半期にかかる「病」を世界中で最も重く患った都市であり、しかも最も強烈に大病を自覚した都市なのである。おそらく、シカゴぐらいの大病に悩まされた都市といえば、ポーランドのウッチと東京の二つを数えうるのみではないだろうか。

実際、二〇世紀・東京をシカゴとの対比において捉えてみると、逆にシカゴという都市の位置がはっきりと見えてくるように思われる。

まず、両者ともに新興産業都市として急激な発展をとげた都市であり、産業化と人口集中に伴う社会的結合の特徴的な変化が、今日「大衆社会」と呼ばれている状況を生み出した共通性も持っている。シカゴは一八七一年の大火、東京は一九二三年の大震災によって一時的に廃墟と化した点も同一で、災害復興後、旧倍する都市形成の荒波にもまれ、激烈な急進的社会運動の擡頭を見た経緯も近似している。因みに、東京の震災復旧には、シカゴ学派都市理論が応用され、二〇年代社会運動史を飾る巨星群、大山郁夫、賀川豊彦、猪俣津南雄、そして、石橋湛山の師・田中王堂らがシカゴに学んだ。

ところで、シカゴの知的環境を考える上で、「大衆社会の病の自覚」に加え、もう一つ絶対に無視してはならない要素がある。

それは、シカゴの白人人口中、東中欧人が大部分を占めるという特色である。

まずポーランド人は本国の首都・ワルシャワに次ぐ人口を持ち、ハンガリー人、アルバニア人、チェコ人、スロヴァキア人、クロアチア人、スロヴェニア人、セルビア人、アルメニア人、リトアニア人、さらにはギリシャ人も相当な数に上り、それぞれ本国の大都市並みの人口を数える。

ロサンゼルスを「第三世界の首都」と命名するのなら、シカゴは文字通り「東中欧人の首都」と言ってさえよいのである。シカゴの看板映画『ブルース・ブラザーズ』のベルーシ兄弟がアルバニア人であるというのは、シカゴの民族的要素を考えるまたとない比喩と言えようか。

シカゴを東中欧から眺めた場合、その知識史的特質の一端を明らかにできそうな気がする。

東中欧人の多数派はカトリックであり、さらにイタリア人やアイルランド人というシカゴの今一つの重要な構成民族を加えると、巨大なカトリック都市というシカゴの知られざる側面が見えてくるのだ。

「シカゴのボス」として君臨した元シカゴ市長デーリーは、象徴的にもそのアイルランド人であった事実を想起されたい。

歴史主義的な思考を生みやすく、文学・芸術愛好癖の強いカトリシズムが、アメリカというプロテスタンティズム・プラス・大衆社会の土壌の中で異端的人口となったとき、パラドキシカルにも旧教情神はラディカリズムに結びつく。このラディカリズムは、文字通り政治的急進主義の表現をとってシカゴの特色を作る一方、学問的ラディカリズムの形態では、「シカゴ学派」各派というかにも二〇世紀的な経験諸科学の革新主義に結実するのである。いずれの場合も、ファンダメンタルな発想を拒否する大胆な態度に共通性が見られる。シカゴという病的な大都市を目前にした東中欧出身の知的異端者たちの営為を、私は「カトリシズムの倫理と産業資本主義の精神」と密かに命名している。

因みに、シカゴの東中欧人コミュニティは、母語と英語の双方で「移民文学」の巨大な蓄積を持っていて、日本では「アメリカ文学」扱いを受けがちの二〇年〜三〇年代シカゴ派文学（シカゴ・ルネサンス）も、東中欧文学との継承性から再検討されなければなるまい。有名なところで東中欧出身者でない例を掲げるが、二〇年〜三〇年のシカゴ派代表詩人と見なされる『シカゴ詩集』の作者・カール・サンドバークは、実にスウェーデン人の二世であり、彼はスウェーデンの伝統的詩型でシカゴの変貌を見つめているのである。北欧人の拠点はミネソタで、シカゴの主人公では決してないものの、シカゴがいかに「他者もの」だらけであったかを知る一端になろうか。

推理作家のサラ・パレツキーは、自らの出身校でもあるシカゴ大学を「アカとユダヤ人とホモの大学」と登場人物の誰かに言わせている。このうち「ユダヤ人」は確かにシカゴの特徴なのではあるが、ニューヨークに比してユダヤ知識人の比重を過大評価すべきではないと考える。ニューヨークの場合、ロシアや東中欧出身のユダヤ人コミュニティが巨大な亜大陸をなすのに対し、シカゴのユダヤ人はカトリックの大海に浮かぶ知的孤島の住民たるの感を免れない。カトリック人口の中にユダヤ人が囲まれている図は、東中欧の大都市さながらと言ってよく、シカゴのユダヤ知識人の知的環境の「東中欧的」特質こそ、むしろ比類のないアメリカ社会でのユニークさに他ならないだろう。パレツキーの一文は、かくて、保守派アメリカ人にシカゴ大学がそう見えた、というエピソードに過ぎない。

シカゴ大学周辺の知識人も東中欧系がかなりのウェイトを占める。

例えば宗教学のミルチャ・エリアーデはルーマニア人、最近日本でも著名なポランニー兄弟はハンガリー出身のユダヤ人、ついでに言えば、シカゴ大学で日本史を担当していた花形教授ハリー・ハルトゥーニアンはアルメニア人の二世である。

「シカゴの古本屋」と題したエッセイが妙に肩をいからせた書き出しとなってしまったが、シカゴこそ二〇世紀の知的源泉の一つに他ならず、シカゴの古本屋文化も右の事情を抜きにしては考えられない事実だけは納得して頂けたと考える。

付記・ハルトゥーニアンは、ニューヨーク大学・シカゴ大学・UCLAを拠点とする日本研究の「シカゴ学派」のゴッドファーザーとなったが、彼がさしあたり敵としたのはライシャワー流の近代化史観だったと言える。

ここで、ライシャワーの青年時代に、決定的な知的影響を与えたのが、ヤーシ・オスカルというハンガリー出身の亡命ユダヤ人であった事実を付言したい。ヤーシは、第一次大戦後アメリカに亡命した、ハンガリーでは誰一人知らない人などいない一九一〇年代の花形近代主義者であった。ヤーシの赴任したのはオーヴァリン大学であったが、そこで彼は「平和学」を講義して、若きライシャワーをクギ付けにしていたのであった。このヤーシのアメリカでの知的創造は、彼のハンガリーでの営為を含めて、今後徹底的に研究されるべきであるが、『ライシャワー自伝』に書かれながらも、日本では全く注意されていないこの重要な論点を強調しておこう。

さて、以下、シカゴの古本屋散策にご同伴をお願いすることにしよう。

私の第一次シカゴ滞在は、シカゴ大学レーゲンシュタイン図書館での資料集めと古本屋探訪の二つに尽きると言ってさえ良いくらいであった。

まず、第一に特筆して深い感謝を捧げたいのは、ノース・クラーク・アヴェニューのBookman's Corner である。この書店は、ちょっとした偶然から発見し、毎週一回は必ず足を運ばねば気のすまないファンになってしまったところである。

というのは、私は気に入った小説、映画、音楽の舞台を実際に踏破したくなる悪癖を持っていて、先述したサラ・パレツキーの連作ミステリーの主人公、女探偵・ヴィク（トリア）・ウォーショースキー（因みに彼女はその作者とともにポーランド人）の架空の事務所の所在地、ハルステッド街とベルモント・アヴェニューの交差点を訪れた帰途、近辺をブラブラしているうちに見つけたからである。

ここの所蔵冊数は数万冊に上るだろうか。特にロシア・東中欧関係は群を抜くコレクションを持っていて、しかも私の見るところ、他の書店に比べて価格は半額または三分の一程度。人の良い主人、チャンドラー氏は、いつでも私を笑顔で迎えてくれた。

私は Bookman's でハンガリー関係文献を格安で入手したし、日本では余りに高価なためあきらめていたアンリ・ルソーの文献もわずか五ドルで購入できた。文学関係に若干の弱点をもつとはいえ、歴史とくにアメリカ史には圧倒的に強く、わずかな混乱が適度の冒険を創り出す、まことに他には得がたい空間であった。

ノース・クラーク・アヴェニューをさらに南へ下がると Aspidstra Bookshop がある。ここは神保町などでもしばしば見かけるゾッキ本と古本とが半々の本屋で、左翼文献の収集に若干の特色を持っている。アメリカの本屋は、だいたい Radicalism というコーナーを設けていて、日本と同様、あるいは日本以上に左翼文献は決して孤立した存在ではない。

但し、日本と異なる点は、アメリカ共産党が全く知的権威を持たないため、その関係文献には滅多にお目にかかれないことと、Radical Studies が大学の制度的研究対象として地位を持つ事情も与って、著者は保守的な人が多い、というところであろう。

然しながら保守的といっても、共産主義信仰を裏返しただけの狂信的反共といった体のものはむしろ稀であって、比較的落ち着いた研究が大部分を占める。この点に関して特に強調したいのは、アメリカ社会科学といえば「反共」だと日本ではかなり信じられている向きについてである。

イェール大学留学歴を持つ柄谷行人氏が中上健次氏との対談『小林秀雄を超えて』で述べているように、アメリカ社会科学いやアメリカの知識界一般において、マルクス主義は全くタブーではなく、むしろ極めて身近な話題の一つとさえ言って良いくらいなのである。『資本論』、『経済学批判要綱』、『初期著作集』程度なら、たいていの書店でペーパーバックスで入手できるし、私も、シカゴ大学の友人たちとの会話の相当部分はマルクス主義に関する内容だったと今さらながら驚いている。

Aspidstra Bookshop の左翼文献に話を戻そう。この書店は Radicalism の他に Marxism という棚もあって、なかなかの力の入れようである。面白いのは、ふつうの書店では European History に分類される東中欧文献もここでは Marxism の項目に一括されている点である。

私の側の思い入れをすれば、カーロイ・ミハーイの回顧録とハンガリー五六年文献の隣りに、ダニエル・ベルの初期の著作『合衆国におけるマルクス主義的社会主義』が置かれる一方、原則的にスターリンをはじめとするロシア・マルクス主義文献は Marxism に分類されず Russia の棚に一括されているのは確かに一知見に違いないと感心した。

また、この Aspidstra のゾッキ本に、何種類かのハンガリーの出版社 Corvina Press の刊行物を見出せたことも特記しておきたい。先に「東中欧人の首都」としてシカゴを再認識すべき旨を記したように、この事実は意外でも何でもないのである。ハンガリーの矢十字党員だった父と弁護士の娘との愛憎を描いた『ミュージック・ボックス』の舞台こそ、このAspidstra周辺に他ならない。

Aspidstraから一一番のCTAバスに乗ってベルモント・アヴェニューまで戻るといくつかの小さな本屋を見つけることができる。名前は失念してしまったが、二軒ばかり特に宗教・文学関係の古本屋が店を構えていた。東京でも井ノ頭線や東横線沿いに、かつての学生運動の残党と思しき中年男が魅力的な古本屋を営んでいたりするが、この二軒もそれらしき中年男がフロント・デスクに座っていた。

ベルモント・アヴェニューには、この他に、Europe Bookstoreというフランス語、ドイツ語、スペイン語文献（新刊）を扱う店や、スター・マーケットに近接して日本語の本屋も存在する。シカゴの酷寒の中をノース・クラーク・アヴェニューからリンカーン・アヴェニューまで歩くのは、少しばかり骨の折れる仕事だが、私は古本屋を求めて、しばしば強行軍を敢行したものだった。

途中、Moti Mahalというシカゴ大学の友人推薦のインド料理店に必ず立ち寄って体を暖め、凍りついたベルモント・アヴェニューを西へ急ぐ。

リンカーン・アヴェニューを南下して二～三キロ余り、寒さゆえに後悔をしはじめた頃に

Powells Bookstore の北店舗に到着するのであった。

Powells Bookstore の北店舗は、八七年一一月二三日に開店したばかりで、私は開店早々に既にこの店に足を運んでいる。というのは、Powellsの本店が私の住居にしていたシカゴ大学インターナショナル・ハウスのすぐ近くにあって、北店舗開店記念に二〇％のディスカウント・クーポンを配ってくれたからであった。実は、北シカゴの古本屋ではこの店こそ私が最初に訪れた店であったわけで、CTAバスの面白さを知ったのも、この探訪行の副産物であった。

Powells については後に触れたいので詳述しないが、北店舗も二〇万冊に上る巨大な所蔵量を誇り、どの分野もまんべんなく基本文献を揃えていた。広くゆったりととられたフロアーは、万引き対策を兼ねているのだろうが、落ち着いた雰囲気を醸成して、その気になれば、何時間でもすごすことができる。

近くにデュポール大学のキャンパス（日本の私立大学を想起させる小さなもの）があるせいか、リンカーン・アヴェニューには他に二軒の古本屋が近くに並んでいる。

一つは、やはり膨大なコレクションを持つ Booksellers Row である。アメリカの本屋は、ふつう入店の際にカバンやコートをフロント・デスクに預けるルールとなっていて、ここで荷物を預けると日の丸のついた Japan という木片を渡してくれた。

私の眼力では、日本人と韓国人・中国人の識別は絶対に不可能であるが、どうして日本人とわかるのだろうか。北シカゴには、韓国人が相当数住んでいて、彼らが、客となる可能性の方が日本人より高いはずである。韓国人が Japan という木片を渡されたならきっと不愉快な思いをするのではあるまいか、などと想いながら店に入ったりする。ここは、天井までぎっしりと本が詰まっていて、ハシゴを用いて本を取り出す仕掛けとなっている。自然科学に強く、古本というより新刊割引書店と言うべく、価格はかなり高い。

さて、北シカゴはエヴァンストンに近いムース・アヴェニューまで一挙に歩みを進めてみたい。

私のシカゴ生活にとって、この付近は特別な意味を担うことになった。それは、チャールズ・H・カー出版社という、ごく一部の研究者間に知られた出版社が、創立一〇〇年を越えてグリーンリーフ・アヴェニューに今なお健在であるからに他ならない。

この出版社は、平民社から新人会に至る日本社会主義の草創期、つまりコミンテルン系のロシア・マルクス主義によって日本社会主義の可能性が圧し去られるまでの時期に、日本に決定的な影響を与えた出版社である。とりわけ、月刊誌 International Socialist Review は、日本の社会主義者が最も熱心にかつ長期的に読み続けた雑誌ではないだろうか。片山潜の『日本における労働運動』もカー社の出版にかかるし、International Socialist Review には幸徳秋水も二回ほど投稿している。

私は今から約一〇年前、卒論作成にむけて International Socialist Review の原本を京大法学部図書室から借り出し、D.Kotoku（幸徳伝次郎）の名前を発見して、言いしれぬ興奮を覚えたものであった。（本書所収「『リスニヤ社会党』覚え書」参照）カー出版社の今日の編集長は、日本でもシュールレアリズム運動家として一部の人々に知られているフランクリン・ロズモント氏である。長身でマルクス風のヒゲを生やしたロズモント氏と長い話をし、ダンボール一杯の資料をもらって夕闇迫るミシガン湖を眺めつつ、帰路を急いだのは、確か残雪の日であった。カー社では一九〇〇年代に出版した本を今なお販売していて、改造文庫によく似た一冊を私も買い求めたものであった。

イエロー・ページを繰ると、このムース・アヴェニューに Quality Books という古本屋が広告を出しているが、残念ながら、この住所はスーパーマーケットに変わっていた。

その代り、ムース・アヴェニューをミシガン湖に向って東にとり、シェリダン通りを約一キロ下ったところに Bookleggers という小さな古本屋を発見した。古本屋廻りは夕方に限るというのが私の持論であるが、Bookleggers はとりわけ夕暮れにふさわしく、まるで秘密の園の如くそれはポツンと存在するのであった。ここでも職人気質然とした主人が広い机に座っていて、薄暗い店内まで何かしら秘密的で、全くシカゴの夕闇に似つかわしい。

再びムース・アヴェニューに戻り、ラピッド・トランジットでワシントン駅に向かおう。ワシントン駅はステート通りの地下に広がっているから、地上に出てジェフェリー・エキスプレス・ナンバー6というCTAバスに乗り継ぐか、ランドルフ駅からイリノイ・セントラル鉄道を使ってもよい。

時間と興味があれば、黒人スラムを突き抜けるコテージ・グローブ線かハイドパーク・インディアナ線のCTAバスを利用するのも一考に値する。いずれにせよ、南へ進路をとり、ハイドパークに展開するシカゴ大学のキャンパスに出れば結構である。

シカゴ大学は冒頭にも特記したように、全世界的な権威を有する超名門大学で、キャンパス近隣にも、それにふさわしい古本屋が存在する。

まず掲ぐべきは、五七番街の O'gara & Wilson Booksellers であろう。この店は、約二〇万冊を所蔵する一九〇六年創立のハイドパーク最古の古本屋であり、店内にも往年のスナップ写真が貼られていたりする。シカゴ大学は一八九二年に創立されたから、O'gara は文字通り、シカゴ大学とともに歩んできた古本屋なのである。

石堂清倫氏を想起させる顔立ちの白髪の老人は、もしかすれば創立者の第二世であろうか。

私は大阪の高校に通っていた頃、道頓堀の天牛書店をしばしば訪れたものであった。古くは折口信夫から近くは谷沢永一氏までを育てたという主人を近くに眺めて、ある種の感銘を催した思い出がある。一度だけ天牛に本を売りにいったことがあったが「天牛のオッサン」は一冊一冊を宝石を手にとるように丁寧に扱い望外の高額でひきとってくれた。

日本を離れる前に、当時心斎橋のアメリカ村に移っていた天牛を訪れたら「オッサン」は店の奥深くにポツンと座り、空中の一点を見つめていた。

私は O'gara には毎晩のように出かけ、老店主を目にするたびに「天牛のオッサン」を連想していた。おそらく、O'gara の主人をめぐって一つのシカゴ知識史が作られてきたのだろう。ここは文学とアメリカ史に強く、一七世紀の本が何気なく置かれていたりして、その奥深さをうかがわせた。

O'gara から五七番街をレイク・ショア寄りに行くと、先にも述べた Powells Bookstore の本店がある。ここは約四〇万冊の所蔵量を誇るシカゴ最大の古本屋である。自然科学がやや手薄というものの人文、社会科学の全分野にわたってすばらしいコレクションを持っている。メーン州に Powells という古本屋の大チェーンが存在するが、これとは無関係なのだろうか。

私の印象では、シカゴの古本屋は概して経済学・社会学関係書を欠くように感ぜられるが、Powellsだけは例外である。ここは実によく何から何まで揃っていて、ちょうど神田の小宮山書店といったところである。小宮山などは決して安くないが、そこに行けばほとんどの基本文献を即座に入手でき、時間と交通費のコストを節約可能ゆえ、ある見方をすれば、存外安価ということになる。

この Powells もその手の本屋だと思えば間違いなく、私も、もちろん、Powells にはたいへんな恩恵を被ったのだった。

以上、やや勇み足の古本屋探訪記となってしまった。シカゴ大学の Seminary Coop Bookstore や 57th. Street Bookstore についても詳しく触れたかったが、新刊書店なので別稿に廻すことにしよう。とりあえず、シカゴの古本屋に熱列な感謝をこめて擱筆したい。

レトロスペクティヴ・ノート

本稿は八八年一月三一日にブダペストで執筆したものである。ハンガリー生活が予想外に長びいたことと、私がシカゴ大学でなくハーヴァード大学に戻ったためシカゴ研究は私の「未完のプロジェクト」に留まっている。シカゴ大学インターナショナル・ハウスでは毎晩ニコラ・ラドニッチと話し合ったものだった。彼とはその後、ザグレブ、ブダペストそしてボストンで再会することになる。

（追記）私はシカゴ研究に心を躍らせた時期もあった。政治学の古典を読み進めるうち、チャールズ・メリアムらの論理、さらに初期のシカゴ学派社会学者のモノグラフに深い共感を覚え始めたからである。これらは経験科学としての政治学や社会学の確立を目指すとともに、火急の課題としたのは「社会的正統性の回復」であった。私は同時にＩＷＷなどのラディカリズムにも関心を深め、こうした知的風土とカトリシズムの拠点としての都市の特徴にも注意を払い始めてもいた。急激な都市化による無政府状況に対して、シカゴ・マフィアは地縁原理、ＩＷＷはカトリシズムに起源を持つ普遍原理、そしてシカゴ学派社会学や政治学は経験科学に基づく漸進的再統合をそれぞれ追求したとする視点である。一九九〇年代以降、日本でもシカゴ学派の研究も市民権を獲得したようで（その先駆者の一人・秋元律郎教授とはブダペストで何度もお会いした）、今では読者として啓発されるばかりである。

ところで本文中にシカゴを東京とポーランドのウッチに比定した論拠について何度も問い合わせを受けたのでここでも明記する。これはローザ・ルクセンブルクの博士論文『ポーランドの産業的発展』（肥前栄一訳、未來社、一九七〇年）である。東京時代に読んでいたこの邦訳に加え、シカゴ時代に愛読していた Robin Okey, Eastern Europe 1740-1985 Feudalism to Communism, London,1986, Routledge. において東欧の典型的な二〇世紀的産業都市としてのウッチへの言及も与っている（なお同書は現在、南塚信吾氏らによる邦訳［『東欧近代史』、勁草書房、一九八七年］がある）。同書ではウッチとブダペストを二大例として挙げているが、本文をブダペストで書いていたので後者を（自明として）あえて触れなかったと考える。ルクセンブルクの場合、ウッチの繊維産業の急速展開はポーランド社会総体の資本主義化に結びつかず、むしろ低賃金構造と半プロレタリア的貧農の労働力供給の確保源となっていった点に注目し、レーニンの『ロシアにおける資本主義の発展』と好対照をなしている。ルクセンブルクの論点はしばしばウォーラーシュテインの先駆として言及されるが、むしろガーシェンクロンの認識に比定されるべきであろうか。余談ながら、エルデイ・フェレンツはルクセンブルク的（または講座派的）な状況判断をハンガリー近代社会に対して有しつつも（Erdei Ferenc, A Magyar Társadalom A Két Háború Között, In Magyar Társadalomról, Budapest,1980. Akadémiai）、その処方箋は日本の高橋亀吉に少し似ていて「再生産構造」として把握しない。

ブダペストの街頭書店

―八九年体制転換前夜のハンガリー知識界―

I

ハンガリーには、店を構えるふつうの書店の他に、シュタンドと呼ばれる街頭書店が随所に存在する。

ブダペストを例にとると、シュタンドの拠点は、ブダ地区（ドナウ右岸）の交通ターミナルにあたるモスクワ広場一帯、ペスト地区ドナウ左岸）では、マルギット橋からニュガティ・パーヤウドヴァール（西駅）に至るセント・イシュトヴァーン環状道路上、ニュガティ・パーヤウドヴァール周辺、それにエトヴェシュ・ロラーンド大学からも繁華街バーチ・ウーツァにも近いラーコーツィ大通りのうち、エリジェーヴェト橋からアストリア・ホテルに至る一～二キロの路上といったところである。

ハンガリー第二の都市デブレツェンでも、メイン・ストリートのヴルシュ・ハッチェレグ・ウーツァ（赤軍通り）に沿って約一〇軒のシュタンド書店が並んでいる。

またシュタンドは、大学や職場などでも定期的または不定期的に店開きをし、テキ屋の露店よろしく、市場の一角に出現するかと思えば、いろいろな祭日にも必ず店を出している。

さて、このシュタンドでどんな本を売っているかといえば、八八年までは一般の書店とほとんど違いはなかったのであった。若干の相違と言えば、シュタンド本には、新刊書に混じって、多くのゾッキ本が入っていたことだけであろうか。何故こういうことが判るかと言えば、ハンガリーではゾッキ本となった書籍の裏表紙または最終ページに特別な印章を押すならわしになっているからである。

エールムンカーシュ広場の近くにあるゾッキ本専門店や古本屋に並べられるそれには、この印章があらかじめ押されており、一般書店でも毎年二月頃に一斉に行われるゾッキ本セールでは、レジ・カウンター嬢が一冊一冊にこの印章を押してゆくのである。

ともあれ、シュタンド本の利ザヤは、ゾッキ本を定価販売している分だけさぞかし大きいだろうと想像する程度で、さほど興味をそそるところではなかったのであった。

ところが、厳密には八八年後半から、本格的には八九年に入ってから、シュタンド書店がにわかにエキサイティングな場所と化してしまった。

というのは、このところ簇生の感すらある新創設小出版社の書籍や旧来自主出版《サミズダート》として出廻っていた出版物が正規の流通ルートに乗る前にシュタンドに陳列されるようになったからである。

ハンガリーは八〇年代半ば以降、実際には、言論出版はかなりの程度自由化されていたものの、書籍出版は数社の寡占状態に変わりはなく、一方、わずかながらのタブーも存在しており、どんなものでも即座に出版されるというわけにはゆかなかった。

例えば、このタブーとは、五六年問題、駐留ハンガリー・ソ連軍の問題、それに隣国内のハンガリー人マイノリティ問題などがそれであった。

これらのタブーのうち、五六年問題というのは、いかに旧カーダール政権が寛容政策に徹して国民統合に成功していたとはいえ、一たび公開論争を始めだすと、すぐさまその正統性を危うくするテーマであっただけに、自由に論議できない息苦しさは、私のような異邦人にも容易に感取されたのだった。

私がブダペスト生活を開始してしばらくのちの八八年二月一日、ブダペスト映画祭にコーシャ・フエレンツ Kósa Ferenc 監督の A másik ember（もう一人の男）を見に行ったときのことを忘れるわけにはいかない。

この作品は二部より成っていて、第二部では、ハンガリー軍戦車まで登場させたロケを敢行し、話題を呼んだゴタール・ペーテルの『止まった時間』のような暗喩ではなくテーマそのものとして初めて五六年を正面切って取り上げたのだった。作品全体の評価は、今一つという感が強かったが、スクリーンに「一九五六年」という文字が映し出されたとき、観客は静かではあるが、ある種の動揺をかくさなかった。それは「やっと五六年を公然と語れるようになったのか」というふうにも、あるいはコーシャ監督の勇気への無言の賛辞とも感取できたが、五六年問題の本格的議論の開始には、今少しの時間を要する事実ははっきりとわかったのであった。

出版界に話を戻すと、これらの三つの主要なタブーが八八年中にほぼ完全に撤廃されたことに加え、多党化に伴う言論戦の復活が、各種の出版市場を開拓し、旧来の大手出版社が当面の出版予定に拘束されているタイム・ラグを新設の群小出版社が埋めあわせたわけである。

但しハンガリーの出版事情について絶対に無視してならないのは、これらの新刊行物は、八〇年代以降、大きな市民権を持っていた改革派インテリゲンツィアの諸業績から断絶したものではなく、その延長線上にあったという事実といえる。

この改革派インテリゲンツィアというタームは、旧レジームにより批判的なグループと、「小なる悪」としてそれにより協力的なグループに二分されねばなるまいが、例えば、Beszelő（『発言者』）のような完全サミズダートを除外した場合、前者を代表する合法刊行物に次のようなものがあった。

一つは八一年より刊行されている Medvetánc（熊の踊り）という、ヨージェフ・アティッラ József Attila の詩に誌名が由来する社会理論誌である。

これはエトヴェシュ・ロラーンド大学とマルクス・カーロイ経済大学などの若手社会学徒に

よって編集されており、ハンガリー社会の批判的分析、さらにフランクフルト学派以降の西欧社会理論を分析した論文を多く載せ、執筆者の一部をルカーチ学派が占めるという特色をもつ。もう一つは、八五年に創刊された Szazadvég（世紀末）という理論誌で、エトヴェシュ・ローランド大学法学部を中心とする若手インテリゲンツィアによって発行されている。[注1]両誌は実質的に内容上の差はあまりないのだが、Szazadvég の方がより総合誌的色彩が濃く、ルカーチ学派の存在はほとんどないように身受けられる。

印象的とも言えるのは、Szazadvég の表紙に掲げられた七人の肖像写真である。これらはアデイ・エンドレ Ady Endre（詩人）、ヤーシ・オスカル Jászi Oszkar（社会・政治学者）、サボー・デジェー Szabó Dezső（小説家・思想家）、バビッチ・ミハーイ Babits Mihály（詩人）、テレキ・パール Teleki Pál（自由主義政治家）、ネーメト・ラースロー Németh László（作家）、ビボー・イシュトヴァーン Bibó István（政治理論家）より成り、サボーやネーメトなど多少論争になりうる挑発的人物を含めているものの、いわばハンガリー自由主義の歴史的遺産の継承を内外に宣言しているかの如くである。

この二誌は、おそらく、将来、立場を鮮明にさせてゆくにつれ、一定の分裂・対立を生み出すに違いないが、今のところ、相携えて批判勢力の拠点メディアとしての役割を果たしているといってよい。

さて、旧レジームにより協力的であった（もっと厳密にはより非協力的でなかった）インテリゲンツィアは、例えば、総合出版社 Magvető Kiadó の出版物、とくに七〇年代以降、継続的に刊行されている Gyórsuló idő という新書版の社会研究シリーズの執筆者たちに一つの典型を見ることができる。この叢書のインプリケーションは、カーダール体制内の良心的研究者のすれすれの水平線を示すものであった。タブーそのものであるトランシルヴァニアのハンガリー人問題や、トリアノン条約を論ずる代わりに、ルーマニア＝ハンガリー国境地域の疲弊をテーマにする、といった構え方である。

ハンガリー社会の抱える矛盾を、きちんとした経験的研究に裏付けて一般読者向けに書き下ろし、国民的論点を明示してゆくスタイルが、執筆者の立場を雄弁に語っていると思われる。[注2]

さらに言えば、ハンガリー科学アカデミー、エトヴェシュ・ロラーンド大学、コシュート・ラヨシュ大学（デブレツェン）、ヨージェフ・アティッラ大学（セゲド）などに所属する社会学者および歴史学者多数派がこれに該当すると考えられる。

なお、この「旧レジームにより協力的であった」という表現は、かなり多くの誤解を招いてしまうので、本論の趣旨からの脱線を承知で、若干の説明を加えておきたい。

私は五六年反乱以降に漸次形成された旧カーダール政権を「社会党独裁」という概念で把握する仮説を主張しようと考えつつある。この「社会党独裁」は明確なタームになっていないものの、いわゆる二半インターナショナルに集まった独立派社会党系の社会理論家が提起し、コミンテルン以降の共産党の実践的混迷を傍目で眺めつつ、マックス・アドラーらオーストロ・

マルクス主義によって割合はっきりしたかたちにされた権力構想である。

旧カーダール政権にこの概念を用いるからといって、何もカーダールらが意識的にアドラーを勉強したとか、ハンガリーという中欧の伝統を引く国の社会主義が期せずしてオーストロ・マルクス主義の創造に結果したとかいう珍説を吐く気は全くない。

各主体の相互関係によって形成される政治的関係性を政治システムというタームで捉えるなら、カーダール政権の政治システムは、政権担当者の主観を離れて「社会党独裁」のモデル・ケースと考えうると述べたいまでである。

この「社会党独裁」のメルクマールは極めて単純である。一つは一党独裁であったこと、今一つは政権を担当する独裁政党が、マルクス・レーニン主義という全体主義イデオロギーによって正統性を根拠づけておらず、にも拘らず政策目標として社会主義の理念を排他的に掲げているという点である。

このような政党を歴史上存在する政党中に近似物を求めた場合、すぐさま世界各地で社会党とか社会民主党を自称する政党に行きつくに違いない。

そして社会党または社会民主党相似の政党が一党独裁を行っているわけであるから、私は「社会党独裁」という概念を付与したわけである。

ところで、「全体主義イデオロギー」によって正統性が保証されていないという点は極めて重要である。

いかなる社会においても、何らかのダイナミズムなりコンフリクトなりが存在する以上、社会システム―さしあたり政治システム―は、政治制度と絶えず緊張を起こしている。これを制度の側からシステムを抑制した場合、システムは地下に潜行し、第二社会なり闇政治の領域を形成する。

ちょうど、ほぼ全ての東欧諸国が、いちじるしく現実ばなれした公定為替レートを保守するために、数倍から十数倍に達する闇交換レートを生みだしているのと同じである。

そして、この現実、つまりはシステムと制度の乖離を直視したときに、私の用語法では、(1)保守主義、(2)改革主義、(3)原理主義、(4)修正主義の四方向への理論的志向が生じる（詳しくは、大池文雄著作集『奴隷の死』巻末解説の拙文を参照されたい）が、全体主義イデオロギー独裁下では(4)は常に天安門的虐殺のリスクを負うため、(1)〜(3)の小範囲内の論争になりがちである。

一般的に言って(4)の立場の理論的存在力は四分の一以上のヴァリューを持つから、(4)の不可触領域化は、政策的論争を訓詁註釈泥仕合に堕落せしめるのみか、論争領域自体を極小化する力がさらに働く。

これに反して、社会主義政党といっても、非全体主義イデオロギー政党の場合、(4)領域の開放に伴って、必ずしも政策的にベターな方向に結果するとは限らないにせよ、政策次元でのリアリズムを抑制する不可触領域を逆に閉鎖する機能をもつ。

こうして、政党内部での政策集団の形成と非訓詁学型の論争を用意できるわけである。

もう少し一般理論化すれば、(3)(4)の領域は、一種の「より大きな」遠心力を持っていて、プルーラリズムの下では別個の理念への転化を結果しがちであるが、「一党独裁」下ではこれが抑止されるから、アンダーグラウンド化の傾向を持っている。

しかし「一党独裁」の「党」自体に、システムとしてのプルーラリズムに近似の〝制度化された非全体主義〟または〝脱イデオロギー志向〟があるケースにおいては、この地下潜行力を極小化できることは言うまでもない。

ハンガリーの場合、粗雑を恐れず思いきった単純化を行ってみると、(1)は言うまでもなく旧勤労党以来の古参幹部など、(2)は故ナジ・イムレ元首相に象徴されてきた、あるいは、それを秘かに人格的象徴としてきた「第三の道」左派、(3)主としてルカーチ学派、(4)「第三の道」右派から経済改革グループに至る諸リアリスト、となろうか。急いで註釈を加えておけば、ここにさりげなく書いてしまった「第三の道」A harmadik út という勢力の評価が極めて厄介で、私も未だ確たる自信を持って何も語れない。[注3]

この起源は古く、一九世紀の農業社会主義（南塚信吾氏『東欧経済史研究序説』参照）にまで遡るらしいが、もっと狭義には、三〇年代にハンガリー中で嵐の如くまき起った社会記録運動népi írókに起源を求められる。

この運動については、ハンガリー語ではネーメディ・デーネシュ『社会誌一九三〇—一九三八』Némedi Dénes A Népi Szociográfia 1930-1938 Gondolat 1985という体系的概説書が出ているほか、日本語でも南塚信吾氏『静かな革命』という作品が存在するので、詳しくはそれに就かれたいが、私は当初、この運動の背景に当初一種のノミナリズムの衝動が潜んでいたのではないかと考えている。

単純に言って、ノミナリズムが歴史上登場する時点というのは、旧理論とリアリティのギャップ顕在化状況、または大理論の崩壊過程においてである。

ハンガリー現代史において、ここで言う〝旧理論〟〝大理論〟というのは、これまた思考途中の考えを思いきって言ってしまうと、クン・ベーラ革命を指導した教条的カウツキズム、二〇年代前期までにブダペストを中心に開花したコスモポリタンな諸思想のうち、結果的にクン・ベーラの赤色テロルの戦犯となった急進派マルクシズム一般だと見当をつけている。

レーニン主義という概念が、同時期には未成立であったし、ましてレーニン主義と社会民主主義の分離は、今少し時期的にズレるので〝教条的カウツキズム〟などという曖昧な表現になるが、私はカウツキー農業理論の農民層分解論と初期レーニン主義のモチーフに本質的な違いはないと考えている。小農経営のヴァリアントを封建的なものと見たてる思考に、独裁体制がプラスされれば、是が非でも「農民層を分解させる」政策が登場することになるだろう。「鳴かぬなら鳴かせてやろう」から「殺してしまえ」までは、わずかに数歩の距離しかない。

クン・ベーラ革命に、結果的には関与してしまった思潮は存外多く、一〇年代のユダヤ人知識人たちによる近代主義的思潮とそれに連絡した急進マルクシズムまでもが「戦犯」になってしまった。

いずれにせよ、農業国ハンガリーの危機を単純な二階級モデルで把握できないことがはっきりし、クン・ベーラ革命によって実践的にも破産したあと、さしあたってリアリティの模写から出発したのが népi írók 運動であった。

むろん「模写」を条件づける意思は、私が教条的カウツキズムと呼んだものへの「反革命」であって、この意味で、népi írók 運動は、伝統的なものというより、むしろ純然たる二〇世紀の新たな知的営為に他ならない。加うるに、népi írók はもう一つの意味でも、旧式マルクス主義への「反革命」であった。

即ち、それはハンガリー語で magyarság、平凡なタームにすれば、ハンガリー・ナショナリズム対象化の意思である。別言すれば、トリアノン条約によるトランシルヴァニアのルーマニア編入に伴ない、自民族が少数民族として他民族に支配されるという条件下で起ったハンガリー・ナショナリズムの重大な関係場の転換に伴う magyarság の再認識とも言える。

日本、ロシアなども含めて、二〇年代にある種のコスモポリタンな思想運動が世界的な共時性の下で開花した経緯はすでに周知であるが、ハンガリーの場合、特にユダヤ人、ドイツ人によって主導された知識人の運動は、ホルティ体制の成立後、ハンガリー国内においては基本的には継承されていない。

これは、クン・ベーラ革命という一種の赤色テロルを前にして、知識人内諸潮流が早熟的に分解したことによるが、今一つの理由として、二〇年のトリアノン条約によって国土の三分の二を隣国、特にルーマニアに分割されて以降、ハンガリー国内で、報復的ナショナリズムが横溢してしまったためである。因みに初期ルカーチは、クン・ベーラ革命の敗北をある種の必然と見た上で、ハンガリー社会内に充満する報復的ナショナリズムを前にして、〝階級意識〟論という方向に、つまりはマルクス主義的にファンダメンタルな方向に、彼の思想的営為を深化させてゆく。

ともかく、このナショナリズムを旧来のマルクス主義理論や近代主義各派は全く対象化できなかったため、ハンガリー国内での社会的組織力を著しく失った。こうして、民族的にも非ハンガリー人によって主導されたコスモポリタンな思想とくに一種の教条的マルキシズムへのアンチ・テーゼの衝動こそがハンガリー人によって担われた népi írók に結実したのであった。

そして népi írók 運動は、ノミナリズムであったが故に、新たなリアリティを対象化するや否や、すぐさま、諸傾向に分化していった。例えば、先に『世紀末』の表紙の説明で触れたサボー・デジェーなどは、日本の狭義の農本主義を想起させる特異な小農主義を展開し、サボー学派の一部は、ファシズム・イデオロギーに近似するものに接近する。

この中で、作家またはエッセイスト、ネーメト・ラースロー、農村学者ヴェレシュ・ペーテル Veres Péter、社会学者エルディ・フェレンツ Erdei Ferenc ら内に左右の対立を含みつつも、népi írók 多数派によって次第に自覚されていったのが、「第三の道」と称する一種の農本主義的または小農主義的社会主義思想であったわけである。

「第三の道」左派・右派というのも極度に曖昧なタームだが、左派はエルディ・フェレンツら戦後旧勤労党以来「体制内対抗勢力」となり続けてきた諸派、右派はヴェレシュ・ペーテルの流れを汲み、戦前には国家農民党（Nemzeti Paraszt Párt）に集まり、戦後は五六年以降も非協力をとるか、私の言う修正主義インテリゲンツィアとして社会主義労働者党内外に発言力を持っていたグループを指す。なお、非協力の立場をとってきた右派内多数派は最近ヴェレシュ・ペーテル協会（Veres Péter Társaság）という政治結社を創立し、近く国家農民党以来の伝統を継承する政党に再編する予定であると聞く。

この辺で若干hの整理を行おう。問題は「旧レジームにより協力的」であったインテリゲンツィアとはいったい何かということであった。

以上の整理を踏まえ、単純を恐れず定式化すると、彼らは「旧レジームにより批判的」または非協力的であった諸傾向と異なり、一般的に言って社会主義労働者党党員であり、しかも私の言う(2)改革主義（「第三の道」左派）および(4)修正主義（「第三の道」右派など）を自覚するグループより成ると思われる。

職業的には、(2)は先述の如く科学アカデミー・大学の歴史学・社会学筋に多く、(4)は科学アカデミー経済研究所を拠点として社会学研究所にも一定数のスタッフを抱えている。(2)には、さらに社会主義労働者党社会科学研究所の重要な部分も含まれる。

面白いのは⑶のルカーチ学派の位置である。ルカーチ学派は、この国の社会主義的ファンダメンタリスト的反対派の最大の供給源をなしてきたが、日本でも著名なヘレル・アーグネシュ Heller Ágnes、フェヘール・フェレンツ Fehér Ferenc をはじめ、外国亡命組が相対的に多く、海外での知名度に反し国内での発言力はむしろ小さいのである。

また「旧体制により協力的」であったインテリゲンツィアが社会主義労働者党員だからといって彼らが〝独自の社会主義を模索している〟などと考えるのは早計である。日本では、この手の論調が余りにも多すぎるので敢えて一言するが、先述の如く、ハンガリー社会主義労働者党というのは単なる派閥連合的社会党に過ぎず、⑵⑶⑷グループは、同党内他派よりも、むしろ、社会主義労働者党に非協力な立場をとる同思想系統の非党員・反党員グループとの交友・連絡関係の方がむしろ強いのである。

誤解を恐れずに言えば、彼らは本物の「第五列」なのであって、プルーラリズムの下では、まちがいなく他党派を結成している筈であった。

いずれにせよ、かかる諸潮流がハンガリーでは大きな発言力を持ち、社会科学的出版物の多くも八〇年代以降彼らによって執筆されてきたのだった。そして旧勤労党の出版所 Szikra Kiadó の刊行物を受け継いだ Kossuth Könyvkiadó が相対的に保守派の執筆者を多く抱え、新刊のままゾッキ本に直行の本を次々と出しているあいだ、彼ら改革派は、文学から社会科学まで手広く扱う総合出版社 Magvető Kiadó から新手法の新鮮な文献を出版していったわけである。先述の Gyorsuló idő とは、物理学者マルクス・ジェルジ Marx György の随筆のタイトルから命名された叢書らしいが、七〇年代中期以降、ハンガリーの社会問題に大たんな斬り込みを行う著作を次々と送り出し、知識人のみならず一般読者に圧倒的な好評をもって迎えられたのだった。

これらの動向を政治的諸関係の中で再検討すると次のようになる。ラーコシ独裁時代の旧勤労党というのは、(4)修正主義を不可触化する一方、(1)保守主義をマキシム化し、(2)改革主義(3)原理主義をミニマムにしながら社会的統合を目指した存在であった。これが見事に社会のリアリティによって破産宣告をされ、五六年反乱時に(2)グループ主導の下に党の立場を回復せんとするも、結局、国民的なプルーラリズムの希求の下では、党の立場自体がマイノリティーになる他なく、(2)グループも社会統合に失敗した。しかも、ソ連という外在的権力によって(2)グループのリーダー、ナジ・イムレも罷免・処刑されるに至った。

このあと、社会統合を引き受けねばならなかった故カーダール・ヤーノシュは、(1)(2)の微妙な境界線上にある人であったが、「少数派中のさらなる少数派」たる事実を自覚し、社会主義労働者党の非共産党化による、さしあたり社会統合可能な制度の形成に専心し、多様な諸潮流を党内分派のかたちで包摂していったわけである。六八年以降、ハンガリーの経済改革が始動するが、これは(2)(4)の連合によって(1)グループを押さえこみつつ執行されたわけであって、いわゆる「計画経済」の一つのパターンとは多少違っている。

しかし、経済改革に伴う社会変動というのは、新しいシステムに照応する制度を要求するものであり、加うるに八〇年代後半の社会的不満の高まりも相まって、「社会党独裁」という一党支配の擬装をも改変せざるを得なくなった。

この「社会党独裁」はいかに機能的プルーラリズムを事実化しているとはいえ、いや、機能的プルーラリズムが存在するが故に、一党独裁はもはや政治的正統性を獲得できなくなってしまったのであった。このディレンマの打開のためのベターな方策は、一つしか存在しなかったし、ハンガリーは実際に「一つ」のオールターナティヴを選択したのであった。それはドラスティックにも、多党化を承認にするという東欧無比の歴史的打開策に他ならなかった。

「一つ」の選択肢だというのは次の事情による。

ハンガリー社会主義労働者党内では(2)(4)は既にして多数派であったし、党員のほとんど全ても機能的プルーラリズムの生活に慣れていたため、いわゆる「イデオロギー的引き締め」はナンセンスなものとなっていた。

もし、この期に及んで(1)主導のクーデターがあったとするなら、ハンガリーはまちがいなくポーランドナイゼーションしたはずである。

逆に、八八年五月、(2)(4)は(1)を党ポリビューローより追放する無血クーデターを敢行し、八九年以降は(1)の脱党が相次いで、ハンガリー社会主義労働者党は(2)(4)への純化をなしつつある。[原注1]

但し多党化に伴ない、(4)はハンガリー民主フォーラム（ＭＤＦ）や他新党に吸収されてゆくことが想像されるから、今後の予測できる未来図は、社会主義労働者党の(2)への純化と他派の分離であろう。

このところ社会主義労働者党を社会民主党などといった名称に変更せんとする提案が相次いでいるのは以上の動きをよく示しているし、近い将来、共産党が新結成されることすら眺望できるかもしれない〔原注2〕。

最後にルカーチ学派の位置について寸言を加えよう。

ハンガリーの社会科学の現状を調べるものは、その著名度に反比例するかの如く、ルカーチの影響力の小ささに驚嘆するに相違ない。

今日、科学アカデミーや大学にポストを持つ社会科学者の多くは、前科学アカデミー社会学研究所長で現在法務大臣を務めるクルチャール・カールマーン Kulcsár Kálmán とエトヴェシュ・ロラーンド大学教授フサール・ティボル Huszár Tibor という二大大家をはじめとして、その多くはエルディ・フェレンツの学徒である。エルディら「第三の道」派が、ある種のマルクシズムへの「反革命」を通過したということは前述した通りであった。

より「旧レジームに批判的」なインテリゲンツィアの拠点の一つに『世紀末』という雑誌があり、その表紙に七人の写真が掲げられていると述べたが、その中にルカーチが入っていなかった事実をご記憶だろうか。逆に、彼らが意識的に掲げたのは、自由主義政治理論家で反ルカーチの一方の巨頭たるヤーシ・オスカルなのであった。

誤解を防ぐために一言すれば、ルカーチの著作は決して禁書となっておらず、選集すら公刊されているのみか、個別の著作類もどこでも入手できるくらい知識界には身近である。ルカーチへの反逆と言えないまでも、意識的な無視は、やはりルカーチ理論の枠組と主要概念を提供したマルクス主義への反感と、ハンガリー・ナショナリズムを内在化できなかったコスモポリタンな性格ゆえに他ならない。

ルカーチがユダヤ人であるという事実も与っていないわけではないかもしれない。いくら転倒したヘーゲル主義がルカーチの思想であり、ルカーチの知的営為にナショナリズムの対象化は無関係だといっても、ハンガリー知識人の多数派には、ルカーチの捨象した論点こそが重要だということになろうか。

II

本の話から思わぬところに議論が脱線したかに見えるが、これはシュタンド本やそれを手にするハンガリー人たちの思想的背景を知る上でやむを得ない遠くまで張った伏線であった。しかし、この辺で、我々も、人の群れをかき分けてシュタンド本を実際に手にとってみることにしよう。

シュタンド本中の新傾向出版物第一号は何であろうかと考えてすぐさま思い当ったのは、シラージ・アーコシュが編集した私家版『未完の革命』Szilágyi Ákos, *Befejezetlen Forradalom*, 1987である。

私がブダペスト生活を開始した頃、シラージの本がベスト・セラーになっていた。『未完の革命』はサブ・タイトルをロシア語で「グラスノスチ」と題されており、一八年から八七年までに出たソ連の様々な政治関係文書・文学小片をハンガリー語訳し、簡単な執筆者略伝を付したアンソロジーである。

収録文献の寡例をあげれば、ブハーリン、ブルガーコフ、エレーンブルグ、ゴーリキー、フルシチョーフ、エセーニン、エフトゥーシェンコ、コロレーンコ、マンデルシュターム、パステルナーク、プラトーソフ、サハーロフ、ソルジェニーツィン、スターリン、トヴァードルフスキー、ジダーノフなどである。

『未完の革命』刊行より二年もたっていない今、この本を繙くと、最近の一〜二年のハンガリー社会の変化の激しさを逆に見事に示すくらい遠慮深い内容なのだが、それでも当時は爆発的に売れまくり、地下鉄やベンチなどあちこちでこの本を読んでいる人々を見かけたものであった。

当初『未完の革命』は特定の限られたシュタンドのみで販売されていたが、しばらくのちには一般の流通ルートにも乗り、市内の書店でも購入可能となった。

この本は、赤い表紙の中に、電灯に星形の光が輝くイラストが描かれ、裏表紙は『タイム』八七年七月二七日号のゴルバチョフの肖像画表紙を借用している。このアーコシュの編者は、その表紙のイラスト通り、果たして、ハンガリー出版界に一つの、しかし確かな光を投げ込んだのだった。

なお、シラージは『もっと、もっと、もっと』Szilágyi Ákos, *Tövabb... Tövabb... Tövabb* Szabadtér Kiadó, 1988 と題する「グラスノスチ」第二集ものちに出している。

こちらの方は、第一集と同じようなドキュメント集ながら、五三年、即ちスターリンの死去から八八年までの文書類を専ら編集したものである。日本でもよく知られている人物で、第二集に収録されている人物に、メドヴェージェフ兄弟や映画監督のアンドレイ・タルコフスキーなどがいる。

このシラージらのアンソロジーの公刊後、ややあって二冊のスターリン関係文献がシュタンドに並んだ。

ベーラーディ・ラースローとクラウス・タマーシュの共著『スターリン』Béládi László Krausz Tamás, *Sztálin*, Láng Kiadó, 1988 とボコル・パールらによる『スターリン』Bokor Pál N.Sándor László Szaniszló Ferenc, *Sztálin*, Magyar Hírlap, 1988 である。

ハンガリーにおいては、一般的にスターリン批判を語ることは決してタブーではなかったのだが、資料公開の制限もあって、自由に討論されるまでには至らなかった。研究者も半ば保身のために、このテーマに斬りこむ勇気を持っていなかったことも率直に指摘せざるを得ない。

この事情はスターリン批判に対する私見に照らせば明白である。スターリン批判というのは、プロレタリア党独裁の「戦時体制」解除のためのプロジェクトに他ならず、独裁の構造的矛盾を全てスターリン個人の恣意になすりつけ、体制としてのスターリニズムを保守する仕組みになっていたからである。(小著『ハンガリー事件と日本』序章参照)

共産党系の歴史家は、スターリン批判の意義を大きく描きたがるが、むしろ、問題は、マルクス・レーニン主義とプロレタリア党独裁の思想と実践そのものに存在したのであって、こうした問題の立て方を「不可触領域」化したままのレジームを〝スターリン批判後体制〟は手つかずに温存したことこそ問題とされねばならない。さらに、私見ではこの限界を明白にしたものこそ五六年のハンガリー反乱に他ならなかったのであった。

予め一つの論理を打倒しておこう。それは「スターリニズムは真の社会主義ではない」といった言い方、または「社会主義の低い段階」であるという説明法である。こうした論理でスターリニズムを説明したがる向きは、「ナチスは真のナチズムではなかった」「今日はまだ資本主義の低い段階である」といった弁明をそっくりそのまま容認すれば一貫したものとなりうる。「真の」何某を彼方において、現実の何某を批判する論法は、語句の過激性に反比例して本来的に保守の衝動が隠れている。

あらゆるファンダメンタリズムが、容易に急進的反動の牙城となるように、「真の」何某を価値基準とすれば、いかなる暴論もファンダメンタルに弁解可能といえる。

私は「スターリン批判」⇩「社会主義理論の再生」という方向での社会理論の追究を必ずしも無意味な作業とは思わないが、この場合、論理に例外を作らないという一つの前提を要請したい。

スターリン批判が保守的なものであった論拠の一つは、スターリン自体に対する研究や討論を完全に自由化しなかったという点である。

これはスターリン個人の研究に取り組めば、すぐさまスターリン個人独裁を招来せしめた体制自体に分析を進めざるを得ず、スターリン体制を継承する東欧・ソ連の体制そのものを危うくさせたからである。

ハンガリーの場合、政治体制については既述の如く、五六年反乱のあと六〇年代末から漸次「社会党独裁」に移行した点において、スターリン体制を長く維持した他国と全くレベルを異にするが、スターリン体制へのプロテストを暴力的に押さえこんで現体制が出発したという経緯を持つゆえに「スターリン批判」が、現体制の正統性を危機にさらすテーマであり続けたことに変わりがなかった。

このため、スターリンの伝記的書物といえば、四九年に翻訳された教条的なミーチンらの『ヨシフ・ヴィサリオノヴィチ・スターリン略伝』Joszif Visszarionovics *Sztálin Rövidéletrajz*, Szikra,1949 以来、五六年反乱以降も絶えてなかったのであった。

この沈黙を破ったのは、ベーラーディ・ラースローとクラウス・タマーシュらによる『ボルシェヴィキ史伝記集成』Béládi László, Krausz Tamás, Életrajzok a Bolsevizmus történetéből, Eötvös Loránd Tudományegyetem Államtudományi és Politikatudományi Intézet, 1987であった。この書物は、当初の予定より二年遅れで公刊されたものの、スターリンのみかトロツキー、ブハーリンを含めた六九人の小伝より成り、この問題にはほぼ空白に近かったハンガリーの知的世界に基礎的素材を提供する役割を果たした。

二人の新しい伝記『スターリン』は、旧編著の発展線上にあって、スターリンへの理解社会学的接近と、ボルシェヴィズム再検討の中でスターリンの登場を位置づけようとする目的意識に貫かれている。

これに対してボコル・パールらの『スターリン』は、ドキュメント集で、長らく未解禁のまま置かれていたハンガリー五六年反乱の「もぎとられたスターリン像」の写真を収録して注目された。

ともあれ、しばらくベーラーディとクラウスによって開拓されたスターリン、ボルシェヴィキ史の再検討は一種のブームとなり、クラウス私家版の『追放されたトロツキー』Krausz Tamás *A Számözött Torockij*, Krausz Tamás 1989やブハーリンに関する三種類の本、クン・ミクローシュによる伝記『ブハーリン』Kun Miklós, *Buharin*, Szabadtér Kiadó 1989、同じクン編集のドキュメント『ブハーリン』Kun Miklós, *Buharin*, Kossuth Könyvkiadó 1989、クラウス編集の論文集『民主主義・「カエサリズム」・社会主義――ブハーリン論集』Krausz Tamás, *Demkracia, Cézárizmus Szocializmus,-N.I Buharin tanulmányai*, Eötvös Loránd Tudományegyetem Politikatudományi Tanszék,1989 などが店頭に並び、フルシチョフ秘密報告のポケット版 Nyikita Khruscsov, *A Személyi Kultuszról és Következményeiről*（個人崇拝とその諸結果について）Kossuth Könyvkiadó 1988も刊行されたのだった。

さて、八八年五月のハンガリー社会主義労働者党全国委員会は、単にカーダールを退任させただけでなく、党内保守派をポリビューロー内から徹底して排除した一種のクーデターだったが、この時期を境にして、戦後ハンガリー史、わけても旧来「歓迎されざる」検討課題であった四八年~五六年期に関する出版物が目につくようになった。党内保守派の追放劇にも増して党全国委員会前後の思想状況で重要なことは、保守派追放の代価として科学アカデミー社会学研究所のビハリ・ミハーイ Bihari Mihály 研究員、社会評論家（元新聞記者）ビーロー・ゾルターンBíró Zoltán など極めて著名な修正派知識人を党から除名したことであると思われる。

かねて多元化を目指していた改革派のクーデターとほぼ同時に修正派著名人を党より追放したことは、むしろ修正派インテリゲンツィアの前に拡声器を置き、聴衆を集める効果をはたした。

追放四人組、ビハリ、ビーローとレンジェル・ラースロー Lengyel László、キラーイ・ゾルターン Király Zoltán のインタビュー集『党除名』"*Kizárt A Párt*", Primo Kiadó, 1988 などがすぐさま登場したが、先の社会主義史再検討の脈絡では、この時期にハンガリー愛国人民戦線機関紙『マジャール・ネムゼット』Magyar Nemzet にラーコシの伝記が連載されたことを見逃すわけにはゆかない。

愛国人民戦線は旧来、社会主義労働者党のカイライ的存在に甘んじていた組織とはいえ、八〇年代半ばより、特に『マジャール・ネムゼット』紙上に非社会主義労働者党系のオピニオンを掲載するようになり、小地主党、国家農民党など旧政党幹部生存者が定期的に愛国人民戦線の建物内にて会合をはじめるようになっていた。

「愛国人民戦線が今面白い」と友人のゲルゲイ・アティッラ科学アカデミー社会学研究所員に教えられ、二人のフィンランド人政治学者と四人でドナウ河畔の事務所を訪問したのは八八年五月三日であった。

私は、同年四月に、まだ結成準備中だった知識労働者民主組合ＴＤＤＳＺ＝Tudományos Dolgozók Demokratikus Szakszervezetét にもインタヴューに訪れていて、多党化前夜の雰囲気を今でもありありと覚えている。まったくの私的感想に過ぎないと断るが、多党化直前の各政治勢力は、ポーランドの事態を他山の石とする合意がなされていたように思われてならない。社会構造が著しく異なるハンガリーにおいて、ポーランドナイゼーションなどあり得ないと一蹴すればそれまでであるが、ＴＤＤＳＺの組織者たちも、ハンガリー版「連帯」でなく、西側諸国の合法労組を理念的に追求していたように考える。ＴＤＤＳＺ組織者たちとの私的インタヴューで、彼らが「多元的労働運動の法制化」を強調していたのを記憶している。ネメシュ・ヤーノシュ Nemes János によるラーコシ伝が『マジャール・ネムゼット』に連載されていたとき、ブダペストの知識人たちの反応はどちらかと言えば懐疑的であったが、私はこの大人しい連載は、五六年反乱そのものの本格的解禁の呼び水になるだろうとは予感していた。

その後、このラーコシ伝は一冊にまとめられ、『ラーコシ・マーチャーシュの誕生日』"*Rákosi Mátyás Sziiletésnapja,*" Láng Kiadó, 1988 として店頭に出、ほとんど同時に公刊された論文集『ハンガリーの勤労日——ラーコシ・マーチャーシュの二つの政治亡命の間』Gyarmti György Botos János Zinner Tibor Korom Mihály, "Magyar hétköznapok Rákosi Mátyás két emigrációja Között 1945-1956" Minerva,1988 とともに、飛ぶように売れなかったけれど戦後史研究ルネサンスの本格化を想起させた。

シュタンドに並んだ時期は以上の文献とおそらく同時だったと思うが、戦争末期のファシスト・矢十字党首領のサーラシ・フェレンツ Szálasi Ferenc の裁判記録『サーラシ裁判』Karsai Elek Karasai László, *A Szálasi Per,Reform,*1988や、いわゆる「チトー主義者狩り」の犠牲となってラーコシ時代にデッチ上げ容疑で殺されたライク・ラースローに関する二つのドキュメント、『ライク裁判』Paizs Gábor, Rajk Per, Ötlet 1988 と『ライク・ファイル』Soltész István, *Rajk-Dosszie,* Láng Kiadó 1989 なども登場した。

この状況の中で、ハンガリー知識人たちの口に上っていたのは、いつナジ・イムレ Nagy Imre が公然と議論の対象となり、いわゆる「五六年もの」が国内で解禁になるだろうかということであった。ラーコシ時代の独立解釈公刊までこぎつけたものの、八八年中には、知的解禁は、まだ「五六年そのもの」にまでは及んでいなかったからである。

本稿は、本格的な研究史を目指すものではないので詳述はしないが、五六年の文献というのは、むろん旧来も幾つか存在していたし、ジュルコー・ラースローの『一九五六』Gyurkó László, *1956*, Magvető Kiadó,1987 のようにカーダール政権あるいは故カーダール個人の本音に近い寛容な文献も存在していた。ジュルコーという歴史作家の立場は、日本でも『カーダール・ヤーノシュ伝』の翻訳などで知られるように、五六年を結果的に反革命とはしつつも、「反革命」に至った経緯を「悲劇」というタームで捉える特徴をもつ。(もっともブダペストの多くのインテリゲンツィアの間ではジュルコーを馬鹿にしきって目くばせをするのが通過儀礼となっていたが。)

問題はしかし、公刊可能な文献の立場がどこまで寛容化したか、とか公刊された文献の水準が世界の政治史研究の主流的立場にいかほど近づいたかということではなく、対立する歴史解釈をそもそも公刊できなかったという事実にあった。私は、おそらくハンガリー人自身も習慣化していたに相違ないある種の行動を懐かしく思い出す。シュタンドが目に入ると、さっと近づいて、「あの本」がひょっとすると並んでいるかも知れないと胸を躍らせるのである。「あの本」は、今日売ってなくとも、明日には出るかもわからないし、明後日になる可能性もあるものの、それは必ず遠くない日に現われるに違いないのだった。シュタンドを眺めて、Nincs más?（他はないの？）などと言ってみたりする時もあるが、その「他」はいったい何の本であるか、売る人も買う人もお互いにわかりあっていた。

「あの本」、つまり五六年関係文献は、かくて、出るべくして出た、というのが素直な感慨ではあった。

さて、ハンガリー中の街頭シュタンド書店は、この五六年文献においてこそ、その本領を如何なく発揮するのだが、この「五六年もの」公刊第一号たるの栄誉を担う運命となった書物は、トービアーシュ・アーロン編の回想録集『イン・メモリアム・ナジ・イムレ』Tóbiás Áron, *In memoriam Nagy Imre*, Szabadtér Kiadó,1989に他ならなかった。

私は八八年一二月一五日以降、デブレツェンのコシュート・ラヨシュ大学社会学科に博士候補生として在籍し、週に一度ほどブダペストの科学アカデミー社会学研究所に戻るという生活を続けているが、トービアーシュの本が店頭に並んだときの両都市の様子は次のようなものであった。

いつしかシュタンドを注意深く見つめる癖のついてしまったブダペスト市民は、Nagy Imreの文字を見るやすぐさま人の山を集り、"Mennyibe Kerül?"（いくら？）と聞き、"Drága Isten!"（おお神様！）などとつぶやきながら次々と買っていた。ハンガリー人はことあるたびに"Drága

であった。

Isten!" と言うが、神様を登場させて驚いている理由は、この本が一二八フォリントもするからであった。

政府の出版補助金が出ず、市場販売のリスクも負う群小出版社の刊行物は紙質も悪く、また価格も相対的に高かったが、この『イン・メモリアム・ナジ・イムレ』の一二八フォリントは破格の高額には違いなかった。もっとも、このあと、シュタンド本の価格は次々と三ケタ代に突入し、今ではちっとも驚かなくなってしまったけれども。

わがコシュート大学では、この本のための特設シュタンドが出現した。

朝八時ころ、大学に出向くと、中央校舎内に常ならぬ人だかりがあり、かねて出版情報を入手していた私は、おそらくナジ関係の本に違いないと考え、（他の東中欧諸国と異なり物資の豊かなハンガリーでは、人の買い物行列ができるのはバナナが出廻ったときとブダペストのアディダス・ショップくらいだから）近づいてみると果たしてその通りであった。

すぐさま一冊買い求め社会学科研究室に行くと、次々とやってくる同僚たちは全員この『イン・メモリアム・ナジ・イムレ』を手にしていた。完全なノンポリを自称する図書助手の女性までが、大枚一二八フォリントをはたいてこの本を買ってきたのにはさすがの私も驚いた。

文献誌的に厳密を期すと、ナジ・イムレ関係の公然たる刊行は『イン・メモリアム・ナジ・イムレ』ではなく、前章で紹介した雑誌『世紀末』六〜七合併号（八八年）に掲載されたナジ自身の「防衛の日々のハンガリー人民」"*A magyar nép védelmében*" ではあったけれど、単行本として一般市民の目前に Nagy Imre の大活字が登場したのは、このトービアーシュの編著をもって嚆矢とし、内容如何にかかわらず、凄じい勢いで売れていったのである。

「五六年は恥ずべき圧制に対する人民蜂起であった」と規定したポジュガイ・イムレらの歴史見直し委員会に提出された文書「われわれの歴史的道程」“Történelmi Útunk”がハンガリー社会主義労働者党の機関紙の一つ『社会評論』特輯号“Társadalmi Szemle”89 különszám となって入手可能になったことも議論の活性化に与ったのか。しばらく後に、ナジ・イムレ関係の二つ文献がほぼ同時に店頭に並んだ。

ナジの新文献のうち、一つはある意味で『イン・メモリアム・ナジ・イムレ』よりも重要と考えられるナジの論文選『ナジ・イムレ路線』Dér Ferenc (ed.) , *A Nagy Imre Vonal*, Reform, 1989 と、他方は、ナジらと一緒にルーマニアに連行され処刑を免れた生き残りの証言を集めたドキュメント映画の活字化（『収容保護権—一九五六—ナジ・イムレ・グループの連行』）Ember Judit (ed.), “*Menedékjog-1956-A Nagy Imre-Csoport Elrablása*” Szabadtér Kiadó,1989 である。

後者のドキュメント映画は、ブダペストのバラージュ・ベーラ・スタジオが八八年中に完成していたもので、ビデオ化されて実際にはかなりの程度出廻っていたものだった。私も八九年の一月末にコシュート大学社会学科の同僚たちと一緒にビデオ・フィルムを見ている。

これまでもナジの論文集というのは、例えば、ハンガリー国内第二の規模を持つコシュート大学図書館の場合、かなり以前から自由に閲覧が可能となっていた。

コシュート大学の存在するデブレツェン市は、政治的に後進地帯として定評があり、コシュート大学もハンガリー第三の拠点総合大学でありながら、「保守的な田舎大学」などとブダペストの知識人筋の辛口批評の対象になっていることからして、他のより「開明的」な大学都市ブダペスト、セゲド、ペーチなどではさらに自由に閲覧可能であったろう。

ハンガリーには、ナジ・イムレという名の著名人が、画家や建築家などに数多くおり、コシュート大学図書館のカードを繰ると、政治家ナジ・イムレは、Nagy Imre tanár（教師）として確かに存在していたのだった。

このナジ・イムレに関する三冊の書物の出版後、シュタンド本の動向は、五六年反乱そのものに向かっていった。それは、陳腐な表現を用いれば堰を切って流れ出た大水もかくありなんというように似ていた。大げさに言えば、ある時期、毎日のように「五六年もの」が現われ、知識人たちは、二日前に出た何某、昨日出た何某についての品評定めに明け暮れたのであった。こんなに次々と刊行されえたのは、おそらく八九年一月にポジュガイ発言があり、ナジ・イムレの再葬儀が日程にのぼり始めた頃から各出版社は一斉に準備を開始したからだと推察される。

私もまもなく一メートルに達せんとする机上に積み上げた「五六年もの」の山を前にして、いささか食傷ぎみとは言え、この一年間の社会的変動の大きさを今さらながら痛感している次第である。

以下、私がブダペストやデブレツェンのシュタンドで集めた「五六年もの」を主観的解説を付けて並べてみよう。

Izsák Lajos Szabó József (ed.), *“1956 a sajto tükrében,”* Kossuth Könyvkiadó, 1989（『出版物から見た一九五六年』）

（資料集）

これは五六年一〇月二二日から一一月五日に至る新聞を写真版で復刻した大きな資料集である。

旧勤労党・軍などの新聞のみか、いわゆる自主出版《サミズダート》された新聞も収録され、しかも、コシュート出版社というメジャーな出版社より刊行された事実は特筆に値する。私は一年前位に、旧小地主党の幹部スーケ・パール氏と会った折、五六年時の新聞類を私に見せながら、氏は「これらを私が所蔵していることを絶対に秘密にしてほしい」と念を押したものだった。私が、この大冊を初めて見つけたのはケレティ・パーヤウドバール（東駅）のシュタンドだった。ハンガリー語でものごとがうまく行ったとき Silkerül（やったね）と言うが、私は Silkerül とつぶやきながら即刻四七五フォリントをはたいて買い求めたことは言うまでもない。

Nagy Ernő (ed.), *“1956 Sajtója,”* Tudósítások Kiadó, 1989（『一九五六年の出版物』）

ナジの資料集も先のイジャークらのものと同じ新聞復刻資料集である。こちらの方が、地方新聞などの収集に秀でている。この本の扉に「ハンガリー国内初版」とあるように、フランスですでに四版を重ねていた。

Korányi G. Tamás (ed.), *"Egy Népfelkelés Dokumentumai 1956,"* Tudósítások Kiadó, 1989（『ある人民反乱のドキュメント』）

　これは、五六年時に刊行された多様な出版物から重要論文を集めた資料集である。

Szalay Hanna (ed.), *"1956 Saitója,"* Magyar Krónika 1989（『一九五六年の出版物』）

　これも、五六年当時の重要論文・記事、ラジオ放送を一〇一の写真とともに収録したコンパクトな資料集である。

Balassa János Géher József Kurdi Zoltán Mécs Imre Modor Ádám Moldovan László Rózsa Gábor (ed.), *"Halottaink I・II,"* Katalizátor Iroda,1989（『死者たち』）

　五六年反乱のあと約三〇〇人の労働者が「反革命」の名の下で処刑されていった。八九年六月一六日のブダペストでのナジ・イムレ葬儀の際、私は、英雄広場のスピーカーから流れるアナウンスで彼らの年齢・職業を聴きながら声をなくしていた。実に「反革命」の名の下に殺されていった者のほとんど全ては、二〇歳代の肉体労働者なのであった。この資料集は、彼らに献げられたレクイエムである。私はナジ・イムレ葬儀の日に英雄広場のシュタンドでこれを求めた。

Fellegi Tamás László Gyekiczi András Kövér László Kövér Szilárd Máte János Orbán Viktor Stumpf

István Varga Tamás Wéber Attila (ed.), "*Az Igazság A Nagy Imre Ügyben,*" A Szazadvég Kiadó és Nyilvánosság Klub, 1989（『ナジ・イムレの事実』）

ナジ・イムレの資料集。これは雑誌『世紀末』を出している出版社の刊行物で「世紀末紀要」第二号と記されている。

"*A forradalom hangja,*" A Szazadvég Kiadó és a Nyilvánosság Klub, 1989（『革命の音声』）

編者は前のナジ資料集と同一。「世紀末紀要」第三号。この本は五六年時のラジオ放送を起したテキストである。

Geréb Sándor, "*Titkos Jelentések*" Hírlapkiadó,1989（『秘密報告』）

イギリス・アメリカ両国の五六年当時の外交機密文書をハンガリー語訳して編集したもの。「タブー叢書」の一つである。

Várnai Ferenc, "*Mr. Kádár*" Hírlapkiadó,1989（『ミスター・カーダール』）

五六年当時から今日に至るカーダール・ヤーノシュへの様々な外国評（新聞・雑誌・ラジオ放送）を集成した資料集。「タブー叢書」の一冊。

Rainer M. János (ed.), "*Tetemrehi vás 1958-1988,*" Bibliotéka Kiadó,1989（『部隊召集』）

これは八八年にパリで建てられたナジ・イムレの墓碑建立をめぐる資料集である。八八年中にパリで初版が出、このハンガリー国内版は第二版にあたる。

（一般書）

Gosztonyi Péter, “*1956 A Magyar Forradalom Története,*” Föggetlen Kaidó, 1988（『一九五六年ハンガリー革命史』）

　これはいわゆる自主出版《サミズダート》されていた本である。八八年中には一切この本を見かけなかったが、トービアーシュの本の成功のあとあたりから遠慮ぎみにシュタンドに並びだした。

Fekete Sándor, “*Hungaricus-Az 1956-os felkelés okairól és tanulságairól*” Kossuth Könyvkiadó, 1989（『一九五六年反乱の原因と教訓』）

　ハンガリー史家による五六年反乱の背景研究。

“*1956 Az ENSZ Különbizottság jelentése*” Hunnia Kiadó, 1989（『国連特別委員会報告書』）

　ハンガリー反乱への国連報告書のハンガリー語版。この国連報告書は日本では早くから訳本が出ている。

Indro Montanelli, “*1956 BUDAPEST,*” Püski Kiadó, 1989（『一九五六・ブダペスト』）

　イタリア急進党のインドロ・モンタネッリが五六年当時に執筆した記事の翻訳。このピュシュキ出版社はニューヨークのハンガリー語出版社であるが、八九年に入ったころからハンガリーのシュタンドでも同出版社の刊行物が出廻りはじめた。コシュート大学のシュタンドでも「ピュシュキ出版社入荷」と大きく書いて幾つかの本を並べていた日があった。

Marosán György, "*A Tanik Még Élnek*" Hírlap Kiadó, 1989（『目撃者はまだ生きている』）

「タブー叢書」の一冊。五六年当時のマロシャーン・ジョルジによる回想録。

Bill Lomax, "*Magyarország, 1956,*" Aura Kiadó, 1989（『ハンガリー・一九五六』）

ビル・ローマックス『ハンガリー一九五六』の訳本。

Méray Tibor, "*Nagy Imre élete és halála,*" Biblioteka Kiadó, 1989（『ナジ・イムレの生と死』）

ナジ・イムレをめぐる回想録。

Békés Gellert, "*Mindszenty József A Népbiróság Elött,*" Pannon Kiadó,1989（『ミンゼンティ・人民裁判以前』）

この本は五六年以前のミンゼンティ枢機卿に関するものである。

（新聞・雑誌の特集号）

"*Szazadvég*" Vol.1-2 "*1956*", 1989

『世紀末』の五六年特集号。

"*Világ*" Tudósítások 56-bol Vol.1-5 1989

この『世界』という新聞の五六年関係特輯号で、第一号から第四号まではさまざまな新聞のレプリント、第五号は写真特輯号となっている。

（カセット）
五六年に関するラジオ放送・ナジの演説・街頭のカセット・テープもシュタンドに出廻っている。

これらは、すでにパリ、ミュンヘン、ロンドンあたりで出ていたものらしいが、私の入手したのは次の二つである。

"*A Magyar Forradalom Hangja*" Laude Kiadó,1989（『ハンガリー革命の音声』）
"*Nem haltam meg!*",1989（『未だ聞かず』）

前者はテキスト付きのアンソロジー、後者はナジの演説集である。

本稿を書いている今、五六年ものの出版は一段落がついたようである。カーダールも逝去し、ハンガリーは至難の課題を抱えながら新たな社会形成に向けて出発しつつある。シュタンド本を見つめるハンガリー人も、多少の落ち着きを取り戻してきたと言ってよい。

このところシュタンド探索者は、もう一つの解禁されたタブー、即ちルーマニアのチャウシェスク独裁体制の内幕ものにハンガリー人の熱い視線が注がれていることに気づくはずである。

メジャー系出版社の動向も八九年中に大きく変化を始めているし、デブレツェンのCsokonai

Kiadóなど地方出版社の創業もホットなニュースである。これら全てを扱うには、本稿はいささか荷が重すぎる。

さしあたり只今のところ、五六年文献に埋もれながら執筆した小文から、シュタンドのにぎわいを想起して頂くまでである。

［原注1］八九年一〇月の社会主義労働者党大会において、本文の予測は現実化した。党名もハンガリー社会党に変わったことは周知の通りである。

［原注2］本文で予測した共産党新結成の動向も今日事実となっている。社会主義労働者党除名脱党組を中心とする教条主義者によるミュニヒ・フェレンツ協会 Münich Ferenc Társaság の創立がそれである。

［注1］ハンガリーの知識人は、科学アカデミー、大学などにダブル・メンバーシップ、トリプル・メンバーシップを持つことが一般的であるから、所属先の問題はさほど思想的傾向に本来的な関係はない。宗教を背景にする私立大学や各種の私立シンク・タンクが創設された今日、所属先と知的傾向の密接なつながりがこれから生まれてくると考えられる。

［注2］この叢書は廃刊となったが、立場上、いろいろな傾向に分裂しつつも、叢書の精神は、肯定的に継承されている。

［注3］弁証法の「正・反・合」よろしく、自己の立場を「第三の」ものとする修辞は、極めて広汎に見られる。今日のアンソニー・ギデンスやイギリス労働党の「第三の道」は、ハンガリーのポピュリストのそれと一切関係がない。

レトロスペクティヴ・ノート

本稿は、八九年七月一七日に稿了し、同年一〇月三一日に［原注］を加えたものである。
本来なら、この文章で関説した政治的潮流や知識的傾向の「その後」を論ずべきではあるが、一種のルポルタージュと考えて敢えて付記をしないでおく。

文中にも書いたように、私は八八年暮れよりデブレツェンに移り、ハンガリー社会をブダペストとは全く異なった窓から眺めることになった。この街で、ハンガリー人の同僚と机を並べ、ハンガリー人研究者や学生とハンガリー語のみでの交際が始まったのである。

この時期は、カーダールの死去、ナジの再葬儀などメモリアルな事件が相次ぎ、ブダペストの路上はたいへんなにぎわいを見せていた。私は、ことあるたびに首都に舞い戻ったものの、ふつうは、デブレツェンにあって、これらの期間を、ハンガリー人の同僚たちと一緒に新聞記事を読んでは議論し、ああでもないこうでもないと言い争っていたのである。

本稿中に記した本の価格をめぐるエピソードなど、今は昔の物語といえる。

なお、オリジナルの原稿を私は手書きで執筆したのであるが、原稿用紙は、コシュート大学助教授（当時）のカバイ・イムレ氏がコンピュータで作ってくれたのだった。

本稿で触れたハンガリーのシュタンドの多くは、今日まったく姿を消してしまった。

その意味で本稿は、あの熱い時期のハンガリーの街頭の姿を写しとった風俗誌にもなっ

ている と思われる。

本稿で述べた私見のうち、「第三の道」に関する部分は、本書所収の他稿に見られるように私自身が撤回するに至っている。南塚信吾氏のようにハンガリー社会政治思想史に「第三の道」の実体を見出すのは一種の幻想で、あれはレトリックだと考えれば終わりなのである。そういえば「第四の道」というのも登場したが、これは逆に「第三の道」の意味を明らかにしているだろう。

（追記）一覧化した書籍はすべて大阪外大図書館（当時）に寄贈した。

ブダペストの映画館
──都市と映像空間──

I

映画館を媒介にして何事かを述べてみようとする行為自体が既にして時代遅れと化したかも知れない。

実際、ハンガリーの地方都市に貸しビデオ・ショップが立ち並び、映画のアクセス機会においてさえ映画館の役割が漸減しつつある今、映画館を語る行為にさほど積極的な価値は見い出されぬ、と言われればそれまでである。ハンガリーでは映画の持つ意味がフランスほど大きくなくとも日本よりは確実に小さくないという事実を踏まえてもである。

それでは映画館をめぐる一切の言説はナンセンスなのだろうか。ある時期以降、最も幸福な時間を映画館の中ですごしてきた私は断じて否と言いたいところだが、もともと映画館通いが社会的意義を持つとはつゆ考えたことのない私であるから、この意義なるものは、私小説が社会の中でいかほどかの意味をもつ以上でも以下でもないと答えおくより他にはあるまい。但し、わずかに積極的な価値があるかも知れない、とやや控え目に考えるのは、次のような経験を私は持っているからである。

かつて東京に住んでいたころ、澤井信一郎監督の『Wの悲劇』を一〇回以上にわたり都内のいろいろな映画館で繰り返し見た思い出がある。あの頃はまだ健在だった自由ヶ丘の武蔵野推理劇場だけで三回、高田馬場パール座、池袋文芸地下、中野名画座から銀座並木座に至る遍歴を『Wの悲劇』のみを求めて行ったのである。当時、渋谷界隈で開催されていた第一回東京国際映画祭には一切見向きもせず、ひたすら『Wの悲劇』だけを追いかけたのだった。この『Wの悲劇』遍歴の中で気のついたのは、同じフィルムであっても、映画館によって、かなり異なったイメージを結ぶという事実に他ならなかった。同一の画像を別のコンテキストに挿入すると全く別個の映像的効果を持つ現象は、つとに「クレショフ効果」という名で知られているが、フィルム総体が映画館という関係場でクレショフ効果を発現してしまった、と言って良いのだろうか。

『Wの悲劇』に関しては、都内の映画館の中で、私には文芸地下の上映が群を抜いて面白かった。理由は単純である。澤井監督の仕掛けたシャレード群に（例えば世良公則の乗っていた車に不動産屋の社名がついていた、というような）文芸地下の客はまことに機敏に反応し、微妙な動揺が映像の明暗をよりはっきりさせ、映像言語を読み解くコードを一つ新たに提供してくれたからである。

映画館装置のクレショフ効果ということでは、さらに大規模には、小津安二郎の『晩春』において経験した。私はこの作品、つまりLast Springを銀座並木座とシカゴ大学インターナショナル・ハウスの二つの場所で見た。並木座では全く気がつかなかったが、シカゴのオズは、私にとって黒澤明の『羅生門』の語り手に私自身が二回なり変わった位の衝撃を与えたのである。オズのLast Springというのは、占領軍によって持ちこまれたアメリカン・グッズの記号群に囲まれた世界だったのである。

過ぎ去りし東京時代の映画館へのオマージュを今一つ捧げたい。今村昌平監督の『復讐するは我にあり』を文芸座で見ていた時のことである。緒形拳扮する殺人魔が繁華街を歩いていると思いきや、何と文芸座に入ってくるではないか。そして知りあった女と一緒にソ連映画の『ヨーロッパの解放』第一部を見るというのだから、今村監督の悪意ある仕掛けをこの時ほど楽しんだ機会はまたとなかった。これも文芸座という関係場にしてなせる業なのである。こうした映画館体験は、二子東急座、三軒茶屋東映、三鷹文化、吉祥寺ジョブ50・バウスシアター、大塚名画座、鈴本キネマ、早稲田松竹、高田馬場パール座、目黒名画座、五反田TOEIシネマ、大井名画座、大井ロマン、八重洲名画座からパルコ・パート3、シードホールやユーロスペースに至る様々な場で、私は知らず知らずのうちに繰り返していたに相違ないのである。

ところで、話は急いでブダペストに戻らなくてはならない。私は当初は自然発生的に、のちには意識的にブダペストの映画館を廻り、八九年暮れに、その当時ブダペスト市内に存在する全映画館を踏破した。もっとも、この「踏破」も、先述の如くビデオ時代の今日、さほど鼻にかける種類の大業でもないし、文化会館や学校が特定時期のみ映画を上映したり、Kértmozi（野外劇場）やAutómozi（車内劇場）という夏季だけの特例もあるので、八九年暮れに存在していたブダペスト市内の常設館を全て廻ったと訂正した方がより正確かも知れない。

八九年末といえば、言うまでもなくハンガリーを含む旧東欧の政治体制が転換した時である。私は、まぶしい太陽の下、街路で行われた華々しい出来事を追いかける傍ら、暗闇に映るスクリーンを求めて、ブダペストやデブレツェンをさ迷っていたことになる。

残念ながら、同一のフィルムを追ってブダペストのシネマを転々とするという経験をさほど持ちあわせていないため、東京の場合ほどシネマそのものに対して何事かを言える知識は持ちあわせていない。しかし、先述の如く私小説程度には、ブダペストの映画館を語る僭越も許されると思うし、映画館を育む都市そのものへの私の観察もやはり私小説程度には公表価値を持つかと思われる。

その意味で本稿は、映画論ならぬ映画館論とも称すべき異形の都市論となりうるエッセイである。

II

先にハンガリーでは少なくとも日本以上には映画の持つ意味が大きい、と述べたが、この事実は一応考慮に入れておいて良いかも知れない。最近出版された『ハンガリー国家地図』Magyarország Nemzeti Atlasa, MTA, 1989 によると、八五年の統計でブダペスト、セゲドなどハンガリー都市部では平均して一世帯が年間八～九回映画館に出向いており、デブレツェンでは一一～二回に及ぶという数値が出ている。一般的に、日本・西欧では、映画は長い黄金時代のあと、テレビの普及によってその地位を追われ、ビデオの登場とともにある種の敗者復活をする、という三段階をこれまで経過しているが、ハンガリーの場合はやや事情を異にしている。今日に至るも、テレビが国営の二チャンネルに過ぎないため、テレビと映画の機能にかなりの重複が見られ、両者にさほどの距離が見出されない、という特徴である。事実、ハンガリーでは、一般的にテレビを部屋中の明りを消して恰も映画館のスクリーンに接するような態度で見る。逆に、映画はほとんど全てがハンガリー語に吹き替えられ、おまけに映画に、ハンガリー語声優の紹介や、時には、粗筋解説までハンガリー語で入っている。

映画の出だしの部分で、Directed by x いう文字がスクリーンに映し出されるまでの時間は、しばしば戦略的に映画本文の時間を相対化する時間展開がなされ、時として重大な象徴効果を持つシャレードが片隅に出没するが、ハンガリーの映画観客は、こうした映像文法の修辞と一切の関係を持たない。この時間は、ハンガリーのシネマでは、大たい同一人物のダミ声で語られるハンガリー人声優の名前を聴かされ、映像外的に挿入された音声の暴力によって秩序づけられた時間に無理にでも連れこまれてしまうからである。日本のテレビで放映されるフィルムは、実に多様なかたちで原物を変型され、いわば、ある種の外的暴力によって変造または解釈された映像と化していると聞くが、ハンガリーでは、映画館での上映の中に同種の暴力介入が存在するわけである。

言ってみれば、ハンガリー人の観客は、ハンガリー語に吹き替えられ、ハンガリー語の解説が入り、時にはタイトル・バックまでハンガリー製のものに取り替えられた一種の「大きなスクリーンに映し出されたテレビ」を見に来ているのであって、映画を「非日常的な暗闇」だとは冗談にも考えていない。これは、映画館でのハンガリー人の態度にもよく現われている。まるでチャンネルを替えるかの如く、ハンガリー人の観客はスクリーンへの忍耐に欠き、実によく席を立つ。私の知る限り、小津安二郎はハンガリーで放映された機会はまだないと思うが、仮に放映されたところで、一五分以内に、全観客は館内より消えうせると確実に予言できる。ジャン＝リュック・ゴダールに至っては、一五分も持つかどうかすら疑わしい。[注]

さらに、ハンガリー人観客は、映画が終了した時点でなく、それが終了したと彼らの考えるところで、一斉に席を立つ。フィルムの最後まで決して見ようとはしないし、映画館でも The

End や FIN の文字がスクリーンに映ると同時にライトを点けてドアを開き退館を急がせたりする。ブダペストとデブレツェンの二都市あわせてこれまで見た膨大な数のフィルムのうち、観客が最後まで微動だにせず、バックも含めて全てのリールを見たのは、たったの二つ、すなわち、ジャッキー・チェンの『神々のアモーレ』とジュセッペ・トルナトーレの『シネマ・パラダイス』だけであった。映画とは物語を映すものである、というヒッチコックがトリュフォーとの対談『映画術』で述べた至言は、ハンガリーでは他に増して心せねばならぬ警句である。ハンガリーの観客は、完全にハンガリー的に変型されたフィルムしか受けつけぬし、自ら形成したストーリーで逆に作品をカットする。物語は映画の死である、という蓮実重彦氏のテーゼも、かくてハンガリーでは特別な意義を担うことになる。ハンガリーでは観客多数派によって共同幻想されたストーリー以外は一切拒否され、かかる幻想のストーリー「終結」とともに退館が始まり、ストーリーを乱す映像の修辞に出くわすと途端に大量退館を結果する。

吹き替えていない字幕作品などがスクリーンに登場すると、もう大変な騒ぎとなる。"Micsoda!"（何なの！）やら "Látod,olvasni kell!"（見てよ、読めというのよ！）といった声が各方面で俄かに上がるかと思えば、ポップコーンの紙袋を叩いて破裂音を出し、雑談まで声高に始めたりする。一般的に日本の映画観客は異常に静かだという批判はつとに小林信彦氏によってなされてきたが、アメリカの映画館を基点に置いたとしても、ハンガリーの映画館の騒音はきわ立っている。

ハンガリーの映画館では、三段階くらいのライト点滅を放映開始時に行う。まず天井のライトをゆっくりと暗くし、次にスクリーン上部のライトを消し、スクリーンに赤い光を入れる。さらに両側面のライトを消し、スクリーンの赤色光を消去するという具合である。シネマによって若干のヴァリエーションを持つが、だいたいの手法はどこでも同じみたいである。ハンガリーでは、また若干のシネマを除いて、全席指定となっているものの、ハンガリー人は時間厳守という観念を著しく欠くため、放映後一〇分間は自席探しのカオスの静まらぬ場合も多い。懐中電灯を持ったおばさんが客を伴って席探しをしたり、空席を求めて館内を放浪するといったケースまである。ハンガリー人は、指定席通り着席していない場合もよくあるから、おばさんと客との口論または罵声が上映開始後しばらくの間絶えない場合も極めて多い。座席指定でないシネマでは、前二列と後列を別料金にしていたりするが、ここでも安い前列券を買った連中が後列席に座ったりしていて、おばさんとの争いから不可避ではない。かくてハンガリーの映画館では、映像自体に暴力的に挿入されたハンガリー人の声優名やら何やらをダミ声のナレーターが述べているあいだ、方々でおばさんと客との口論が散発し、客席に静粛が訪れたころ、観客多数派によって「ストーリー」の理解されないフィルムの場合は、ドアを足蹴にして一斉退館が始まる。これは、映画館という関係場が、日本やヨーロッパ諸国、アメリカなどとハンガリーが著しく異なっているための現象といってよい。おそらく、ハンガリーの映画館は第三世界のそれに極めて似ているのではないだろうか。

III

私がハンガリーで最初に見た映画のうち最も記憶に残っているのは、ブダペスト・コングレス・センターで見たコーシャ・フェレンツ監督の『もう一人の男』であった。これはブダペスト映画祭の八八年アンカー作品として上映された作品で、二部より成り、第二部では、ハンガリー軍戦車まで用いたロケを行い、初めて五六年反乱を正面きって取り上げた作品だった。スクリーンに1956という文字が映し出されたとき、満場の観客は一瞬声をつまらせたかのような音を出したが、終映後は完全に白けきっていた。コーシャ氏は五六年反乱を真正面から取り上げたとは言え、役者たちに彼の思想なるものを多く性急に語らせすぎ、映像的に完全に破産してしまったからである。最近入手した草壁久四郎氏の一文に「この映画が初公開されたとき、それを見た市民の熱狂ぶりは大変なものだったという」（『アエラ』臨時増刊・「東欧崩壊と世界・日本」）と書いてあったが、現場に居あわせた証人としては、残念ながら、この指摘を否定せざるを得ない。その後、この作品はブダペスト市内の上映でも不評が続き、八九年一〇月二三日の反乱記念日（新共和国誕生日）にHorizontというシネマで記念上映したところ、数人の客しか入らなかったという位なのである。コーシャ氏の映像的破産には、当初、私はある程度同情的でいた。長らくタブーであった五六年反乱というテーマを前にしては、映像も何も関係なく、とにかく「ストーリー」を文字通り物語らせたくなってしまうのはやむを得ないかも知れぬと考えていたからであった。しかし、今の私はやや異なった考え方を持っている。他のコーシャ氏の作品を見て、これがコーシャ氏の文体だということに気づいたからである。コーシャ氏の方法というのは、要するに、チャップリンの『独裁者』を極限化したものと考えれば良い。観客を前にして、政治的スローガンをスクリーンの裏側から、はっきりとした言葉で物語れば物語るほど、コーシャ氏において映画は誠実なのである。八八年二月上旬のある日、私は友人のゲルゲイ・アティッラ氏とともにコーシャ氏を訪問し、約半日、ゆっくりと話をしたことがあった。話題は多方面に及んだが、後半において、私は意識的に氏と映画について語ってみるように試みた。私がアンドレイ・タルコフスキーを見たときの衝撃を述べたところ、コーシャ氏はタルコフスキーを完全に嘲笑し、「彼とはいい友人だった」と前置きしつつも、「タルコフスキーは映像の中で闘おうとしたが、腰くだけになり、のちには完全に気力を喪失した」と言って私を驚かせた。コーシャ氏によると、タルコフスキーは『アンドレイ・ルブリョフ』のみが評価に耐える「一流」の作品であり、『ソラリス』などはほとんどナンセンスな駄作で、あとは取るに足らぬ、という評価がなされる。私はコーシャ氏との会談までに、すでに日本でタルコフスキーのほぼ全作品を見ていたが、件の『アンドレイ・ルブリョフ』のみは逸していた。程なく、私は Diafdal というシネマで『アンドレイ・ルブリョフ』を見ることができ、コーシャ氏の方法がまことによく理解できたのである。『アンドレイ・ルブリョフ』はタルコフスキーの作品中、きわだって筋書きの明瞭な「ストーリー」的作品であり、確かにベルイマンを想起させる一種の秩序をこの作品は完成しているものの、この「完成」への焦燥こそが『ソラリス』を作らしめたというタルコフスキーの歩みにコーシャ氏は全く不寛容なのだった。言葉としての語りが明瞭なほど映像が真実性を増すなら、要するに自己が誠実だと確信する政治的信条を街頭で述べてみるに如くはなく、スクリーンという場の必然性はどこにもありえない。映像的立場を越えて、コーシャ氏が敬意を表するに値するとすれば、氏はその信条どおり、映画監督から政治家に転身し、新社会党中央委員に就任にされたことに尽きる。

ところで、映像的保守主義という傾向では、コーシャ氏に限らず、ハンガリー映画全体がそれに陥り、映画の広義の政治メディアへの言語的従属が際立っているように思われる。かかる論断に対して、すぐさま政治的重圧ゆえの不可避性云々といった擁護論が必ず登場するに違いない。だが、ハンガリーよりも、もっと政治的重圧度の高い近隣のスラヴ諸国の映画が著しく映像的に刺激的な事実に鑑みても、こうした擁護論は全く何事をも語りはしないのである。いつかフィンランドの映画史研究家マッティ・ルッカリラ氏と話し合った際、氏は、「今日ハンガリー人たちがバラージュ・ベーラの研究を全く放棄してしまった」事態とハンガリー映画の完全無欠の死滅を強調し、私がわずかに評価しうるバチョー・ペーテルの名前を挙げても言下にそれを否定した。『カサブランカ』のマイケル・カーティスをはじめ、大戦前のハリウッドに優秀な映画人を送り出し、映画理論の祖の一人・バラージュ・ベーラを輩出したハンガリーが、なぜこういう「映画の死」を迎えるに至ったのか。この理由を明らかにするためには、やや大廻りの考察が必要となってくる。

おそらく日本でも遠くない将来注目を受けるに相違ないハンガリーの画家にチョントヴァーリという人がいる。チョントヴァーリ以外の全てのハンガリー人画家は、日本の洋画がそうであったという意味で、大きくは西ヨーロッパのコピーに収まる手法が過半を占めるから、ハンガリー美術を体系的に見据える時、チョントヴァーリの独創性にどこかで遭遇する筈である。チョントヴァーリは薬屋の子として生まれ、ミュンヘン、デュッセルドルフ、パリに学び、イタリアなどを経てハンガリーに戻り、四一歳にして画筆をとった人物である。彼はまたハンガリーに飽き足らず、中近東、アラブ世界、バルカン半島を放浪した人物で、まことに象徴的にも、ハンガリー王国が事実上の解体をした一九一九年に没している。この生涯からも判るように、彼はハンガリーの中心部に定住場所を持たないマージナル・マンであり、彼の極めて好んだ画材がハンガリー人の最も忌み嫌うバルカン＝アジア、アラブ世界だった事実も彼のハンガリー・ナショナリズムからのマージナル性をよく示している。ところが、フサーリック・ゾルターンというハンガリー人監督の作品『チョントヴァーリ』によると、この放浪画家は苦悶せる熱烈なハンガリー・ナショナリストだったということになってしまった。これは喩てみればアンリ・ルソーが戦闘的ヒューマニストだったとか言うくらい珍無類の見解なのである。

さらに言えば、フサーリック監督は、ある種前衛的な映像文法を用いつつ、こうした旧式の物語を語っているわけで、換骨奪胎されたアヴァンギャルドがいかに保守的役割を担いうるかの好例を示していると言って良い。本物のチョントヴァーリと半世紀後に撮られた映画『チョンとヴァーリ』、この二つの「チョントヴァーリ」の間にどういう事態が発生したのだろうか。私が「映画の死」と名づけたハンガリー映画の停滞を読み解く無二のシンボルを解釈するためには、もはやアナロジーでは限界につきあたってしまう。私見を率直に述べてみることにしよう。

IV

ハンガリーの社会思想・文化を語る際、割合見落とされがちなのは、二〇年代を境にして、思想的環境に大旋回があったという事実に他ならない。バラージュや今持ち出したチョントヴァーリを育くんだハンガリーは、二〇年代以降のハンガリーとは別個の社会さながらで、二〇年代以降のハンガリーは、言ってみれば、それまでの社会思想を「ハンガリー的なもの」と「非ハンガリー的なもの」に腑分けし、後者を「ユダヤ的なもの」あるいは「バルカン的なもの」として徹底排除する作業を通じ「ハンガリー的なもの」を創出したプロセスと言って良い。ボブズボームらのひそみに倣えば、ハンガリーの民族的伝統は、改めて、二〇年代に創出されたということになろうか。もともと、ハンガリーの政治的伝統や思想的系譜には、超国家的な準帝国志向、言いかえれば「バルカン民族の帝国的統治」モデルがあった。聖イシュトヴァーン自身に遡りうるこの構想は、歴史的条件次第では、寛容な多民族共存論に道を開き、事実、ユダヤ人自由主義者ヤーシ・オスカルなどは、意識的にそうした論脈を発展させたのだった。

しかしながら、指導民族としてのハンガリー人の地位を固執する場合、聖イシュトヴァーンからセーチェニー・イシュトヴァーンに至るハンガリー最良の政治的伝統は、『想像の共同体』のなかでベネディクト・アンダーソンが懸念したように、一種のプチ帝国主義論に変貌する可能性を持つ。そして、「単一民族国家」ハンガリーのナショナリズムはこの懸念を現実化させてしまったのであった。

かくて、豊富なハンガリーの多民族文化の上に花開いた一〇年代のブダペストは否定的に参照されるようになり、ユダヤ人であるルカーチもバラージュも、マンハイムも全てハンガリーから思想的にパージされてしまったのである。

基本的には一八六七年の妥協による二重帝国の成立以降、ハンガリーはバルカン地域に圧倒的な覇権を持ち、ルーマニア人、スラヴ諸民族を徹底的に差別・抑圧しながらも「バルカンのメタ国家」として、ブダペスト、コロジュヴァール（クルジ・ナポカ）などの大都市はハンガリー人を含むバルカンのトップ・レヴェルの知識人、ドイツ人、ユダヤ人たちによる一種のインター・ナショナルな知的コミュニティを形成していた。この「バルカンのメタ国家」の中での「インター・ナショナル」なコミュニティの場こそが二〇世紀前半期のハンガリー知識界の偉大さを作り出したのであって、この中で、特にドイツ人・ユダヤ人たちがその能力を存分に発揮する場を与えられ、ルカーチ、マンハイム、ポランニー、バラージュら文字通り非ハンガリー人インテリゲンツィアが育っていったのである。繰り返して言うが、彼らの能力は、「インター・ナショナル」な或いはコスモポリタンな世界ゆえに開花したのであって、それは二〇年代のパリ、ベルリン、三〇年代のシカゴといった土地に逸材が揃ったのと同じ理由といいえる。事実、今、掲げたような非ハンガリー系インテリゲンツィアは、二〇年代以降、ハンガリーに留まることができず、その多くは西欧、アメリカ都市で活躍した。一方、先述のように第一次世界大戦の敗北に伴なうトリアノン国境の確定は、スロヴァキアの割譲、トランシルヴァニアのルーマニア編入、クロアチアの独立を伴って「バルカンのメタ国家」を崩壊させ、ハンガリーを「単一民族国家」に変質させた上、第二次大戦下の悲劇がさらに輪をかけた。すなわち、サーラシ時代の東欧中随一のユダヤ人ジェノサイド（Randolph L.Braham, "The Politics of Genocide" 2 vols. Columbia U.P, 1981）大戦後の一七万人に及ぶドイツ人追放、七万人に及ぶチェコ・スロヴァキアとの「住民交換」（Tivadar Bernat (ed.), "An Economic Geography of Hungary," Akademiai Kiadó, 1989）によって「単一民族国家・ハンガリー」が完成されるに至ったのだ。

こうしたハンガリーの関係場としてのあり方の転換は、クリオの女神に尋ねると、ハンガリーとハンガリー人にやや同情的な涙を流すかも知れない。

ホルティ体制以降の権威主義政治は、保守反動の文脈でのみ捉えられず、「単一民族化」したハンガリーをさしあたり再建し、「国外少数民族化」してしまった近隣ハンガリー人の権利を守るための、緊急避難形態であったと弁明できないわけではないからである。

一〇年代のコスモポリタンな思想は、字義通り、単一民族化したハンガリー統合のイデオロギーとはなりえない。但し、「イデオロギーとなりえない」にせよ、イデオロギーのうちに「昇華」可能であったのでは、と疑念を呈すこともできないわけではないが、これは後知恵に過ぎないだろう。

いずれにせよ、日本の近代主義者が「文化」を解体するオリエンテーションを強めた反動で、日本文化論者が一切合財を「文化」的に弁明せんとしたのと論理的にパラレルに、ハンガリーのアンチ・コスモポリタニズムも反ユダヤ主義の鳴り物をつけて登場したのであった。

こうして、ハンガリー版「伝統の創造」は、反ユダヤ主義的なナショナリズムの色彩を帯び、メガロ・ポリス＝ブダペストに代うるに、ハンガリー農民の住む田園がにわかに知的拠点となってしまったのである。

もともとブダペストは、単一民族国家たるハンガリーの首都ではなく、ハンガリー王国という「バルカンのメタ国家」の首都に他ならなかった。農村に足場を固めようとしたハンガリーのナショナリズムにとって、ブダペストはアンヴィヴァレントな存在であったのだった。

ハンガリー・ナショナリズムの関係場の転換は、かくて、「ユダヤ的なもの」と「バルカン的なもの」の双方を排除する方向に動いた。ここから、ハンガリーの豊富な多民族文化に立脚したはずの文化的・思想的営為は、ハンガリー・ナショナリズムの直線上の点として読み換えられ、ブダペストを特徴づけた知的寛容は消滅しないまでも極小化してしまったのである。

フサール・ティボルのインタヴューに応えて、サボー・ラースローは、次のような興味深い言葉を残している。トランシルヴァニアの中心都市・コロジュヴァールで青年時代を送った彼は、一八年から五年間にわたるブダペスト生活を送る。やがて彼はハンガリーを見限ってパリに向かうが、二〇年代のパリは、同時代のブダペストでなく一〇年代のコロジュヴァールの知的状況を想起させた、というのである。(Huszár Tibor, Beszélgetések, Magvető Kiadó, 1983)

ヨーロッパの主要都市で、ブダペストだけが二〇年代を持たなかったのである。一般的に四八年の共産党独裁以来のハンガリーの不幸と、トリアノン条約以降のハンガリー民族の不幸は明示的であるが、ブダペストの不幸は、二〇年代に始まると評しうるのだ。

さて、映画の話題に戻ることにしよう。

「二つのチョントヴァーリ」の相違は明白である。フサーリック・ゾルターンの『チョントヴァーリ』にあっては、「チョントヴァーリ」は極めて安定した存在である。安定しきったナショナリズムを前提として、アヴァンギャルドを真似ようとするから、「過剰」な部分は逆にスノヴィズムの臭味を帯びる。この「臭い」部分——これは日本映画にもよくある——が映像に現われるとき、映像は自立した作品であることを止め、映像内に介在するイデオロギーがいわば裸のメッセージと化す。私があえて「映画の死」という表現でハンガリー映画の状況を評したのは、この脈絡においてのことに他ならない。

私には、ポーランド映画、チェコ映画さらにはセルビア映画の稔り豊かさと、ハンガリー映画さらにはクロアチア映画の「死」とでも言ってみたくなる貧困の対比は、謎といえば謎ではあった。

ここで述べた私見が、誤っておれば良いという期待をこめて、私はブダペストの映画館の観客となり続けるだろう。

V

さて、週刊情報誌『ペシュチ・ミュショール』（ブダペスト情報）と地図を片手にブダペストの映画館を見て廻ることにしよう。まず、地理に詳しくない向きへの配慮として、映画館分布図を作成しておきたい。（図1・2を参照）北を上にして、真中をドナゥ川が南に向かって流れ、左岸がペスト、右岸がブダである。予め断っておけば、地図中には文化会館や隣保館の季節的または不定期的上映、さらに先述の Kértozi や Autómozi、そしてバザール会場の夏期上映（例えばペテーフィ・チャルノク、オペレッタ小劇場の夏期のみ深夜上映などの臨時館）を除き、『ペシュチ・ミュショール』に名前が掲り、定期上映館として知られている文化会館のみを含めること

図1　1989年のブダペスト辺境部の映画館

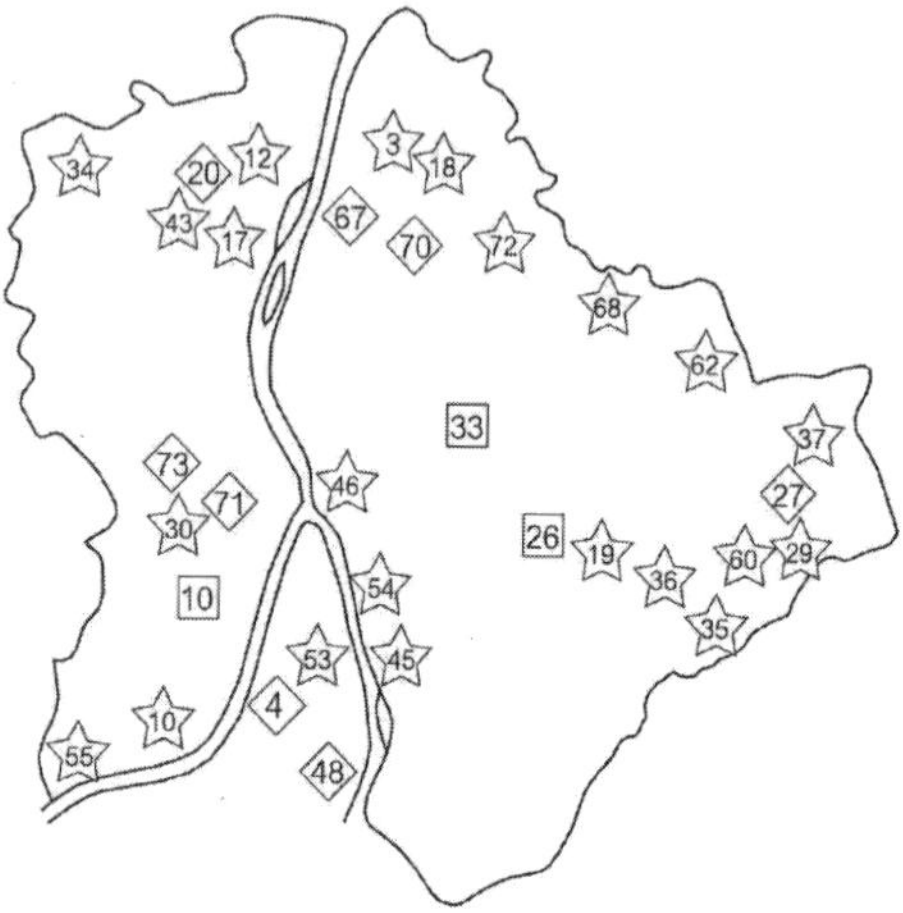

にした。さらに図中には、八九年末にすでに閉館したシネマも、本文中で関説するものは含めてある。そして、本稿は、まずこうした「消え去った」「消え去りつつある」映画館への哀惜から始めなければならない。

1　辺境のシネマ

私は当初自然発生的に、のちに意識的に映画館廻りを行ったと先述したが、理由を言ってしまえば消えゆく映画館への一種の愛惜からであった。私の知る限り、既に、ショロクシャロールの㊺Otthon、ペシュトリューリンツの㉟Ligetの二館が閉鎖され、おそらくあと二〜三年内に確実に閉館となるシネマも相当数存在するように見受けられ、しかも「閉鎖寸前のシネマ」には一定の共通点があると察せられる。

まず第一に、それらは、ブダペストのいわば辺境部に位置していること、第二に、建設年代はおそらくスターリン＝ラーコシ時代に相違ないという点である。この時代はドナウ川を横断する地下鉄が未だ完成せず、中心街と辺境住宅街との交通の便が悪かった事情に加え、映画メディアの意義が今日の想像を絶する大きさを持ち、唯一の娯楽として映画を媒介するシネマが横丁のそこここに遍在していたのである。さらに、社会主義的宣伝の有力な装置たるニュース映画の重要性も与っていたに違いない。西側の国では、もはやこの手の映画館（辺境館または辺境シネマと仮に呼ぶ）は消滅して久しいが、冒頭に記したようにハンガリーではテレビ・メディアの相対的弱体性とこの手の辺境館への公費援助により、九〇年代まで生命を保ったのである。

なお、「辺境」という概念は、ブダペストの場合、「もともとはブダペスト郊外の村落であったものが、ブダペストと融合してできた地域」だと厳密に規定しておかねばならない。ブダまたはペストの中心から距離的に遠いということではキシュペシュトやベーカーシュメジェールなどは、ここで言う「辺境」以上であるが、これらカーダール時代の新興住宅地は、地下鉄や近郊電車の建設も伴った分、「辺境」とはならなかったのである。なお、新興住宅地のシネマについては後述する。

私がブダペスト生活を送ったのはマーリア・レメテのディミトロフ通りという二区の山奥であるが、この近辺のヒデグクート通りに㉞Kultúraがある。このシネマは私の偏愛していたところで、九〇年四月二〇日に一時閉鎖され、経営主を民間人に変更し五月上旬より再開した。再開後は、ハリウッド重点路線をより徹底させ、マーリア・レメテの住民の「二番館」たる地歩を固めようとしている。むろん、他館と同じく旧 Kultúra も既にハリウッド中心のプログラムを組んではいたが、面白いフィルムを時々思い出したように上映し、このシネマはそれ程馬鹿にできなかった。例えば、石井恆互の『逆噴射家族』を上映するかと思えば、ミッチェル・クリフトンの『スーパーモデル』の如きマイナーなアメリカ映画を何気なくかけてみる、という具合だった。私は、偏愛するロバート・ゼメキスの『ロマンシング・ザ・ストーン』やジャミー・ウィエの『神は狂ったにちがいない』などのフィルムと Kultúra の思い出は切り離すことができない。

ブダ側の辺境と言えば、ナジテーテーニュに如くはないだろう。この地に㊺Tétény という映画館がなければ、私はまずこの付近に足を踏み入れなどしなかったはずである。ナジテーテーニュはブダペストになりきってはおらずまだ完全に別個の村落の面影を留めていた。ハンガリーの都市・集落形成において特徴的なタイプの一つに、街道町の発展型が存在するが、ナジテーテーニュは、その手の集落の典型的な相貌を見せたのだろう。この映画館は、かくてブダペストならざるナジテーテーニュ村の村立シネマの風貌で、その雰囲気はもはや都市的ではなかった。

チェペル島はドナウ川に浮かぶ島で工業地域としてよく知られている土地である。中心街からチェペル島へは、ペテーフィ橋のペスト側から郊外電車が出ていて、意外に時間はかからない。このチェペル島には三軒のシネマがある。

団地の真中に位置する④ Altalános Művelődesi Központ（総合文化センター）、チェペルの中心に近い㊾Táncsics さらに㊽ Rideg Sándor Művelődesi Ház（リデグ・シャーンドル文化会館）である。辺境探し、という昨今大流行の時流に乗ると、この Rideg Sándor Művelődesi Ház周辺のチェペル島東岸こそブダペスト全体の辺境中の辺境と言えようか。チェペルの住民は、しばしば、自らをブダペストの住民ではなくチェペル島民であるなどと呼ぶが、いささか唐突ながら、チェペルを歩きながら、「ハンガリーとヨーロッパ」について、私はおよそ次のような妄想を消し去りがたかった。

「バルカン」＝「アジア」をハンガリー人は徹底的に差別・排除し、ハンガリーを「ヨーロッパの防壁」とする自己主張を繰り返す。これにはヨーロッパと「アジア」の境界は、トランシルヴァニアであり、ハンガリーは「中欧」または「東中欧」だとする意見が付随する。この考えには、ルーマニア人や小スラヴ諸民族への差別心情がちらついているが、本当にハンガリーは一〇〇パーセント「中欧」なのだろうかという問題である。

私は何度もこの疑問をハンガリー人研究者を相手に語ったのであるが、ほとんどすべての場合、あたかも聖イシュトヴァーンへの大逆罪を私が犯したかの如く、信じられないといった顔つきで全否定した。

20	Fővárosi Gázművek	3 区 Gázgyár u.20.	II
21	Gorkij	7 区 Akácfa u.4.	I
22	Graffiti（旧名 Bányász 鉱夫）	8 区 József krt.63.	I
23	Gutenberg Mozi	8 区 Kölcsey u.2	I
24	Honvéd（国防軍⇨ Európa）	7 区 Rákoczi út 73.	I
25	Horizont	7 区 Lenin (Erzsébet)krt.13.	I
26	Hunyadi	19 区 Vörös Hadsereg útja (Ül1ői út) 149.	II
27	Ikarus Művelődési Központ	16 区 Mátysföld,Margit u.2.	II
28	Ipoly	13 区 Hegedűs Gyula u. 65.	I
29	Jókai	17 区 Jókai u. 28.	II
30	Karinthy Mozi	11 区 Bartók Béla út 14.	II
31	Kinizsi（地名⇨ Blue Box）	9 区 Kinizsi u. 28.	I
32	Kossuth	13 区 Váci út 14.	I
33	Kőbánya	10 区 Paraky István tér 15.	II
34	Kultúra	2 区 Hidegkúti út 138.	II
35	Liget	18 区 Rudawszky u.2.	II
36	Madách	18 区 Vörös Hadsereg útja (Üllői út)172.	II
37	Maros	18 区 IX utca 1-3.	II
38	Május 1（5 月 1 日⇨ Átrium）	Mártírok útja (Margit krt.) 55.	I
39	Mátra（地名⇨ Örökmozgó）	7 区 Lenin (Erzsébet) krt. 39.	I
40	MOM Mozi	12 区 Csörsz u.18.	I
41	Művész（旧名 Új Tükör klumbmozi 新鏡クラブ）	6 区 Lenin krt.88. (Teréz krt.30)	I
42	NDK Centrum	5 区 Deák Ferenc tér 3.	I
43	Óbuda	3 区 Selmeczi u. 14-16.	II
44	Olimpia	11 区 Szakasits Árpád (Etele) út 55.	II
45	Otthon	20 区 Szitás u. 112.	II
46	Pest Buda	9 区 Dési Huber u.25.	II
47	Puskin	5 区 Kossuth Lajos u.18.	I
48	Rideg Sándor Művelődési Haz	21 区 Kalamár József (Szent István)u.230.	II
49	Sport	14 区 Thököly út 56.	II
50	Stefánia（旧名 Magyar Néphadsergeg Művelő desi Háza ハンガリー人民軍文化会館）	14 区 Népstadion (Stefánia) út 34.	I
51	Szikra（閃光⇨ Metró）	7 区 Lenin krt.120 (Teréz krt. 62).	I

ブダペストの映画館一覧

1989年

館名番号のかたちは、次のタイプを示す。

○ 戦前以来の伝統的シネマ

☆ 48年から60年代中期までの隣保館的「辺境シネマ」。およびその中心都市型ヴァリエーション

□ 70年代以降の近代的大型シネマ

△ 80年代後半以降のマルチ・シネマ

◇ 文化会館などの定期上映

なお体制転換後、変更された館名は（⇨）に示した。1989年末に館名が変更されていた場合は（旧名）も注記した。住所の（　）中は、新住所名で、番号の変更されたところもある。

	館名（ABC順）	住所	略地図番号
1	Alfa	8区 Kun Béla (Ludvika) tér 6.	I
2	Alkotás	12区 Alkotás u.11.	I
3	Alkotmány	4区 Árpád út 57-59.	II
4	Általános Művelő dési Központ	11区 Simon Bolivár út 2.	II
5	Balassi	18区 Dózsa György út 2.	II
6	Bartók	11区 Bartók Béla út 64.	I
7	Bástya	7区 Lenin (Erzsébet) krt. 8.	I
8	Bem	2区 Mártírok útja (Margit krt.) 5/b.	I
9	Broadway（旧名 Filmmúzeum 映画博物館）	7区 Tanács (Károly) krt.3.	I
10	Budafok	22区 Rózsa Richard (Mária Terézia) u.5-7.	II
11	Corvin	8区 Kisfaludy (Corvin) köz	I
12	Csillag	3区 Mátyás király u. 42.	II
13	Csokonai	8区 Népszinház u. 13.	I
14	Diadal(大勝利⇨ Tabán)	1区 Krisztina krt. 87-89.	I
15	Duna	13区 Fürst Sándor (Hollán Ernő) u.7.	I
16	Éva	14区 Erzsébet Királyné útja 36/b.	I
17	Flórian（旧名 Felszabadulás 解放）	3区 Flórian tér 3.	II
18	Fény	9区 Árpad út 77.	II
19	Fórum	18区 Margó Tivadar u.1.	II

1999年

体制転換後10年。すっかり様子の変わったブダペストの映画館である。

1	Alkotás	11区 Alkotás u.11.
2	Atrium	2区 Margit krt.55.
3	Bem	2区 Margit krt.5/b.
4	Blue Box Moziklub	9区 Kinizsi u.28.
5	Cinema City-Csepel Plaza	21区 Rákóczi Ferenc u.154-170.
6	Cineplex Odeon Pólus Mozi	15区 Szentmihályi út 131.
7	Cirkogejzir	5区 Balassi Bálint utca 15-17.
8	Corvin Budapest Filmpalota	8区 Corvin köz
9	Duna	13区 Hollán Ernőu. 7.
10	Európa	7区 Rákóczi út 82.
11	Flórián	3区 Flórián tér 3.
12	Hollywood Multiplex Duna Plaza	8区 Váci út 178.
13	Hollywood Multiplex Lurdyház	9区 Könyves Kálmán krt. 24.
14	Horizont	7区 Erzsébet krt. 13.
15	Hunnia	7区 Erzsébet krt. 26.
16	Hunyadi	19区 Üllői út 283.
17	Kossuth 4	13区 Vácí út 14.
18	Metró	6区 Teréz krt.62.
19	Művész	6区 Teréz krt. 30.
20	Olimpia	9区 Etele út 55.
21	Örökmozgó Filmmúzeum	7区 Erzsébet krt. 39.
22	Puskin	5区 Kossuth L. u.18.
23	SOTE（シェメルヴェイシュ医科大）Klub	8区 Nagyvárad tér 4.
24	Sport	14区 Thököly út 56.
25	Szindbad	13区 Szent István krt.16.
26	Tabán	1区 Krisztina krt.87-89.
27	Toldi Stúdió Mozi	6区 Bajcsy-Zsirinszky út 36-38.
28	Vörösmarty	8区 Üllői út 4.

※1999年のブダペストの映画館の地図は別掲する。

52 Tanacs（ソヴィエト Szindbad）	13 区 Szent Istvan krt. 16.	I
53 Táncsics	21 区 Táncsics Mihály u. 102.	II
54 Tátra	20 区 Török Flóris u. 70.	II
55 Tétény	22 区 Nagytétényi út 272.	II
56 Tinódi	11 区 Nagymező u.8.	I
57 Tisza	12 区 Rádósczi út 68.	I
58 Toldi	5 区 Bajcsy-Zsirinszky út. 36-38.	I
59 Ugocsa	12 区 Ugocsa u. 10.	I
60 "Újvilág" Dózsa Művelődesi Ház	17 区 Pesti út 113.	II
61 Uránia	8 区 Rákóczi út 2.	I
62 Világ	16 区 Ságári u. 3.	II
63 Vörös Csillag（赤い星⇨ Apolló）	7 区 Lenin(Erzsébet) krt.45.	I
64 Vörösmarty	8 区 Ülliői út 4.	I
65 Zrínyi（軍人名⇨ Hunnia）	7 区 Lenin(Erzsébet) krt.26.	I
66 Zuglói	14 区 Angol u. 26.	I

今回 1989 年の『ペシュチ・ミュショール』を点検してみて、私がブダペストの映画館探訪を始めた直前または最中に、いくつかの映画館が閉館していた事実を発見した。これらはすべて辺境館タイプか文化会館の定期上映であるが、通し番号をつけ、以下に加えよう。

67 Afigylfoldi Nézőtér	13 区 Józef Attila tér 4.	II
68 Cinkota	16 区 Rádió u. 32.	II
69 Egyetemi Színpad	5 区 Pesti Barnabás u.1.	I
70 Landler Művelő dési Ház	4 区 Elem u.5-7.	1
71 MSZMP Budapesti Bizottság Oktatási Igazgatósága（ハンガリー社会主義労働者党ブダペスト教育委員会）	11 区 Villányi u. 11-13.	II
72 Széchenyi	15 区 Gögös Ignác(Árvavár)u.1.	II
73 TIT Studiómozi	11 区 Bocskay u. 37.	II

ハンガリーは「バルカン」ではないという繰り返される言葉は、「ハンガリーはアジアでなくヨーロッパである」というハンガリー人の自己証明の核を換言したものであるが、かかる言辞の反復は逆にハンガリーのバルカンと中欧双方からの周縁性を証明する。

　私は、今日の「単一民族国家・ハンガリー」でなく歴史的ハンガリーを「バルカンのメタ国家」と捉える観点を提唱しているが、ハンガリーの「中欧」性も逆に自明として「中欧」と「バルカン」の境界を敢えて探求すると、それはやはりドナウ川をおいて他はないと考える。ドナウ川は、オスマン＝トルコ占領線でもあり、トルコ占領下に大平原《アルフェルド》地帯の村落構造が形成され、景観的にもドナウ川以東はドゥナントゥールとは大いに異なるのである。

　またしても映画館の話から著しく反れたが、チェペル駅から Rideg Sándor Művelődesi Ház まで約一時間をカラマル・ヨージェフ通りの散策をしながら、私は、どうしても大平原かヴォイヴォディナの村落にいるような錯覚を禁じ得なかった。

　脱線ついでに、私が密かに愛している一つの場所を披露しよう。ドナウ川はチェペルにつき当たるところで二つに分かれ、東に流れる方をショロクシャーリ・ドゥナと言う。ところが、この「第二のドナウ川」は、モルナール島でさらに分かれ、「第三のドナゥ川」を形成することは余り注意されていない。モルナール島からは「第三のドナウ川」を渡る連絡船が出ている。

　要するに、ただ空虚なだけの寒村の風情に過ぎないといえばそうなのであるが、私はこの周辺を気に入っている。ショロクシャールやチェペルの「辺境のシネマ」巡りの中で偶然発見したこの「誰も知らない小さな国」を私は何回息抜きのために訪れたことだろう。

次いで、ペスト側の「辺境」のシネマを訪ねてみよう。チェペルの対岸、ペシュトエリジェーヴェトには㉔Tátra、さらに㊺Otthonというシネマがかつてあった。Otthon はラーコシ時代の隣保館的小シネマそのもので、ここは、きっと、かつて勤労党（共産党）の小集会なども開かれたに相違ないような造りであった。社会主義時代に製作されたと思しき教訓映画の中に、時として真珠のような佳篇が紛れこんでいて私をいたく喜ばせるが、そうした佳作の一つ、おそらく南北戦争期のアメリカを題材にした東独・ブルガリア・キューバ合作映画『オチュオラ』を見ただけでこのシネマとのつき合いも終ってしまった。Tátra は、工業地帯をつき抜けたあと現われる住宅街の中に位置するシネマで、外観の汚さと本格劇場風の内側とが印象的な対象を見せていた。

ペストの南端、ペシュトイムレにポツンと存在する辺境シネマは⑤Balassi である。二〇歳代後半から映画狂と化した私は、しばしば青年期に見ておかねばならなかった作品を逸している。

ブダペストの辺境シネマは、こうした私にとって、さしあたりエルドラドとも言うべき存在である。というのは、市内中心部のシネマにはまずかからない旧い作品を思い出したように上映してくれるからである。私にとって、こうした逸せる作品の一つ、ブルース・リーの『ドラゴンの道』を Balassi で見た。

おそらく、旬日ならずして名称変更されるであろう赤軍通り Vörös Hadsereg útは、新興団地街キシュペシュトからペシュトリューリンツを通り、隣市ヴェーチェシュに伸びて国道四号線となるキシュペシュトの最大幹線道路である。ハタール・ウート Határ útとはハンガリー語で「境界通り」という意味で、観念上、字義通り「ブダペスト」と「化外の地」を分け隔てているようでもあり、その「境界通り」という名の地下鉄三号線の駅から赤軍通りは始まる。ペスト中心街を除いてドナウ川東岸全体が「バルカン」だという私見は赤軍通りに頻繁に出没した経験に一つの実感的根拠を置いている。カーダール時代に大規模に開発され、市内中心部と有機的なつながりを持つキシュペシュトを越えると、空気の味にまで大平原が漂ってくる。地下鉄のハタール・ウート駅から外に向かって、赤軍通り沿いに㉖Hunyadi、⑲Fórum、㊱Madách、そして五〇番の市電の終点、Béke térの近くに、㉟Ligetという四館が存在していたが、最後のLigetは閉鎖され、今はディスコに転売されてしまった。

こうした事柄を記せば、きっと無知をさらけ出す始末となろうが、日本にいたころ、私はバッド・スペンサーというマカロニ・ウェスタン俳優の名を知らなかった。これを知ったのは、ハンガリーに来てから後で、それと言うのもハンガリーでは、バッド・スペンサーに異常人気があり、ハンガリーのいたるところで彼の作品を繰り返し上映していたからであった。上映の主力舞台は、やはり辺境シネマであり、バッド・スペンサーの『ピエドネ・シリーズ』の一つステノ監督の『アフリカのピエドネ』をLigetで楽しんだものだった。MadáchとFórum

は、隣保館の相貌を持つ辺境のシネマで、両者とも寿命は長くないだろう。これらに比してHunyadiは、おそらく七〇年代後半か八〇年代初頭に建てられたに違いない設備抜群のシネマである。上映作品も、中心街の大手館と同一の傾向を持ち、今もって動員力は、たいへん大きく、夜の回はいつもにぎわいを呈している。

ともあれ、映画狂ならずとも、ブダペストについて何事かを述べてみようというほどの人は、この赤軍通りの散策を一度ならず楽しまれることをすすめる。ハタール・ウートの駅から五〇番の市電に乗ると、しばらくは旧東欧ではどこにでもある新興団地群を通り、Hunyadiを越えるくらいから景観は一挙に大平原または準バルカン的なものに一変する。そして実際に映画館に入ってみると、この暗闇を共有する観客は、まぎれもなく大平原の人々だ、という信念が不動となるに相違ない。

赤軍通り沿いではないが、地下鉄三号線のエチェリ・ウート駅に近い㊻Pest-Budaついても一言しておこう。これも団地群中に位置するおそらくは七〇年代前半の建造にかかるシネマである。

この界隈は、私にとって若干の思い出を持っている。ブダペストに来た当初、私にはアルジェリア人のクラスメートがいた。回教のラマダン（断食）の間、周知の如く、アラブ人たちは、日没後、ラマダン食なるものを料理する。作り方を教えられたので、私のレパートリーに入ってしまったが、ショルバとかいう名のまことに美味なビーフ・シチューをこのクラスメートが作り、私と、アルジェリア大使館員の三人で、初夏のラマダン食を満喫したものだった。ハンガリー語クラスが終了すると、帰り途に、モーリッツ・ジグモンド円形広場近くの巨大スーパーで買い出しをする。肉を吟味しては、これは marhahús（牛肉）かどうかを店員に質問するのに同伴するうち、私は肉に関するハンガリー語語彙がいつしか豊かになっていた。

それから二年程して、久しぶりに彼とブダペストで会ったとき、このクラスメートは当時珍しかった日本車に乗り、ハンガリー女性を伴っていた。

さて、フェリヘッジ空港北の一七区のシネマを訪問してみよう。まず一七区の幹線ペシュト通りに沿って⑥⓪Újvilág があり、北のラーコシュリゲトの㊲Maros、南のラーコシュヘッジの㉙Jókai の三館が位置している。最後の Jókai は閉館されたという情報もあるが、八九年末までは少なくとも健在だった。

一七区というところは、新興住宅地ではない他のペスト周縁部と異なり、地域的中心に欠く反面、ペスト中心部との結合力の著しく強い場所である。三館とも私の言う典型的な辺境シネマであるから、公費補助の消滅した今日、もはや経営は不可能かも知れない。わざわざ質の悪い映像装置で古い映画を見るモチベーションはすでになくなりつつあるからである。先述の『ピエドネ・シリーズ』などを肴に、寒い冬の日、私はこれらのシネマを訪れたが、すでに客はまばらであった。

一七区から若干北に上がると一六区となる。ここでブダペストという都市の極めて大きな特徴の一つを述べておくと、ペスト地区に関しては、中心部から放射状に伸びる交通関係が極めて強く、逆に周縁部相互の結びつきは、寡々たるものに過ぎない点である。これは、それぞれ別個の周縁小集落を五〇年代にブダペストに統合したという経緯に加え、今日の交通システムがそれをより固定したからに他ならない。考えてみれば、今日のハンガリーという国家自体の広義の交通システムが全くこのブダペストのケースにウリ二つで、たとえば、ミシュコルツとデブレツェン、セゲドとベーケーシュチャバの相互関係は、それぞれの都市とブダペストとの関係ほどの緊密さも存在しないのである。

従ってハンガリーまたはブダペストの発展のある段階で、「外環状線」的発想が生まれてくる可能性があるかも知れない。今日の放射状交通体系は、いったん中心部に戻らない限り各辺境部に出られないという状況を固定し、やがて来る交通渋滞状況と、分業システム再構成の必要は、国（市）民の生活空間をも激変させてゆくだろう。

私がシネマを求めて、ペスト辺境の旧村落を廻ってみて驚くのは、地理的な南北を問わず、景観がそっくりである事実に他ならない。それは、まるでペスト中心部からリニアに伸びた釣り糸に同じ小魚がかかっている図に似ている。地域的発展の過程で、ブダペストに編入されたこれらペスト辺境の村落は、ペストの一部に入ることによってモノクロな光景が固定されてしまったのだろうか。

多元的な地域の野合とも称すべきブダは、差異記号に満ちているし、ペスト側でも、ドナウ左岸をヴァーツまで上ると、なかなか個性的な風景が出現するのである。

かくて一六区は一七区とそっくりの景色であるが、ここでは、ラーコシュセントミハーイに(62)Világ、マーチャシュフェルドに㉗Ikarus Művelődési Központ（イカルシュ文化センター）の二館が存在する。前者は申し分なき辺境シネマで、私はかつてK.u.K Szökevények（帝国軍隊の落ちこぼれ）という『兵士シュヴェイク』を想起させるたいへん面白いフィルムをこのシネマで見た。この作品は、おそらくスロヴァキア人の監督ヤヌス・マイエフスキーの手になるハンガリー映画である。いや、製作はマ・フィルムだが、スロヴァキア映画と言ってしまった方が良いかも知れない。K.u.K はドイツ語の Kaiser und König の略で、旧オーストリア・ハンガリー帝国共通軍の謂である。言うまでもなく、この帝国軍中には、スロヴァキア人、ルーマニア人、セルビア人、クロアチア人などが含まれており、この作品は「バルカンのメタ国家」ハンガリーが、もしかすれば今日に至るも維持しえたかも知れないパワーを痛感させてくれるフィルムだった。比較的「臭味」から自由なバチョー・ペーテルですら、『スターリンの花嫁』以降は語りの「誠実さ」という非映像的神話に捉われ、その力を喪失したかに見える今、ハンガリー映画には、非ハンガリー人、クラウス・マリア・ブランダウアーを主役に用いてやっとまともに見れるサボー・イシュトヴァーン、フサーリック・ゾルターンの抱えた矛盾をさらに大きくしたかのヤーンチョ・ミクローシュ程度しかその名が見あたらない。

ハンガリー映画を語ることは、映画の死を見つめることに他ならないという私のテーゼを踏まえて言えば、この死からの再生のプロジェクトは、「再生」という言葉を映像の中で言ってのけるのではなく、マイエフスキーの作品が展開したような空間を、映像として作り出す他ないのである。ハンガリーではさして話題に上らなかった力篇『帝国軍隊の落ちこぼれ』を格別な感慨で見たのは私一人であろうか。

今一度、ハンガリー映画は監督としてファブリ・ゾルターンを、役者としてはカボス・ジュラを再発見してほしい。バチョー・ペーテルは『バナナの皮のワルツ』くらいまでは、評価できるのであるが、言語表現の雄弁さへの安逸な依存と、明らかに肉体がはみ出してしまっている役者の「臭い」演技に依存した結果、彼の映像は「死」を迎えた。

辺境シネマ周遊行の最後は北のウーイペシュトである。この地区も工業地域と振興住宅団地群のモザイクより成り、圧倒的に中心部に近いだけあって、街並から辺境の面影は消えつつある。現在、アールパード橋止まりの地下鉄三号線がウーイペシュトまで延長される日も近いと聞いているため、この距離は将来さらに縮まるだろう。ウーイペシュトを横断するアールパード通りに沿って③Alkotmány と⑱Fény という二館が至近距離にある。これまた無知をさらけ出すと、ユル・ブリンナー、チャールズ・ブロンソン、スティーブ・マックィーンが共演する作品『荒野の七人』も初めて Fény で見た次第である。

2　ブダの映画館

ブダは疑いなく中欧の橋頭堡である。一八七三年のブダ・ペスト合併を「政略結婚」に喩えたのは『キャパ』の著者だが、私見によれば、この結婚は中欧とバルカンとの異種交配とでも称すべき性格を持っていた。さらに、バルカン側のペストは中心部においてユダヤ的なものを抱いていて、ハンガリーの単一民族史観からすれば二重に「外的」な存在だった。一九世紀後半、ハンガリーの民族的課題は、中欧のセンターであったウィーンからの名実ともの独立にあったと言って良い。政治的な独立は一八六七年の妥協により一応の実現を見、「二重王国」は成立したものの、「二重王国」の中での地位強化のためには、一種の「攘夷のための開国」が必要となった。かくてウィーンと結ぶ政治都市ブダとバルカン・ユダヤの交錯するペストの結合＝ブダペストは是が非でも必要だったのである。

そして、この「バルカンのメタ国家」の二〇世紀的人造都市「ブダペスト」において、ウィーンやコロジュヴァールなどと同様のコスモポリタニズムが開花した事実は先述の如くである。二重帝国時代のハンガリー知識史を調べていて驚くのは、その豊かさと並ぶ、非ハンガリー性でもある。たとえば、啓蒙主義思想家ケメニィ・ジグモンドはルーマニア人の自治と文化を尊重した余り、今日のハンガリー人の歴史家からルーマニア人びいきを叱られているくらいである。（Mihály Szegedy-Maszák, "Enlightment and Liberalism in the Works of Széchenyi,

Kemeny and Eötvös" in "Hungary and European Civilization", Akademiai Kiadó,1989)。またケメニィと並ぶ啓蒙思想家エトヴェシュ・ヨージェフは多くの群星と同じくドイツ語を母語にする人であった。もう少し遡って有名な例を出すと、ハンガリーの愛国詩人と称されているペテーフィ・シャーンドルはスロヴァキア人であり、逆に下っては、ガリレイ・サークルに集うインテリゲンツィアたちは、圧倒的多数がドイツ人とユダヤ人よりなっていた。ブラハ・ルイーザはハンガリー語で上演される「ハンガリー・オペラ」の開祖に他ならぬ人物だが、彼女自身はスロヴァキア人だった。これらハンガリー文化史・知識史の一等星は、ハンガリーという関係場の偉大なポテンシャルを示して余りある。つまりはバルカンの「エスペラント」がハンガリー語だったわけであり、ハンガリー語ドイツ語のマルチ・リンガル都市ブダペストを首都とする「メタ国家」ハンガリーは「インター・ナショナル」かつコスモポリタンな空間だったからこそ偉大だったのである。

　ところで急いでブダという中欧都市に戻ってみると、今日なおかつブダはペストよりも多元的な空間構造を持っていることに気づく。ブダはブダ城によって統合される整然たるコスモスではなく、ブダペスト全体の疑似「中欧」化に伴い、ブダ城自体は「中心」というよりも事実上一種の空白になってしまっている。そして、ブダ城の中心能力喪失と中心機能のペスト側移行に伴い、ブダ側には結節点たる二拠点、即ち、モスクワ広場とモーリッツ・ジグモンド円形広場を生み出し、さらに、もともと別都市であったオーブダが、いまなお強固な独自性を保っているという構図が引ける。

やや整理すれば、オーブダ、二区、七区を中心とする「山の手」（バラの丘や自由ヶ丘など文字通り「山の手」である）、そして二一区と二二区の半分より成る「ブダ側下町」（ケレンフェルドからブダフォクに至る地域）の三局面に相対的区分可能で、この三つは雑然と並列しているのである。

さらに二二区の南半分ナジテーテーニュがブダの一部であるよりも、ブダへの街道沿いの「隣町」であり続けていることは先述した。また、オーブダの北にあるベーカーシュメジェール一帯はペスト側一七区に近似した新興団地である。

まず、オーブダのシネマを訪ねてみたい。北からチラグヘッジの⑫Csillag、アクウィンクムの⑳Fővárosi Gázművek Művelődési Ház（首都ガス文化会館）、フローリアン広場の⑰Felszabadulás と広場のやや南方にある㊸Óbuda の四館が今日も健在である。映画館のタイプは首都ガス文化会館を除き全て私の言う辺境シネマに該当するものばかりで、特に Óbuda などは、作り方まで小学校の講堂風でちょっとなつかしい。

私はブダペスト生活開始直後の割合早い時期に Csillag に出むいて、『神は狂ったにちがいない』を見、その特異な映像展開に驚嘆した。件の Óbuda は佐伯祐三の画筆にかかれば、必ずある鈍い色彩を放つに違いないうらぶれた横丁にポツンとあり、おまけに近くには雨通りなどという小意気な通りまであって、何事かを「物語って」しまいたくなる。私はここで、ある土曜日の午後、プレスリーの追悼映画を見た。

次にブダの「山の手」に移ろう。モスクワ広場の北側のバラの丘に沿ったマルティローク通りには二軒の映画館がある。モスクワ広場寄りから言って、㊳Május1.と⑧Bemである。ブダペストもこの付近になると、もう映画館の特化が見られ、前者は新作専門館、後者は子供向け専門館となっている。Bemという館名は、近くのドナウ河畔に立つベム将軍銅像のあるベム広場（因みにここが五六年反乱の発祥の地）より来た名前と思われ、最近夜の六時とか八時の回を名作上映にあてていて、私もアントニオーニの『ザブリスキー・ポイント』を見たものであった。

モスクワ広場を南にゆくと、南駅に出るが、この駅周辺にはいくつかのシネマが点在する。まず、駅のすぐ横に②Alkotás、山の手を上がったところに㊾Ugocsa、クリスチーナ環状道路の⑭Diadal、さらに南駅から六一番の市電に乗って三〜四駅目の㊵MOMである。最近ブダペストではArt Mozi（芸術座）チェーンというネットワークが形成され、意識的に非ハリウッド系フィルムを上映していて、このDiadalはArt Moziのメンバーに加わっている。このシネマは、以前からかなりはっきりとしたポリシーを持っていた小劇場で、タルコフスキー回顧上映を八八年春に開催したことがある。

日本なら、下手をすると長時間並ばねばならない『ソラリス』も、ブダペストではコーシャ氏ならずとも評価が低いのか、こちらが驚くほど客数は少なかった。Diadalには私は実に足繋ぐ通いつめ、たいへん世話になった。MOMで記憶に新しいのは、ここで最初に見たロマン・ポランスキーの『海賊』という作品のことである。残念ながら、日本公開名を知らないが、英文タイトルは文字通り『パイレーツ』であろうか。ブダペストでは、八八年一一月に何軒かのシネマでこの作品を一斉上映したところ、途端に大当たりをとり、ポランスキー・ブームを作った。『フランティック』公開時に異常な人出を見たのは、この『海賊』ブームの下地あってのことだし、後述のMátraというシネマで、八九年にロマン・ポランスキー連続上映を行ったくらいであった。

最後にモーリッツ・ジグモンド円形広場を拠点とする「ブダの下町」のシネマについて述べてみよう。モーリッツ・ジグモンド円形広場のすぐ南に、まず⑥Bartókがある。

さらにモーリッツ・ジグモンド円形広場を貫通するバルトーク・ベーラ通りを西端まで行き、ケレンフェルド駅に出る直前に㉚Karinthyがある。ここは旧来から劇場として知られていて、劇場の一階のみを映画館用に改造してスタートした。因みに私のブダペスト映画館漫遊は、八九年一二月一七日にこのKarinthyで全館クリアーとなった。ハンガリーの政治体制転換直後の話である。この日見たフィルムこそ、クラタ・ジュンジ監督の『忍者戦争』（＝仮面の忍者・赤影）であった。

モーリッツ・ジグモンド円形広場をずっと南に行くと、ケレンフェルドの団地群中に㊹Olimpiaという大きな七〇年代後半型のシネマ、旧隣村のブダフォクに⑩Budafokがある。

Budafok は一寸でも客が音を立てると長々と大声で説教を始めるというシネマで、上映中に音声の飛び交うハンガリー映画館中でも、とりわけその暴力的介入のラディカルさで私を驚かせた。

3　ペスト中心街

中心街 Belváros という概念は、ブダペストの場合、割合はっきりしている。極めて狭義には、ヴァーツ通り周辺の五区を指すが、だいたいセント・イシュトヴァーン環状道路からレーニン環状道路を経て、フェレンツ・ヨージェフ環状道路に囲まれた内側あたりをイメージするというのが通り相場であろうか。ところが、ブダペスト、いやペストの中心はどこなのかという問題になるとまことに答えが出にくいのである。しばしば国家的行事や集会（ナジ・イムレの再葬儀など）の開かれる英雄広場は、中心というよりも、中心街にうちこまれたクギの先端といった感がする。

このクギにあたるのは、今日、人民共和国通りと呼ばれている大通りであるが、この大通りを限りなく中心部に向かって歩いてゆくとデアーク広場に出る。このデアーク広場は、ヨーロッパ大陸最初の地下鉄（今日の一号線）と、二、三号線の交差する交通の拠点で、すぐ近くにオペラ・ハウスもあり、まさにペストの中心点と呼ぶにふさわしい場所のように思われる。

しかし、一般的に、中欧では中心点にカトリック教会、バルカンでは正教、ギリシャ・カトリック、プロテスタントの教会塔が聳え立ち、その中心標識でもって差異化されるべき「中心点」であるはずのデアーク広場は、実はユダヤ人街の玄関口にあたり、ジナゴーグのすぐ横になるのである。これは、まことにペストの都市的性格を象徴して余りある事実で、ハンガリー・ナショナリズムのシンボル・英雄広場が都市の中心でなく、周縁部に追いやられている構図こそ、ペストがユダヤ都市に他ならない事実を逆照射しているわけである。

かくてペストならざるブダがブダペストの中心だという神話を語ったりしたくなるのだが、ハンガリー語で「中心街」というと、ペスト側を指す慣行を崩すには至っていない。だいたい中世の城を想起させるブダ城のハラースバースチャなどは二〇世紀に建造された「伝統的モニュメント」に過ぎないのだ。

結局、私の考えによれば、ブダペストの中心はバルカンと中欧との境界＝ドナウ川以外の何物でもなく、敢えてペスト側の中心点を求められれば、率直にデアーク広場を指摘するしかないと思う。

ドナウ川が中心だというのは、アナロジー以上の意味を持っている。ドイツの黒い森に源を発し、ウィーンの郊外を走ったあと、ブダペストを貫通し、バルカンの中心部を横切って黒海に至るこの川こそ、象徴的にもブダペストの中心ではないか。

さて今日、デアーク広場がペストの中心だというのは、狭義のベルヴァーロシュ（中心街）

図2　1989年のブダペスト中心部の映画館

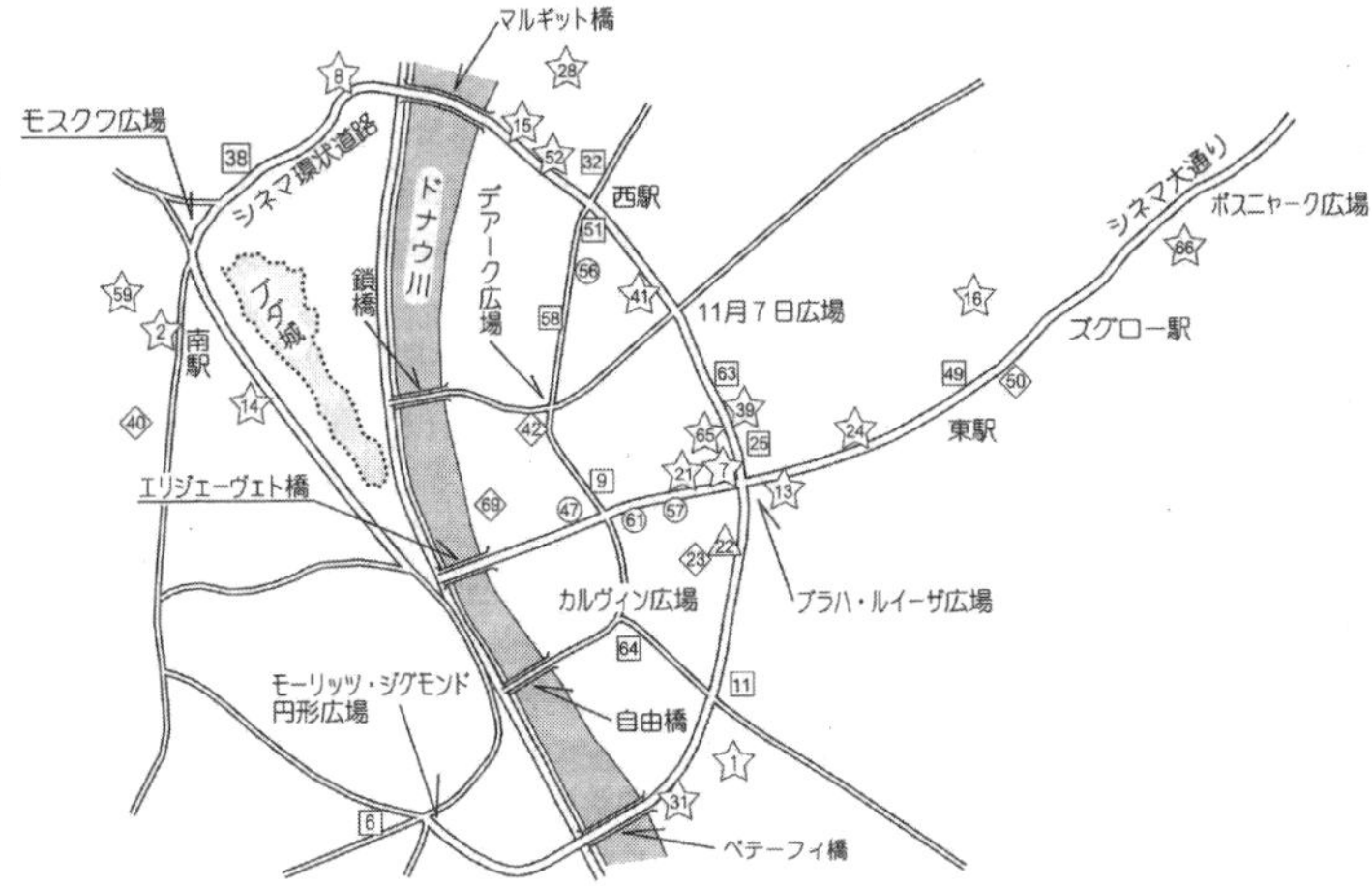

の中心部たるフェルサバドラーシュ広場が中心だとするよりもはるかに納得のゆく意見だろう。

ここに立つと、カトリック大聖堂とジナゴーグが、ペストの文化的重さとそれぞれ等距離になる程度に見える。プロテスタントの中心はカルヴィン広場に他ならないが、実にデアーク広場からカルヴィン広場までの距離は、ペストにおけるプロテスタントの重要度と比例するのである。

ドナウ川を原点にとれば、ヨージェフ・アティッラの詩作品『ドナウ河畔にて』の言説のように、ゲルマン的なブダも、ユダヤ的なペストも、バルカンも中欧もすべて何かしら相対的な意味をもってしか立ち現われない。さらに私見では、これが、ハンガリーの最も創造的なアイデンティファイの仕方であるように思われるのだ。

さて、映画館の話に戻ろう。ペスト中心街には三二館ものシネマが集中している。言うまでもなく、量的に集中しているのみならず、ゆるやかな専門特化も見られ、質的にも、辺境シネマと同日同語で語り得ない。

まず、中心街の大幹線とも言うべきセント・イシュトヴァーン—レーニン—フェレンツ・ヨージェフ環状道路沿線のシネマを紹介してみよう。図示すれば（図2）のようになる。この図には環状道路から徒歩数分といったシネマも三つ（具体的には㉘㉛55）加えてあるが、これらを含め、一九館のシネマが環状道路上に点在していることになる。この環状道路をブダ側までそれぞれ引き延ばすと、先に指摘した二つのブダ側の拠点すなわちモスクワ広場とモーリッツ・ジグモンド円形広場にゆき着く。

両広場をこの環状道路経由で四番と六番の市電が結び、この環状道路はブダペストの一つの動脈とも言うべき役割を占めている。私は、仮に、この環状道路を「シネマ環状道路」と名づけてみた。

ヤーサイ・マール広場から順を追って訪ねてみよう。まず⑮Dunaである。ここは新作中心の古いシネマで、とりたてて取柄はない。私の言う辺境シネマの風貌があり、これから淘汰されてゆくかも知れない。Duna からセント・イシュトヴァーン環状道路に戻り、Víg Szinház（コメディ劇場）を越えたところに、ハンガリー映画専門館の52Tanács がある。Tanács は、全日上映で、しかも午前、四時、六時、八時の回、それぞれ別のプログラムを組み、八時の回は日替わり上映をしたり、監督別の回顧上映をしばしば行っている。後述のように、ブダペストには、かつてフィルム・ミュージアムを名乗るシネマが存在していたが、こちらは、外国の古典作品の紹介に努めていた感があって、ハンガリー・フィルム・ミュージアムたるの役割はむしろ Tanács が担い続けている。私の常連時代の Tanács で最も面白かったのは、三三年から四四年までのニュース映画集成抄録を毎週月曜日八時の回で連続放映（八九・一〇〜九〇・一）してくれたことである。毎回女性歴史家の解説つきであった。

西駅のすぐ横に㉜Kossuth がある。Kossuth には小映写室《カマラテレム》も併設されており、時には、外国映画祭も開催する大手館である。私の知る限りでは、フランス映画祭、イギリス映画祭、ＳＦ映画祭などを開催していた。Kossuth は西欧の最新シネマに劣りはするが肉薄する設備を持っている映画館と言える。

ヴァーツ通りを北へ行き、エールムンカーシュ広場を越え、イポイ通りを西に入ると㉘Ipoly がある。ここは、割合古く私営に移行したシネマで、よくプレミアー上映を精力的に行い特色を出している。当初、価格の高さで驚いたが、他館も高くなってきたので、今ではもう誰も驚きはしないだろう。

反対に、バイチ・ジリンスキ通りを西駅から南に向けて下り、地下鉄三号線のアラニュ・ヤーノシュ通り駅まで来ると、㊿Toldi がある。Toldi も Art Mozi のメンバーで、意識的に非ハリウッド映画上映に努める有力館である。西駅の真正面には、(51)Szikra がある。Szikra は大きさと美しさではブダペスト屈指の新作上映館で、小映写室を併設する。小映写室では、客足をつかまえにくいハンガリー映画やマイナー系外国作品を上映し、私は『サラーム・ボンベイ』をこの小映写室で見た。

一一月七日広場の少し手前に位置する(41)Művész は、かつて Új Tükör klubmozi という名で知られていた新作上映館だったが、八九年中に大改築を行い Chaprin Terem（チャプリン室―大部屋）Huszárik Zoltán Terem（フサーリック・ゾルターン室―中部屋）Bódy Gabor Terem（ボーディ・ガボル室―ビデオ室）の三室を備える最新シネマとして蘇った。このシネマの大部屋というのが、旧シネマそのものの変身で、大部屋といえどもさほどの大きさはない。こうした多元指向・選択型のシネマが、西欧と同じくハンガリーでもこれからの新傾向と言えそうである。この広場を若干南に下がり、劇場街のナジ・メゼー通りを東に入ると、(56)Tinodi という美しい古典的シネマがあり、新作中心の活動をしている。さらにリスト音楽院のあるマヤコフスキー通りを越えてブラハ・ルイーザ広場に近づくと、(39)Mátra がある。Mátra はブダ側の Bem と同じく子供専用館だったが夜六時と八時の回をハンガリー映画研究所に提供して、会員制の特別上映を行なっている。この特別上映で、特筆に値するのは、先にも触れたロマン・ポランスキー特集、パゾリーニ特集、ベルイマン特集の三つだろう。

このMátra からブラハ・ルイーザ広場までの間には、(63)Vörös Csillag、(65)Zrínyi、(7)Bástya、

㉕Horizont の四館が軒を並べており、このうち Zrínyi は Art Mozi のメンバーである。

さて、ブラハ・ルイーザ広場であるが、この広場から西の一筋目アカツファ通りを入った場所に㉑Gorkij いうソヴィエト映画専門館がある。いわゆる旧東欧の八九年動乱前後の動向の中でこの Gorkij の変わり方というのは、一つの典型的なあり方だったかも知れない。

まずスクリーンの上方にソ連国章が貼りつけてあったのがなくなってしまった。次にソ連映画をほとんど上映しなくなってしまった。そもそもソ連映画＝イデオロギー・プロパガンダ映画という偏見は、単なる無知に基づくものに過ぎないから、このソ連映画の排除は残念でならない。私は、かつて日本で「ソ連・東欧のフィルムは、どんな作品でも必ず重い歴史をひきずっている」という文章をカレン・シャフナザーノフの『ジャズメン』のパンフレットで読んだ記憶を持つが、これも別種の偏見に過ぎないと思われる。要するにこれは、「重い」政治的な作品のみを日本で上映しているだけの話に過ぎない。今、ハンガリー語のタイトルから訳すので原題でない旨断っておくが、映画史の引用をちりばめたソ連製ウェスタン『映画大戦争・荒野の巻』（アラ・スコリヴァ監督）、香港ロケを敢行したソ連製ヤクザ映画『ウォン夫人の宝物』（ステファン・プチャーニン監督）、それにおそらく東映ヤクザ映画を意識して作られた『五三年冷たい夏』など、私の見たソ連映画は、限りなくホットであった。ソ連映画は少なくとも今日のハリウッドよりは多元的活力にあふれていると評価しても不当ではないのでなかろうか。Gorkij での私の最大の思い出は、八八年秋の「ラテン・アメリカ映画連続上映」であった。

リュイ・グエッラの『エレンディラ』以降、ラテン・アメリカ映画に最大級の敬意を払ってきた私は、ほとんど客の入らなかったこの特集に連日欠かさずに出かけたのだった。

他のブラハ・ルイーザ広場近辺のシネマは、順に追って、⑬Csokonai、㉓Gutenberg、㉒Graffiti、⑪Corvin の四館である。Corvin は、広告でよく知られる大きな新作館で『ペシュチ・ミュショール』編集部の入っている建物の一階にある Gutenberg は目配りのよい上映を行う二番館である。

Graffiti はその昔 Bányász いう名前（鉱夫という意）の汚ないシネマであった。私も日本で逸していたジャン・ジャック・ベネックスの『ベティ・ブルー』の深夜上映をブダペスト生活直後に出かけ、その後、休館されたものと淋しく思っていたら、Graffiti の名で、いわゆるB級アクション映画中心の豪華シネマに生まれ変わったので驚いた。早速出かけてみると、本格的なヨーロッパ風というか日本風（?）の喫茶コーナーが設けられていて、しかも入場料の高さでも私を驚かせたのだった。Graffiti はビデオ・レンタルを行うばかりか、三室ほどのビデオ室まで設け、先のMűvészと同じく、最新のシネマのあり方を示していると言って良かろう。

「シネマ環状道路」の最後は㉛Kinizsi である。このシネマはハンガリー通信社（ＭＴＩ）ビルの一階にある Art Mozi メンバーで、上映活動の精力ぶりと客足の驚くべき少なさの好対照を酌量すると、今のところどうやら採算を度外視した経営が可能らしい。スターリン時代のドキュメンタリーをゆっくりとただ一人で見られたのも Kinizsi ならではの特権であった。

1999年のブダペストの映画館

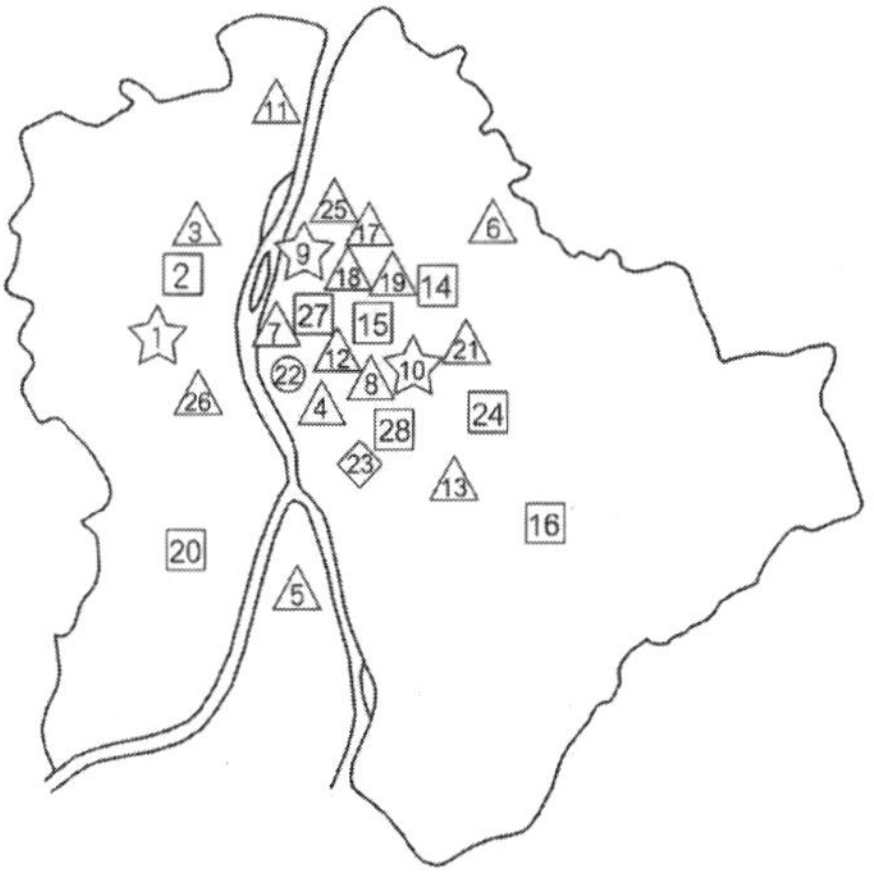

さて、私の名づけた「シネマ環状道路」とともに、今一つ、ブダペストの映画館を探訪するための基幹道路が存在する。私は、これを仮に「シネマ大通り」と称してみたい気がする。この「シネマ大通り」はエリージェーヴェト橋を起点に、自由出版通り、コシュート・ラヨシュ通り、ラーコーツィ通り、東駅を越えてトゥクイ通りへと延びる幹線である。（図1）に示したように、「シネマ大通り」に沿って、一一軒のシネマを訪れることができる。

まず㊼Puskinであるが、ここは並の劇場よりよほど美しいシネマである。ハリウッド映画中心というものの、他の大型有力館と異なり、Puskinだけは、ハンガリー映画の優先順位が高く、新作ハンガリー映画上映にも力を入れている。二階にはビデオ室も併設していて、私はアラン・レネなど日本では逸していた作品をいくつも見た。アストリア・ホテルからデアーク広場に向かうと⑨Broadway がある。この周辺は旧ユダヤ人街のエリジェーヴェト・ヴァロシュである。Broadway はかつてフィルム・ミューゼアムという名で知られていたシネマで、アメリカ・西欧の古典作を週四〜五種上映していた。この性格は新装して Broadway と名乗った今日も継承されているが、ハンガリー映画は、わずかに火曜日の午後、戦前の作品を上映するのみとなっている。最近、このシネマで長期上映して話題となったのはベルトリッチの『最後の皇帝』、『エマニュエル』シリーズ、それに『成功時代』など現代韓国映画特集であろうか。

Broadway を少し北に歩くとデアーク広場に出るが、ここに㊷NDK Centrum（東ドイツセンター）があり、東独映画を定期上映している。入場無料なので、私もしばしば足を運んだが、東独映画もソ連映画と同様、侮りがたい創造力に富んでいた。

㊹Vörösmarty は Art Mozi のメンバーで深夜上映に特別工夫をこらす。ハンガリー映画・劇場専門学校の一階にある㊶Urániaは、内装の立派さではブダペストでも屈指のシネマである。ブラハ・ルイーザ広場を越えると、東駅までに㊼Tisza と㉔Honvéd の二館がある。前者は辺境シネマ風の映画館といったところ。後者は Art Mozi のメンバーで、大部屋よりも、むしろ併設の小部屋に特色を出し、最近ではアンジェイ・ワイダ特集をこの小部屋が組んでいた。

東駅を越えてトゥクイ通りに入ると㊾Sport という大きな新作館があり、すぐ近くにハンガリー軍の文化施設が建っていて、この中に㊿Stefánia が入っている。このシネマは、かつては季節的な上映館に過ぎなかったが、最近、定期上映館化した。さらに、このトゥコイ通りを進み、ボスニャーク広場を西北に行くとエリジェーヴェト王妃通り交差点に典型的な辺境シネマの⑯Éva、東南に下がりイギリス通りに入ると㊅Zuglói がある。Zuglói は夢のようなシネマで、いつまでも健在を祈りたい素敵な映画館である。八九年の秋に七時三〇分からの回で「問題作シリーズ」というプログラムを Zuglói が組んだことがあり、私はパリのアラブ人スラムを舞台にした『ハーレムのテア・アルキメデス』を見に行った。殺漠たる入口から館内に入るとペスト中心街の一流シネマに比べても決して劣らない装飾に目も奪われんばかりとなった。問題作シリーズは解説つきで、広いシネマに私を含めてたった三人の客を相手に解説者はよくしゃべってくれた。

以上極めて勇み足の紹介をしたわけだが、実はあと二館が残っている。クン・ベーラ広場の①Alfa とケーバーニャの㉝Kőbánya である。両者は、中心街とも辺境部とも言いがたい中間地点に全く孤立するシネマで、いずれも大型の新作劇場である。

最後にもう一度（図1）（図2）をご覧頂きたい。この図は、期せずして「ある時代」のブダペストの証人になりそうな運命を担うかもしれない。あと数年内にこのうちの約三分の一、特に私の「辺境シネマ」と名づけたところはその長くない生涯を終えるであろうし、名称も変更されるに相違ない。Bányász（鉱夫）が Graffiti に生まれ変わった如く、Diadal（大勝利）、Május1.（五月一日）、Szikra（閃光＝イスクラ）、Tánacs（協議会＝ソビエト）、Vörös Csillag（赤い星）といった映画館名の寿命はすでに数えられてしまった。こうした名前がブダペストのシネマから消え去る遠くない日、政治イデオロギーとは無関係の次元で、映画館に通いつめた「ある時代」のシネ・ゴアーたちは果たして涙を浮かべるだろうか。私は自分とほとんど同年代のハンガリー人知識人セルダヘイ・イシュトヴァーン氏に案内されて、デアーク広場近くの「過ぎ去った古い時代」のカフェに行ったことがある。この「過ぎ去った」時代とは七〇年代の謂であったが、生きてしまった時代というのは、どんな時代でも自己証明とかかわるものなのである。将来、消えてしまった映画館や映画館名を再「発見」して、こうした自己証明を私自身が行う日が来ると考え、この拙い一文を書き綴った次第である。

〔注〕
小津もゴタールも、今日のハンガリーではすでに上映された。映画館の過半が閉館し、映画が映画好きの人間のものと化した今日、換言すれば、映画とテレビが全く分離した状況下、小津やゴタールは、一部の「おたく」族の専門館で上映された。かくて、本稿で予測したような大量退館は起こらなかった。

レトロスペクティヴ・ノート

本稿は、九〇年七月一一日にスウェーデンのヨーテボリで書いたものである。翌九一年九月に私は一度ハンガリーを去り、アメリカに滞在したのち、一年後に再び戻ってくるが、その当時には、もう本稿の内容は歴史となっていた。ブダペストの映画館は要するに四つの形態が混在していた。一つは戦前以来の伝統あるシネマで社会主義時代も生き残っていたもの。二つは本稿で触れた「辺境のシネマ」で隣保館的なもの。この両者がラーコシ時代の映像メディアを提供した主戦力であった。

三つめは、カーダール時代の近代的大型館である。比較的寛容な映画政策がとられていたハンガリーでは、六〇年代と七〇年代、西側の映画が次々に解禁され、映画館への大量動員を可能にしていた。こうして新興住宅地には巨大な大型館が建てられたのであった。

最近の『ブダペスト・レトロ』というドキュメント映画によると、六〇年代以降のブダペスト女性の髪型ファッションは、国内で上映された西側映画のヒロインのそれと完全に一致するらしい。

また西側退廃文化として排斥されていたホラー映画も七九年の『エイリアン』を皮切りに自由公開され、テレビ・メディアの発展が遅れた分、八〇年代まで、ハンガリーの映画全盛期が持ち越されたのだった。

八〇年代も中期に入ると、ビデオの普及が広まる。ハンガリーの映画館も、ビデオへの対応は早く、いくつかのシネマでもビデオ室がすぐに設置さされた。

そして、本稿を書いた九〇年代初頭、ケーブル・テレビ時代のハンガリーで、四つ目のタイプの映画館が登場したのである。

これは、西欧に多くある小さな部屋を多く持ち、いくつもの映画を同時上映するマルチ館で、設備も全く西欧のレヴェルに遜色をとらない。

このノートを記している今、ブダペスト市内の映画館数は二八に減少し、実に本稿の執筆時の六六の四割強となったものの、マルチ館が九に上り、しかも日変わり、時間変わりで多様なメニューを提供しているため、上映数にさほどの減少は見られない。日本などと比して、格段にレヴェルの高い映画都市・ブダペストは今なお健在なのである。

なお本稿のオリジナルにはない「一九九九年のブダペストの映画館」図を付載しておいた。この一〇年のハンガリーの変貌を映画館の状況からも知っていただきたい。


（追記）ハンガリー・フィルム・データベース（https://www.mafab.hu/movies/shinkansen-daibakuha-34409.html）というサイトがあり、これを検索すると映画のハンガリー公開日などの情報を厳密に調べることができる。たとえば本文で触れた小津安二郎『東京物語（Tokiói történet）』は体制転換後五年経った一九九四年一月一三日に公開であると即座にわかる。小津の練られた形式はハンガリーにおいて『カイエ・デュ・シネマ』に集った若者の熱狂に包まれなかったし、アキ・カウリスマキやジム・ジャームッシュのような追従者にも恵まれなかった。というのも意味を剥ぎ取った記号をパズルよろしくコラージュする映画手法はヤンチョー・ミクローシュ（Jancsó Miklós）のような完成を見ていて、ハンガリーではエイゼンシュテインのサイレント以来の伝統は傍流ながらおなじみであったからである。しかもカウリスマキなどの公開は小津に先立ってブームを起こしていた事実も重要（ジャームッシュの『ストレンジャー・ザン・パラダイス』はハンガリー人たちが主人公）であるが、西欧と違って旧態依然のオリエンタリズムによって日本映画に作為されたバイアスの存在も否めない。

ところで私は「ブダペストのスクリーン」（『モスクワ広場でコーヒーを』所収）において『鬼龍院花子の生涯（Onimasza）』をブダペストの小さなシネマで『ベティー・ブルー』と一緒に観たと書いたが、上記のデータベースを見ると公開日は体制転換前の一九八八年三月一〇日とあった。

実は私はハンガリーで観た約八〇〇本の映画のチケットをすべて保存していたが、思うところあって映画ノートと一緒に未練なく捨ててしまった。最近ネット上に古い映画チケットの蒐集家のサイトも出現しているので、保存して制作者に寄贈した方が良かったかも知れない。日本映画に関連して付記しておくと、黒沢明は常にどこかで上映されていたし、新藤兼人の『裸の島（A kopár sziget）』は一九六三年二月一四日に公開されて以降、イデオロギー的な安全さもあって一貫してシネマにかかっていた。本作はサイレント作品ながら映像は直截にストーリーテリングの手法を以て作られ、その保守主義はヒッチコック・トリュフォーの『映画術』でも批判されている。とは言え、ハンガリーではファンに恵まれ、私の恩師シュリ＝ザカル教授に至っては八回見たと言ってテーマ音楽をしょっちゅう口遊んでいた。

ところで忘れないうちに特記しておきたいのは佐藤純彌の『新幹線大爆破（Szuperexpressz）』

（一九八二年五月二〇日公開）と『君よ憤怒の河を渉れ（Ádáz hajsza）』（一九八五年九月五日公開）である。同作品の英語版 Wikipedia には一九七七年にソ連で公開されて以降、三三七〇万枚のチケットを売り上げたと記されている。私は東京時代に二番館での上映を観て以来久しぶりに前者をブダペストで観たはずで（館名は失念）、ハンガリー語に吹き替えられていたと思う。

後者はネット上にハンガリー語で解説を付けた映画のスチール写真も売られ、ファンの投稿も書き込まれているので、おそらく当地でも興行的に成功したと思われる。体制転換（一九八九年一〇月二三日）の直後、何気なくテレビを見ていたら、突然この映画の放映が始まったので私は驚いたものだ。かつて京都で学生時代、確か映画サークルの上映でこの作品を観たはずで、懐かしい思いを抱いてテレビの前を離れられなかった。ネット上にある「フォドル・アンドラーシュの映画館とテレビ日記（Filmlista Fodor András mozi és TV naplója）」によると一九八九年一二月九日、まさに一〇月二三日の一ヶ月後にハンガリー国営テレビで吹き替え版は放映されていた。となると『鬼龍院花子の生涯』と『君よ憤怒の河を渉れ』に私の「一九八九年」は挟まれていたという意想外の自分史を再発見して驚く他はないのである。

第三章

ハンガリーの内と外

モハーチの中心にある三少女像（Három leány szobra）。第一次大戦時のセルビアの占領からの解放（1921 年）記念に 1932 年に建設された。ハンガリー人、ドイツ人、ショカツ人（スラヴ人で諸説あり）の共存と共栄を象徴する。ハンガリーを関係づけて新しい展望につなげるもっとも独自な思索と評価できるが、その後の三民族には分裂の悲劇が待っていた。

ハンガリー五六年反乱と知識人

―アーノルド・ウェスカーの仕事―

ふつう「ハンガリー動乱」の名で知られる一九五六年のハンガリー民衆反乱は、東中欧をも含むヨーロッパ知識人に甚大な影響を及ぼした。特にイギリス、フランスの場合、その規模は、あるいは一九一七年のロシア革命の及ぼした影響に比定してよいかもしれない。一九一七年においては、「野蛮」な東方ロシアの内発的脱皮の暁鐘という響きを伴っていたとすれば、一九五六年においては、再び「東方的専制」のチャンピオンとしての相貌を現わしたソヴィエト・ロシア圏内に打ちこまれた西欧文明の楔、ハンガリーへの西欧知識人の過剰期待を幾分含んでいたという決定的相違を見落すべきではないだろうが。

イギリスでは、共産党からのニュー・レフト組織の脱皮を直接促したし、フランスではサルトルの『スターリンの亡霊』に代表される知識人への反省を生み、ソ連知識人、フランス共産党をもまきこんだ多様なレヴェルの論争を呼びおこした。打撃を受けたことでは、大西洋を越えたアメリカ共産党も然りで、欧米各国のソ連大使館は空前のデモ隊に囲まれ、共産党の建物はしばしば打ちこわされ、各国共産党間でも脱党者が相次いだ。この動きは、社会主義圏にも波及し、特に、ユーゴ、ソ連、中国共産党間では、「ハンガリー論争」と後に呼ばれる大規模な論戦を生ぜしめたのである。

木村光一氏の構成・演出による『橋』に基礎的枠組を提供したアーノルド・ウェスカーの『大麦入りのチキンスープ』も、そのテキスト中に明示的な言葉で表現されている通り、ハンガリー民衆反乱の精神的衝撃を直接の契機として書かれたものである。ウェスカーは、ハンガリー出身のユダヤ人を父親に、ロシア人を母親に持ち、いわば、身体的に一九五六年のハンガリー反乱を自己の問題として感受する資質を備えていたと一応言うことができる。ここで「一応」と断ったのは、ウェスカーの内面に東中欧出身者の血が流れていた事実が、むしろ逆に、ハンガリーにかけがちの西欧知識人の過剰なバイアスを適度に中和し、文字通り、イギリスの同時代作品たるの価値を保障したように私には思われるからである。いささか非演劇的整理に過ぎて恐縮だが、作品中のキー・パースンたるサラという母親は、我々になじみ深い人間像によってのみ構成されている『大麦入りのチキンスープ』の中でも、とりわけおなじみの善意一杯の良心的コミュニストである。作者は、ハンガリー反乱に際し、ロニィの口を借りて、「僕は物事を白だとか黒だとかいうように考えられなくなったんだ」とサラの良心ゆえの犯罪を責めたてているように見える。ところが、結末部のサラの雄弁、厳密に言えば、道徳的理念に局限してのみ言葉のかたちをとり得た単語群とロニィの言葉少なげな「哲学」の懐疑の対照を見るとき、過渡期特有の「道徳と政治の分裂」という古典的テーマの再現を読みとる以上に、私は、希望の原理を抱擁し続ける無垢な母親を、作者は今一度深く愛してしまった事態に気づいてしまうのである。

だが、こうした愛は、詰まるところ、「これも愛、あれも愛」といった愛の相対化を一度くぐり抜けた、不定冠詞付きの愛情に過ぎないとは言える。そして、互いの愛の等価性に気づいたときに出現するものは、そう呼んでよければ、ある種の構造主義的な視点、すなわち、理念的な成就、達成の観点からの価値付与を拒否した、せいぜい与格でもってのみ語られうる愛のかたちではあるまいか。

ウェスカーが絶叫調の指弾を拒否したが故に、却って、ハンガリー反乱を深く内面化しえたと私が考えるのは、「愛」のメッセージを提出する場自体をかなり根源的に変えてしまったと思うからに他ならない。つまり、この新しい「愛」のかたちは、「特権的な愛」の根源的拒否を通過した結果、サラの「純愛」の価値をも相対化してしまったのである。

さて、今日、あまり知られていないことながら、ハンガリー反乱は、わが国の知識人たちにも大きな影響を及ぼした。アールパード王の末裔が、イワン雷帝の後継者たちに挑んだ悲劇的戦闘が、遠く離れた八百万の神々の子孫たちに何故衝撃を与えたのだろうか。それは、一九五六年当時の日本社会の支配的思潮が、古典的スターリン主義およびそれと同構造の思想によって占められていたこと、しかし多くの日本人がそうした思想では、日本社会を解釈不能だと考え始めていた最中に、ハンガリー反乱が勃発したためである。かくて、若い意欲的な知識人、佐々淳行、藤田省三、佐々木基一、松下圭一といった人々が、それぞれハンガリー反乱を自己正統化の素材としつつ、一種のネオ・リアリリズム論を展開した。梅棹忠夫の『文明の生態史観』が新しい歴史認識としてジャーナリズムで受け入れられたのも、この文脈においてである。

また、ハンガリー反乱は、非トロッキズム系のニュー・レフト、例えば大池文雄、黒田寛一といった人々に組織形成のための決定的な啓示を与えた。これらの新思想は、それぞれ鋭い知識人批判を含み、現実に対する姿勢のレヴェルでも、旧来の「超越的批判」型の思想との差異が著しい。ハンガリー反乱は、一方、真継伸彦の小説『光る声』や黒田喜夫の詩『ハンガリアの笑い』といった文学作品を生み出した点でも、忘れられてはならない。

ニューヨーク・インディーズの名を高からしめた映画監督、ジム・ジャームッシュの作品『ストレンジャー・ザン・パラダイス』は五六年反乱に際してアメリカに亡命した従兄の許にブダペストから従妹が訪れ、彼女がかかわってしまった「天国よりも不思議」（または「天国よりも退屈」）な日々を、小津安二郎調の緩慢な周到さで映しだした佳篇である。「天国よりも不思議」なことでは、当のハンガリー自身が、旧東欧無比の寛容社会に変貌し、黒沢明の『天国と地獄』を想起させるアンドラーシュ・フェレンツ『はげ鷹』を撮るに至らしめた経緯も同様かもしれない。

おそらく、今日、ハンガリーの五六年反乱を語るならば、ポスト五六年の現実を今一度熟慮した上で考えてみなければならぬ問題が多すぎ、単純な価値判断を許さないといえる。しかし、西欧でも日本でも、ハンガリー五六年反乱が、現代思想転換のための今一つの「タイタニック号」となった事実は銘記されて然るべきだと思われる。

（追記）フェレンツ・アンドラーシュ（Ferenc András）監督の『はげ鷹』（Dögkeselyü,1982 日本公開名「ザ・バルチャー／哀しみの叛逆」）はチェルハルミ・ジェルジ（Cserhalmi György）主演のサスペンス映画である。私は新宿で開催された「ハンガリー映画祭」（一九八三年）で数回にわたって見たが、その後もブダペストのシネマではたまに上映をしていた。私はKinizsi（一八八ページの31）で一回だけ見たし、帰国直後に今はなき「大井ロマン」でも再会した。二〇二三年二月一七日、チェルハルミ七五歳の誕生日に新プリント版がブダペスト市内のシネマで上映され、私はToldiで見た。上映前にいろいろ話しかけてきたお婆さん（とはいえたぶん私と同年齢）はずっと涙ぐんでいた。旧体制末期のブダペストをこれくらい詳しく観察できる映像はなく、「ハンガリー史上最高のクライム・ムービー」との定評も定まったようだ。

国境を越えるハンガリー出版界

ハンガリー共和国の誕生からちょうど一年を閲した。「西側」世界ではハンガリーをも含む「東欧」の八九年変革を「人民革命」という概念で把握する見方が一般的だが、むしろ「維新」という言葉の方が深層に迫りうるかも知れない。ハンガリー語で非ハンガリー的なものごとを idegen という形容詞で表現するが、昨年の変革は、まさに idegen な政治体制と思想を排除する試みに他ならなかったのである。とは言え私は「伝統的価値の再生」という文脈でのみこれを分析する方法にも批判的である。何故なら、第一に、ハンガリーの国家資本主義一党独裁体制下において、戦前の権成主義的独裁によって統御されていた古典的階級社会が、日本などにやや近似する「ミドル・クラス」社会に転形を遂げた意味を重視すべきだと考えるからである。

今日のハンガリーは、古典的資本主義型階級格差をうち含みつつも、基本的には「ミドル・クラス」の大衆社会なのであり、発達したマス・コミの操作する均一的情報が即座に大衆を動揺させる「大衆ナショナリズム」（松下圭一氏）の支配する社会に他ならない。

第二に、この「大衆ナショナリズム」の関係場が旧来の「伝統的ナショナリズム」とは別次元だという論点である。一九世紀以来のハンガリー・ナショナリズムの idegen 認識は「ドイツ的なもの」と「ユダヤ的なもの」に対して顕現してきたが「アジア的かつユダヤ的な」国家資本主義体制は、ハンガリー人にとってさらに idegen な代物であったため、「ドイツ的なもの」の価値が圧倒的に浮上し、ここに「中欧」主義が「大衆ナショナリズム」の中味を構成するに至ったのである。

今日のハンガリー人は西欧人顔負けのヨーロッパ・パラノイアで、ハンガリーで「アジア」とか「バルカン」という語句を口にするものなら袋叩きは覚悟せねばならない。これら二点を踏まえておかねば今日のハンガリー社会と思想を深く掴むことは難しく、象徴的には、与党MDFの指導的イデオローグ、チュルカ・イシュトヴァーン氏が、反日黄禍論と反ユダヤ主義を絶叫し、「ヨーロッパの危機」を喚起する理由も、ナショナリズムの関係場の転換認識の中でこそ理解可能なのである。

さて話題を出版界に転じよう。八九年度のハンガリー出版界は新興群小出版社による五六年反乱関係書の相次ぐ、しかも山なす刊行でにぎわったものだった。これらの書籍は、正規の流通ルートに乗る前に街頭の簡易書店で売られ、私たちは毎日のように刊行される新鮮な書籍への応待に大童になった。

今日、こうした群小出版社の多くは倒産し、ブダペストの街頭書店は、おそらくヨーロッパ最大のポルノ・ビデオ・ショップに変身を遂げた。ハンガリー人が建物から赤い星のマークを取りはずすや、ピンクのネオン・サインに付け替え、応分の精力をもってユダヤ人狩りに向かっているとしても幻滅には及ばない。これは、社会内のイデオロギー状況と出版界の実勢が一対一対応に近づいたという現象に他ならず、ハンガリーの狭義の知識社会も、ようやくハンガリー社会を根底から問い直し、社会再編にむけて、市場販売のリスクも負いながら自らの思想的決断を公にせねばならなくなった事実を意味するだけなのである。現在に至るハンガリー知識界の最大の特徴は、構造主義的知性への無視・黙殺（何故ならルーマニアやスラヴ世界など「アジア」への優越を弁証するヘーゲリアン思考にとって構造主義ほどの敵はないから）だったと評して差支えないが、こうした思想的構えも、急速に無化されてゆくに相違ない。

戦いの火蓋は今ようやく切られたのだ。

ところで今回、ハンガリーの新しい出版状況の一環として、敢えて一見目立ちにくい動向を紹介してみたい。それはハンガリー第二の都市、デブレツェンに創業したチョコナイ出版社Csokonai Kiadóである。

デブレツェンは、ブダペストから急行で三時間余、ルーマニアにもソ連にも極めて近い東部の最大拠点都市である。ハンガリーで最も保守的な都市としての定評を持つ反面、コシュート・ラヨシュ大学など大学・高等教育機関・研究所が集中し、ハンガリー大平原に浮かぶ知的孤島とも称されている。ハンガリーの他の大都市、セゲド、ペーチ、ジェールなどは多かれ少なかれブダペストのミニチュアを呈するが、デブレッツェンだけは著しく異なっている。街全体のバルカン的雰囲気に加え、ハンガリーでは例外的なプロテスタント都市という特質が一種の孤立主義を促進しているからである。

一般的に「東欧」ではカトリックは「西」に本拠を持つ「西側」のインターナショナリズム、即ち「進んだ」宗教であるのに比し、プロテスタントはいわば切支丹的な土着宗教の色彩を帯び、「遅れた」地域に展開する。デブレッツェンが一八四八年革命の英雄コシュートの拠点となったのも「進歩的」な「プロテスタント都市」だったからではない。コシュートは一種のハンガリー・ショーヴィニストだったのであり、彼のデブレッツェンでの高人気は、往年の京都が共産党の地盤だったのと同一の理由に基づく。

いずれにせよ、この特異なハンガリー都市・デブレッツェンに戦後ハンガリーで初めての地方出版社・チョコナイ出版社が創業し、全国的に注目を受けるのみか、商業的成功すら収めつつあるのである。

編集長ペーリ・アールパードネー女史とのインタヴューも踏まえながら、ハンガリー知識史に新しい一章を開くこの出版社の活動を紹介してみよう。

まず、チョコナイ出版社が面白いのは、八八年一月一日の創業以来、実用書やSFの出版で低空飛行しながら、ブダペストの古参出版社ですら躊躇していた思いきった企画に資本投下を行い、実に戦略的な経営を試みている点である。例えば、トランシルヴァニア内のハンガリー人作家の小説作品を次々と公刊し、戦間期ハンガリー最大のベスト・セラーにして戦後最大の禁書の一つであったサボー・デジェーの『潰された村』を復刊したことなどである。

デブレツェンはトランシルヴァニアの入口のような地理的位置にあり、住民もトランシルヴァニア避難民が一定率を占めるため、チョコナイ出版社の「トランシルヴァニア志向」は極めて自然であろう。この出版社の創業記念出版が『トランシルヴァニア史論集』だったのも象徴的である。そして、さらにハンガリー中を驚かせたのは、最近、ソ連のウクライナ共和国内のハンガリー系少数民族出版社・カールパーティ出版社 Kárpáti kiadó との共同企画出版、コヴァーチ・ヴィルモシュ作『明日も生きる』の上梓に踏み切ったことであった。

これがいかに画期的な試みかを理解するためには、若干の説明を要する。

周知の如く「東欧」に国を建てている諸民族は、全て現在の国境線内で自民族を考えておらず、それぞれ「歴史的領土」なるものを理念的に固執している。「東欧」に君臨した国家資本主義は、この「歴史的領土」をかなり恣意的に否定して「人民共和国」に分割し、各「国」はそれぞれの主導民族中心型の「一国社会主義モデル」を敢行した上で、全てのコンフリクトを軍事・警察機構で押さえこんでいた体制だった。よく「東欧」旧体制をインターナショナリズムの抑圧だったと説明されるが、これは単なる誤解に過ぎない。「東欧」旧体制は一つのナショナルな存在だったのであり、体制内の武装せる「人民共和国ナショナリズム」は国境を越えて往来する「歴史的民族」の「インター・ナショナリズム」を時には実弾を発射して阻止し続けてきたのである。「東欧」内で被支配民族が民族語出版社を創業する権利を与えられていたとしても、それらの民族語出版社は「人民共和国ナショナリズム」の鼓吹を期待されていたまでであって、「歴史的民族」の形成・維持は否定されていたのであった。

この観点から見た場合、チャウシェスク旧政権下のルーマニア内ハンガリー語書店クリテリアン出版社は、実に例外的に「大目に見られていた」ケースとさえ評価し得、スロヴァキアのマダーチ出版社、ヴォイヴォディナ（ユーゴ）のフォールム出版社など他「国」のハンガリー少数民族出版社はカールパーティ出版社と同じく実に苦しい運命を強いられてきたのであった。もう「東欧」で何が起ころうとも一向に驚かなくなったハンガリー人でさえ、チョコナイ出版社とカールパーティ出版社の共同企画はある種の画期的事件と感じたらしいが、これは以上の歴史的背景に照らせば明白と言えよう。そして国境近くの保守的な大都市・デブレツェンに産声を上げた地方商業出版社第一号・チョコナイ出版社の動向は、最近南部の拠点都市・ベーケーシュチャバに誕生したテヴァーン出版社 Teván Kiadó とともに「東欧」各「国」の戦後を問い直す嚆矢となるに相違ない。

レトロスペクティヴ・ノート

本稿は九〇年一〇月に行ったインタヴューを基に執筆した。ソ連崩壊後、さらに旧東欧のエスニシティ再結合、国境外協力は高まり、今日もはや、本稿のレヴェルではない。

一九九一年の通信から

――『月刊・人権と教育』誌収録書簡――

I

『増刊・人権と教育』一三号を拝受しました。津田論文、早速読了しました。津田さんのゴルバチョフ論、たいへん興味深いものと存じます。津田さんの分析方法は、マルクス主義でも何でもなく、いわゆる近代政治学のものであり、パーソンズの構造・機能主義に半ば魅了されている小生などは、極めて面白く拝読できました。

最近、小生の感じるのは次のようなことです。レーニンは『ロシアにおける資本主義の発展』などでは、中央アジア―ロシアをヨーロッパ―ロシアと区別して「植民地」と呼んでいます。ヨーロッパ―ロシアの一定範囲を除いて、そもそも広大なロシアは、多重的中心システムが成立していたのであり、ソ連というのは、むりやりそれを「一国化」せんとした国家権力であったわけです。モンゴルなどは、三つの「一国社会主義」によって分けられてしまった経過は、田中克彦氏の研究で明らかかでしょう。

ソ連が音を立てて崩壊している理由は、この擬制的「一国社会主義」というインスティトゥーションが、現実の社会システムを統御できなくなったことにあります。しかも厄介なのは、この社会システムというのは、不均衡発展を遂げ、互いに対立するファクターも含むものであったため、「ソヴィエトの平和」に代る秩序は、過去のいかなる時代にも求められず、何らかの方法でこれから創造してゆかねばならぬという点です。

「極東共和国」の話、小生は初めて知りました。あり得る、もっともマシな構想の一つとして、ヨーロッパ—ロシアのヨーロッパの統合と、極東共和国の日・韓経済圏への編入、ゆくゆくはヨーロッパモデルの合州国化という線が一応浮かんではきます。このとき、完全孤立してしまうアルメニアなどをどうするかですが、これも仮に、ヨーロッパ統合にトルコを含めうれば、アルメニア問題も解決の展望が出てくるとは思われます。

東中欧に話を転じますと、この地域を見るときに重要なことは、例えば「国家」「市民社会」といった概念は、西欧とは違い、日本とも、また違うという点です。東中欧に成長した「市民社会」が党ヒエラルヒー＝国家をうち倒した、というのは、アナロジーとしては面白いですが、実態ではありません。一つ象徴的なことを言いますと、「障害者の教育権を実現する会」という日本の典型的な草の根団体が、実にユニークな活動をし、日本の民主主義的多元化のために有意ある活動をされていますが、もし、一般民衆に支持される「草の根」団体として、東中欧版「障害者の教育権を実現する会」が成立するとすれば、次のような前提条件が必要です。

まず、その綱領に、自民族の過去の栄光への忠誠と、かつての領土の回復を含めなければなりません。次に、津田さんを始め、指導的イデオローグは、ハンガリー科学アカデミーの研究員であるとかいった地位が必要で、少なくとも、『人権と教育』編集部の多数は、博士号を持っていなければなりません。この二点は最低条件で、さもなくば、東中欧のどこの市井のおばさんも、全く、相手にしてくれないでしょう。これが、東中欧の〝市民社会〟です。

ハンガリーなどは、チェコやポーランドと同じく、こうした〝市民社会〟の典型国で、日本で〝草の根〟だとかもてはやされた諸団体は全てショーヴィニスティックな綱領を持ち、〝草の根〟団体のリーダーはほぼ全て〝Dr. 何某〟であったことから推察して下さい。強大な国家勢力（だったかどうかは別にしても、そうイメージされた）と反国家的エスタブリッシュメントから、脱国家に至る多様なカウンター・パワーの中で、独自な「市民社会」を創り上げた日本と東中欧は全く違うのです。

既成の〝従属〟国家よりも、もっと強大な国家権力構想をもち、東京大学出身で、博士号をもつ人が中心になり、埼玉県で、〝草の根〟活動をしている姿をご想像下さい。いま、その当の私が、博士論文のテーマとしている東中欧のポピュリズムとナショナリズムの結びつき、とはこういう具現形態をとるのです。

II

『月刊・人権と教育』二〇六号拝受しました。

今号は面白かったです。ハンガリー語では、「ものすごい」というのをレンドキーヴール（秩序はずれの）という表現で言いますが、この号はレンドキーヴール・エルデケシュ（秩序はずれに興味深い）号でした。

藤島氏のレポート「ユーゴスラヴィアは何処へ？」は、いい線をついています。ザグレブは、小生の最も良く知っているハンガリー以外の東中欧の街です。クロアチア人の友人と、留学中のアメリカ人の友人がいて、小生もしばしばザグレブに行きます。そのアメリカ人の方が、来る三月に訪ねてきますので、まとまった話を聞けると思っています。

昨年そのクロアチア人の方の友人が、ブダペストに遊びに来たとき、彼がびっくりしたことがありました。ハンガリーでは、領土回復運動というのがあり、旧ハンガリー帝国の地図を街頭で売っていたことです。この旧ハンガリーには、ザグレブはもちろん、アドリア海に至る全クロアチアが入っています。ユーゴスラヴィアでのセルビアとクロアチアの対立ですが、この友人が、そのあと面白いことを話してくれました。彼がザグレブに、その旧帝国地図を買って帰って、ザグレブ大学のインテリに、この運動について話したところ、「セルビアが来るよりは、まだハンガリーの方がマシだ」ということで意見が一致したらしいのです。この二民族の対立は、ある意味では、ハンガリーとルーマニアの間の対立より深刻です。セルビアとクロアチアは、日本研究にも面白いヒントを与えてくれます。

言うまでもなく、この二民族は、ある条件下で完全同一民族となったはずのものです。西日本人と東日本人が、ある歴史的条件下で、別の文化環境に入り、近代社会の運命が別個になってしまったようなものです。いろいろ違いを言ってはいますが、根本的なことは、クロアチアが、オーストリア＝ハンガリーのモナーキーのメンバーとして、カトリックという普遍世界とつながった点と、モナーキーの植民地的存在として、セルビアが正教会を介して東方世界とつながった、という点です。あとの差は、単なるつけたしで、セルビア語とクロアチア語など、文字（一方はキリル、一方はラテン）を除けば、埼玉弁と東京弁レヴェルの違いしかないのです。そして、エンゲルスの用語では、双方とも「歴史なき民族」、ハンガリー人からは馬鹿にされきっている「アジア人」である、というわけです。

バルト三国の問題も、柴崎さんの提言「ペレストロイカは死んだのか」にいろいろ考えさせられました。ハンガリーは、「アジア人」の世界であるユーゴには冷たいのですが、バルト三国については、一寸心配顔で、ニュースにしています。ユーゴのことは半ば無視なのです。ご参考までに、ハンガリー人の「世界観」から、どうバルト三国が見えるか、ということをメモしておきましょう。

ハンガリー人にとって最優先されるのは「東中欧」です。これはオーストリア、チェコ・スロヴァキア、ポーランドを指します。チェコとハンガリーは、一寸仲が良くありませんが、そんなに大した対立ではありません。この「東中欧」がハンガリーの第一防衛地域、つまり「自分のこととして考えられる」範囲です。バルト三国は第二地域、つまり「最も近い他人」の地域で、これには、フィンランドが入ります。スカンディナヴィア（フィンランドは、スカンディナヴィアには入らない）は別世界、ドイツも別世界（何しろこれらは、ハンガリーより強い国ですから）、ロシアははっきりとした敵です。フランスも敵ですが、最近はこの敵対関係はそんなにひどいものではありません。バルト三国中のエストニアは、フィン＝ウゴル語族ですから、ハンガリー人の親せきの民族です。だから、エストニアに特別同情が深いかというと、そうでもないのです。実際、フィンランドもエストニアには冷たいです。スウェーデンとロシアという超大国にはさまれている自国の安全を侵すことを心底から恐れています。周知のように、フィンランド人はスウェーデンでは差別を受けます。それでもフィンランドはスカンディナヴィアに、いつも仲間はずれにされながらも、必死でしがみつき、何とかロシアからの距離ある関係を形成せんとしているのです。ハンガリー＝フィンランド関係は、ハンガリー＝ポーランド関係とともに、極めて良好な友好関係にあり、ハンガリーのエストニア政策もだいたいフィンランドに追従して、「同情してはいるが、そんなに騒ぐな」といったところです。反対に、エストニアが一番頼りにしているのがスウェーデンです。バルト海域で、スウェーデンという大国のプレゼンスは大きいです。私見では、西欧大国の他にヨーロッパのカギをにぎる国が二つあり、一つはスウェーデン、一つはハンガリーです。

III

前略　『人権と教育』二二〇号ありがとうございました。今田さんの「パリ通信」、私も昨日、東独、チェコから戻ってきただけに面白く読ませて頂きました。但し、東中欧にもう四年住んでいる小生には、今田さんは、少し絶望しすぎに思えます。私も金切り声で旧政権の腐敗を絶叫する気にならないわけでもありません（今田さんの文がそうだというわけで言ってません）が、本当のことを言ってしまえば、旧社会主義が〝絶対悪〟だったかどうかは、考えている以上に回答が難しい問題なのです。私には、チェコもスロヴァキアも、そんなに滅茶苦茶には見えませんでした。一つだけ、ここで問題を小生なりに立ててみたいと思います。

チェコ地域が、ハプスブルク帝国内で先進工業地域化し、今はスクラップ化した（とは言えチェコの生産力は、今田さんも正当に触れておられるようにそう馬鹿にできません）点の意味です。これは、〝プレ社会主義〟体制の優良ぶりを証明することにはならないのです。

チェコの工業化は、ハプスブルク帝国内の社会的分業の結果で、この中欧―バルカン地域の社会分業全体のプロセスが作用したのです。これを人為的に分業を絶ち切り、〝一国モデル〟

をこの民族錯綜地域に適用したところから、悲劇は始まります。スターリン的近代化という超大級の近代主義は、この二〇世紀の神話の一つとも言うべき〝一国モデル〟を極大化した結果生じたもの、という評価すら成立するのです。むろん、戦後「東欧」は、六〇年半ば以降、コメコン体制という準世界システムでしたから、純粋〝一国モデル〟でなく、〝一国モデル〟を前提としたモスクワ中心のタコ足状の支配—被支配関係を形成していましたが。小生の言いたいことは、今日の旧社会主義体制批判も、二〇世紀人類史の生み落とした近代主義という神話批判の大きな枠と関係づけてこそ初めて意味を持つという点です。小生は、こう書いたからと言って、旧体制弁護者でないことは、体制崩壊のずっと前に公表した著作から明らかでしょう。

チェコ、スロヴァキア、ハンガリーなどの国民と現地でそれぞれの国語で腹を割って話し合ってみればよくわかりますが、これら東中欧の国民は、いろいろ不満たらたらながら、日本よりは自分たちの国の方がマシだと本心では思っています。最近、〝東欧〟に来れば、カネで何でもなるだろうと思い上った日本人が登場し、小生は腹を立てて仕方ない次第です。いくら貧乏と思われても、別荘と一カ月のヴァカンスの方が、日本化するよりは遥かにマシと東中欧国民は答えるでしょう。むろん、こういう結構な要求がこれからも満たされるか否かは別問題ですが。

レトロスペクティヴ・ノート

『ハンガリー事件と日本』執筆のためのインタヴューで知りあった津田道夫氏のご提案で、氏の主宰される『人権と教育』誌をハンガリーに無料送付いただく代わりに、私が毎回手紙を津田氏に送り、その書簡の転載は自由ということにした。九一年の比較的短い期間に続けて載った三つの書簡をここに収録した。Ⅱに登場する友人ニコラ・ラドニッチ（クロアチア人、元ザグレブ大学講師・現在アメリカ合衆国マサチューセッツ州在住）やサラ・ケント（アメリカ人、現在ウィスコンシン大学スティーヴンス・ポイント校教授）などとユーゴ情勢をザグレブやブダペストで深夜まで話し合った日々がなつかしい。この直後、ユーゴは内戦に突入したのだった。

（追記）サラ・ケントとニコラ・ラドニッチについては悲しい後日譚がある。「世界を震撼させた日々によせて」（『モスクワ広場でコーヒーを』所収）を参照。

スウェーデンとハンガリーを「ヨーロッパのカギをにぎる国」として列挙したが、今ならポーランドを加えることを忘れないだろう。

少数言語のすすめ

言語社会学者の田中克彦氏によるとモンゴル語は意外な国際的通用性を有するものらしい。というのも、モンゴル語のような少数言語は、本国以外で、或いは母語とする人口のいる地域以外で滅多に理解する人がいない代わりに、「モンゴル語のできる」同学の士の間の国際的団結は極めて固く、モンゴル語能力をパスポート代わりに世界中の「モンゴル語コミュニティ」を渡り歩くことができるからである。

ことは独りモンゴル語に限らず、現在の私の生活言語であるハンガリー語もそうした少数言語の一つであり、後述の如く、私もハンガリー国外でハンガリー語の恩恵を被った経験を有している。

もし外国語能力を三カ国語まで要求するならば、そのうち一カ国語は少数言語を学んで良いのではなかろうか。ここでは、その実利的側面に徹した小煽動を試みたい。

まず、少数言語は、わざわざ勉強してくれる外国人を実に大切にする特徴があり、留学や研修のスカラシップも簡単に取れる。

むろん少数言語は辞書・参考書も満足に備わっていない場合も多く、大志を抱いた末に挫折を味わう人もいるかもしれない。

そこで、どういった少数言語を学ぶかであるが、原則的に言って、他人が学ばない言語であればあるだけ、上記の利点は受けやすいと一応言うことができる。

但し、死語に近い超少数言語の場合、その言語の運搬する情報量も限定されるから、情報アクセスのレヴェルと言語的希少性はしばしば矛盾しがちである。

こうした全ての論点を酌量して、私は迷わず、北欧か東中欧の言葉を学ぶことをすすめたい。北・東中欧の全ての言語は、いずれも申し分のない少数言語にして、申し分のない文化レヴェルを示し、しかも全世界の至るところに話し手が存在するのである。

おまけに、スカンディナヴィア諸国語は互いに方言程度の差しかなく、スラヴ諸国語もよく似ていて、一言語を突破すれば、即座に隣接語に応用が利く。むろん、孤立語とも言うべきフィン＝ウゴル語に属するフィンランド語とハンガリー語を除くが。

私もかつてロシア語に熱中した時期があり、ハンガリーで見るユーゴ映画やチェコ映画も、ほんの少し理解できる。わずかなロシア語はブルガリアを旅行した時も役に立ったし、ルーマニアですら有益だった。ルーマニア語はイリュリア語であるが、単語はスラヴ語とハンガリー語の双方よりの借用語が多いため若干の類推がきくからである。

私の知る言語ではスウェーデン語の応用性はもっと明瞭である。スウェーデン語は、隣国のフィンランドの国語の一つでもあるため、フィンランドの地名・公共施設は全てスウェーデン語でも表記されている。しばしば遊びに行ったノルウェーでも、私の話すスウェーデン語はそのまま通じたし、街頭で一切困らなかったばかりか、映画のノルウェー語字幕さえほぼ完全に理解できたのだった。

　最後にハンガリー国外で、私のハンガリー語が意外な功徳をもたらした二例を掲げて、少数言語志望者へのはなむけとしよう。

（その一）私がチャウシェスク独裁政権末期のルーマニアを一人旅した時の話である。

　チャウシェスク政権によって国内のハンガリー人は文化的抑圧を受け、ハンガリー語の地名表記も禁止され、ハンガリー語の印刷物の国内搬入も禁じられていた。

　こうした状況のため、私のような日本人がハンガリー語を話すと、ハンガリー人たちは涙を流さんばかりに喜び、レストラン（と言ってもメニューは一つか二つしかなかったが）でもバスの中でも、特別待遇を受けた。

　ある日、トランシルヴァニアの都市に滞在した時、どのホテルも外国人に部屋を提供してくれず、困り果てて、ハンガリー人の知人から教えられた人に、安ホテルのフロントから窮状を訴える電話をかけた。むろん会話はハンガリー語である。ところが、フロント嬢が私の電話が終わるのを待ちかねたように溢れんばかりの笑顔で声をかけてきた。「あなたのために格安の部屋を提供しましょう」と言うのである。もちろん、彼女はハンガリー人だったのだ。

（その二）　私はしばらくスウェーデンのヨーテボリ市に住んでいたことがある。ヨーテボリ市立図書館には世界中の新聞が揃っていて『読売新聞』とともにハンガリーの代表紙『マジャール・ネムゼット』も入っていた。

私はその双方を毎朝読んでいたが、いつか『マジャール・ネムゼット』を読みに来る老人夫婦に気づきだした。ある日、私はこの夫婦にハンガリー語で自己紹介を試みた。このときの二人の驚きは凄まじかったが、五六年動乱でスウェーデンに亡命したという夫婦が持っていたのが、スウェーデン語訳の日本の仏教書だったので、私の方も驚いてしまった。

この夫婦から大歓迎を受けたのは、むろん言うまでもない。

レトロスペクティヴ・ノート

ハンガリー語の恩恵を受けたエピソードは、今日、さらに数例を加えうるが、ここでは禁欲しておきたい。トランシルヴァニア旅行中にお世話になったハンガリー人の皆さんやクルジ・ナポカ大学のアキム・ミフ教授については、折にふれて思い出す。

親友クリスチーナ・グスタフソンのアパートに住みこんだヨーテボリ時代については、スウェーデン最高と称される街の風景のスケッチを含め、いずれ何らかの文章表現を試みたいと考えている。

ブダペスト詩集

編註者の序文

私がある日、ブダケシ通りに移転したばかりのハンガリー映画研究所を訪れたときのことである。研究所がペストのフンガリア環状道路に建っていた時代から昔なじみの図書館員ヨージェフ・ラースローが何やらはにかみ顔で私をコーヒーに誘ってくれたと思いきや、人気のないビュッフェで、汚ない小さなノートを、何かしら古い映画のポスターでも見せてくれる手つきで、私の前に取り出したのだった。

話を聞いてみると、毎夕毎夕、狂ったように Örökmozgó という研究所直属の映画館に通いつめ、半年ほど前、古いサイレント映画を見ながら死んでいた日本人の残した遺品だと言うのである。

この日本人青年は Örökmozgó のみならず、ブダペスト中の映画館で、かなり顔の知られた男らしかったのだが、警察当局や日本大使館の労も空しく、ついに姓名不詳のまま、ブダペスト郊外の墓地に葬られたらしい。

私も本書に収録した「ブダペストの映画館」に記したように、ブダペスト中の映画館を歩き廻った経験を持つので、よく考えてみれば、思いあたる日本人の顔が浮かばないでもない。その男は、私が週刊『ペシュチ・ミュショール』で珍しい作品の上映を発見して出かけてみると、必ずそこに来ていたのだった。

いつか、もうなくなったオーブダの汚ないシネマから出てきた時に、この男とバタリと出くわしたこともある。バツの悪そうな顔をして、私に軽く会釈してこの男は虚空を見つめたが、日本人らしくない薄茶色の瞳には、恰もフィルムが映っているかのようであった。Örökmozgóの関係者によると、この男に監督とのディスカッションへの参加を誘っても一切断り、「友の会」会員になれば資料配付などの特典があると言っても興味を示さず、夕方に毎日現れてはビュッフェでコーヒーとソーダを飲み、ただただフィルムのみを見続けていたと言う。

ヨージェフ・ラースローが私に見せてくれたノートは、この男の風貌をよく知るÖrökmozgóの館員にもらい下げられ、つい最近、ハンガリー映画研究所の図書館に収まった次第なのであった。

私はこのノートを早速読んでみて、「杏音浬」（アンネ・リと読むらしきことはAnnelieと注がついている）というペン・ネームの男が、ブダペスト中の映画館を次々と渡り歩き、小さなノートのところどころで、変わりゆくブダペストを自由詩の形でスケッチしていたことに気づいたのである。

　ここに編んだ十篇余の詩は、誰にも知られず、ブダペストの映画館で憤死したある日本人を追悼するために活字化されるものである。

　なお、地名などに関する註釈を編者の責任で付けたことをお断りしておきたい。（小島亮）

閉じた古本屋の店先にて

僕は今、ガラス窓の中
店閉まいした古本屋の
埃を冠った空虚な棚を
不用意に隠す肖像画
かくて僕は今しがた
天気雨を告げそうな風の中
舞い上がる古新聞を背景に
矢庭に黒ずんだ光の影と化す
そう、僕はリポート街*を

二つ三つの小径を通り越して来た
打ち消された名前の大通りに
進路を定めた風に吹かれて
カビ臭そうな空っぽの部屋の
銀色に固まった蛾の死体に
見つめ返されている予期せぬ外人

（注）ペスト側の旧ユダヤ人街。

色あそび

いったい誰が予想していたのか
科学アカデミーが黄色い建物だったなんて
あれはまた黒は黒でも、特に闇の不気味さを漂わせ
鎖橋の横に座っていたのではなかったか
期待はずれは大学図書館も同じさ

これまた怪しげな暗さでもって
ルカーチの銅像前にアラヴの留学生を集めては
どんより曇った空が不思議に似合っていた
ブダペストは今、六歳の子供の好奇心
大きな石ころをひっくり返しては
魑魅魍魎がいるいないで大騒ぎ

（注）ブダペストの建物が洗浄されてゆく状況を描いたものか。

モスクワ広場*にて

かつて見上げた赤い星が跡形もなくなったころ
青い制服巡査は丁重な挨拶とともに身分証明書を点検しはじめ
広場には三ヶ国語の無断販売禁止令が貼り出された
黒列車**と異名を持つ鈍行に揺られて東からやって来た
安靴下と下着で一杯のカバンだけを持った

褐色に焼けた肌をうす汚れたぼろ服に包んだ人の群れ
稲妻を走らせて黄色い市電が北に向かった刹那
青い制服に気づいた人々は方々に散り散りになった
排気ガスとプレッソ・カーヴエの香りの中に腐臭をふり撒きながら
人間市場はまだ肌寒い春の陽の中で
自由市場へ向かう人の群れと買い手を待つ人間たちを
はき出し、そして、かき集める

（注）
＊モスクワ広場は、ブダ側の交通拠点で、五六年動乱で最も有名な激戦地。最近、ハンガリー東部、トランシルヴァニアやヴォイヴォディナから出かせぎに来る人々が取り引きされる「人間市場」となった。近くに大きな「自由市場」もある。
＊＊ハンガリー東部からの出かせぎ人夫をブダペストに満載する週末深夜の鈍行列車。「フェケテ・ヴォナト」

Örökmozgó Moziのために

僕のほとんど日課に近い夕方の仕事は
四時からSzindbad*の古いハンガリー映画を見て
西駅地下のビュッフェで血のソーセージ**を喰らい
路上で青リンゴをかじりながら
昔レーニン環状路と呼ばれた道を歩くこと
およそ六時には一一月七日広場だった地点に立ち
かつて人民共和国大通りと称された道を横切って
ハンバーガー・ショップと中国人商店を横目にすまし
路上生活者に二〇フォリント玉を出し
リスト音楽院のトイレに立ち寄ったり
ケークフランコシュ***の一瓶を小さな雑貨屋で買ったあと
何気ない顔つきであのシネマの扉を開くこと
僕はここでは異邦人ではなく
カーヴェを沸かしてくれるおばさんからチケット嬢まで
僕をこの一隅の自然な風景と考え

僕が毎夕ここにやって来て当然という顔つきで
何気ない飾らぬ微笑を送ってくれる
僕はいつしかスクリーンと実生活が反転して久しく
スクリーンを前にして客死することを夢見る人となり
映画館で知己に出会っても言葉が少なくなったのは
先程食ったソーセージの血の臭いが口許に残っているからでない
かくて僕は八時か十時に再び扉を開けるころ
昔レーニン環状路と呼ばれた道は黄金色に輝いて
僕は今一度暗闇に映えるスクリーンを求めながら
明日のプログラムのために今日を全うしようと納得する

（注）
＊セント・イシュトヴァーン環状道路にある映画館の名前。フサーリック・ゾルターン監督の作品『シンドバッド』から命名された。
＊＊血を固めて作ったソーセージ。「ヴェレシュ・フルカ」。
＊＊＊赤く少し渋いワインの銘柄。

祝　辞

何度も何度も見せられた年齢より二〇歳も若そうな肖像写真の彼が
年齢相応の姿になって年齢以上に老けこんだ愛妻と一緒に画面に写ったのは
二人の死体が世界の新聞の一面を飾るほんの数時間も前だった
こんなに有名になってしまった死者の写真はいつしか人々を見返して
開きかけた目と酸素を吸いかけた口びるで九〇年代への祝辞を送った

（注）一九八九年のクリスマスに処刑されたニコラエ・チャウシェスク夫妻のことか。

エレジー・'89

夜の街、突然倒れた老婆の鼻筋は血に染まり
広がりゆく赤は集まりくる黒い瞳と調和して
誰かが雄弁にまくし立てるころ
血の中で一匹の翅虫が動きを止めた

朝の眺め、先程車に轢かれた猫は動きを止めず
飛び出した腸《はらわた》は寄りくる黒いハエと調和して
太陽の光の下で腐臭を放ついとまもなく
婦人に連れられた犬の腹に収まった

西駅《ニュガティ・パーヤウドヴァール》

教会の鐘の音が鉛色の雲に沿って
空中に消えうせた淀んだ日
朝九時半に黒ペンキを塗りつけて
赤い星を消した急行列車は
静かにプラットホームに入った
降り立つ乗客の顔は無表情に
飛び散った列車の汚物に染まり
鉛色のわずかな透き間から
さしこむ複雑な光を探す

夕刻、すでに鉛色の雲は空になく
桃色の光が鈍く細い筋を描く中
遠くランバーダのけだるい音色を耳にして
五時五分、黒ペンキを塗りつけて
赤い星を消した急行列車は
既に藍色に暗がりはじめた東にむけて
静かにプラットホームを離れた

（注）西駅は、その名に反し東部とブダペストをつなぐ列車の入る駅で、この詩の「急行」はおそらくハイドゥー・エクスプレスか。

街頭書店

葬式のあった六月
広場の隅に並んでいた死者たちの本
今日この広場の砂煙の中、四〇フォリントで並ぶ

思慮深げな処刑された政治家の
一冊の回顧録のために消費された言葉
黒っぽい表紙の肖像写真のあの人は
いつしかスパイと罵しられ
彼を葬った旧友たちの時代の本と一緒に
色褪せて今、屋台の上に横たわる
あの葬式からわずか一年にして
赤い星々は地に堕ちて緋色のネオンが輝いた

（注）長らく五六年動乱の「英雄」のように見なされ、突然ＫＧＢのスパイ説が登場し、今ではハンガリー人から忘れられつつあるナジ・イムレのことか。

六番電車

いつからか隣り合わせた中国商人たちの話し声に
不調和なきしみ音を伴って六番電車*は

ようやく円形広場を離れつつあった
青くないドナウの鉄橋上の小さな東独車から
何かをつぶやきながら吐き出された蒼い気体は
淡色の水彩画よろしく灰色の空中に溶けこみ
せきこむ路上の人々は六番電車が停留所に
まもなく近づこうとする気配をつくった
ラーコーツィ広場の強者たちの夢の跡を傍らに
合衆国の地名を冠した幾つかの出しものとなって
二つのハンバーガー・ショップに挟み撃ちになった彼女たちを
慈しみのまなざしで見据え心からのエールを送れば
夢のまま映画館の観客を深い懐のうちに包みこむ
いつからか隣り合わせた赤胴色のジプシーの歓声に
不調和なきしみ音を伴って六番電車は
ようやく八方広場《オクトゴン》を離れつつあった
黄金のクモの巣に絡まりサラマンダーに足を奪われ
そぞろ歩く人の波の行き詰まりには南米音楽
森の彼方の今一つの色黒き人々の果たせぬ夢を集め

今しがた見そこねた白昼夢の続きを求めても
ただ路上に座る人の群れを眺めるだけで
いつしか青灰色にくすぶる青くないドナウに再び来る
バラの丘は今日もスモッグの遥か彼方に
思いきったどんつきを九十度に曲った鉛色の道路の上に
弾痕の*****喰い入った建物に気がつけば
大きな口を開けた人間市場は地下に人を誘いこむ

（注）

＊六番電車はモーリッツ・ジグモンド円形広場からオクトゴン（八方広場）を経てモスクワ広場まで往復する市電、ブダペスト市の最主要線で二四時間営業。

＊＊有名な売春街。

＊＊＊黄金のクモ＝「アラーニュ・ポーク」、「サラマンダー」はいずれも商店の名前。

＊＊＊＊「森の彼方」は「トランシルヴァニア」のことを指すか。

＊＊＊＊＊「弾痕の」はモスクワ広場周辺の建物の様子を描いたものか。

ある瞬間

飴色に輝く磨かれたガラス戸は
路上に立っていた闇両替屋の消失を映し
玩具売りになるために二十余年を生きてきた
青年のうつろな視線を直ちにはね返す
僕は卑屈な僕自身の両眼を見つけ出し
自らに愛想笑いを送ろうとすると
片隅の玩具売りの瞳に出会い
僕の姿を飴色の風景の中に失った
振り向くと
もう沈んでしまった筈の赤い夕陽は
路上に群らがっていたロシア兵の消失を映し
幾十もの火の玉の束となって
過ぎゆくバスの窓を燃やした

レトロスペクティヴ・ノート

この『ブダペスト詩集』には一つだけおまけがある。掲載誌が刊行されたのは私のリトアニア時代であるが、リトアニアから、Örökmozgó mozi に雑誌を送ったところ、「杏音涅」氏の詩集ではなく、私のハンガリー語で書いた手紙を映画館スタッフは額に入れて約一年間壁に掲げられたのであった。この映画館は、現在に至るもフリー・エントリーの特権を私に与えられ、ブダペストに戻るたびにお世話になっている次第である。

リトアニア・オリエンタリズム・日本

I

いったい異文化との切り結びはいかにして生まれるのであろうか。日本の場合を考えてもわかるように、それは日本文化と特定の外国との狭義の直接的「交流」の有無とは関係を持たない。

およそ近代世界形成以降の文化は、多かれ少なかれハイブリッドであって、どの民族文化であれ、そのモザイク模様の中に「意外な」異文化の断片くらいは発見できるものである。そして、現在の関心から未来を見つめ、自己が偶然コミットメントしてしまった「異文化」なるものを関係づけるに値すると未来として捉える時、いわば問題関心を過去に投影して「文化交流史」という物語を雄弁に捲し立てたくなるのであるまいか。

さてリトアニアに関して言えば、かかる「未来」としての日本との交流史は、そんなに古い創造物ではない。これは、日本でも著名な歴史的事実になってしまった杉原千畝・元在リトアニア日本副領事のユダヤ人救助活動がリトアニアでも顕彰され、首都ヴィリニュス郊外の小道に「杉原通り」(Sugiharos gatvė) と命名されたエピソードのみを指すのではない。それは、リトアニアの文化のいくつかの断片をあえて日本を媒介者として再解釈し、リトアニアの「ファンダメンタルな文化形態」に非ヨーロッパ的な要素があると「物語る」姿勢が社会の片隅に存在する事態を指す、とひとまず言っておこう。

ただし急いで注釈を付ければ、この動きはもちろん、社会のきわめて周縁的話題に留まる。よく聞くのは、リトアニア近代文化の体系者と見做される画家・音楽家チュルリョーニスに一種のオリエンタリズムが見られ、その絵画に葛飾北斎の版画や旭日旗をモチーフにしたものがあるとする意見である。チュルリョーニス Mikalojus Konstantinas Čiurlionis のリトアニア文化に占める位置は、ほとんど特権的な排他性を持っているから、この事実から人は何事かを暗示してみたくなったりする。

しかしチュルリョーニスは、ポーランド語を母語とする、半ば以上はポーランド人で、彼自身、不十分なリトアニア語能力に一生劣等感を抱き続けた人であったように、リトアニアでのオリエンタリズムの関係場を安易にファンダメンタルな文化的民族主義と結び付けては危険なのである。

未来としての「リトアニア・日本交流史」が述べ立てられるであろう事態に備え、リトアニア史に関するごく一般的な注記をここに付けておくのはあながち無益ではないだろう。まず、リトアニアと日本はほとんど独立した主体同士の関係として交流しあった過去を持たないという当たり前の事実から始めよう。リトアニアは一四世紀に僅かの間、バルト海から黒海に至る大帝国を築いた過去を持つものの、一五世紀以降は事実上ポーランドの従属国になった。一八世紀以降はロシア帝国に併合され、ロシアの統治は実に一九二〇年まで続いたのであった。一九二〇年に悲願の独立を遂げるや、首都ヴィリニュスはポーランドに占領され、首都をカウナスに移して独立リトアニアは誕生したのである。

しかし一九四〇年にはソヴィエトに併合を強制され、第二次世界大戦開始直後、ナチ・ドイツに再占領された後、再びソヴィエトに吸収され、一九九一年三月一三日に独立を果たすまでは、独自の外交権すら持たなかったのである。従って、近代日本とリトアニアの文化交流は、独立リトアニアの時期に、やや独自の取り組みが行われた他は、ロシアというファクターに媒介されたものに過ぎなかった。

しばしば「バルト三国」なる一括法が行なわれるが、エストニアとラトヴィアとの共通部分ほどにも、リトアニアが「バルト三国」という地域共同体に属する必然は薄いように思われる。単純に見て、バルト海沿岸に首都を擁する他の二国と異なり、ヴィリニュスやカウナスはサンクト・ペテルブルグとワルシャワという重要な東中欧都市を結ぶ中間点に展開する都市である。ドイツ騎士団に開拓され、ルター派プロテスタンティズムを受容した他の二国と異なり、リトアニアはポーランドからカトリシズムを受け入れた点も決定的に異なる。さらに歴史上、一貫して従属民族であったラトヴィアやエストニアと違い、リトアニアは瞬時ではあれ、ヨーロッパ最大級の大帝国の盟主であった過去を持つ分、民族主義台頭の時期に「民族」という観念は他の二国よりはっきりしていた。他のバルト諸国の場合、「民族主義」自体が全くパラドキシカルにも「被支配民族中の王者」であったドイツ人の創作物だったからである。

そして日本人に俄かに理解しにくいのは、リトアニアの対露感情である。

一九九一年のソヴィエトからの独立運動期にリトアニアはバルト三国で最も大きな犠牲を払ったが、リトアニア人のロシアへの感情は決して悪くはないのである。ロシアは支配者であり、むろん脅威でありながらも、「小さすぎる民族」リトアニアにとってロシアに多少の横暴をされるのは「自明」のふしがあり、それよりはもっと厄介な敵国＝ポーランドを満身から憎悪する傾向がある。

これは「ナショナリズムの逆説」とも言うべき事態で、同君連合の下でのポーランドの従属国家であった中世リトアニアの過去の問題よりも、むしろ「中規模大国」ポーランドがナショナリズムを武器として「民族国家」を形成しようとすればするほど、周辺の被支配民族への抑圧と非寛容を結果してしまった近代史の帰結である。ちょうどそれは、同じ「中規模大国」たるハンガリーが「民族国家」の形成を目指せば目指すほど、コシュート・ラヨシュに典型化されるように被支配民族の「同化」を無慈悲に主張するショーヴィニズムをもたらしたのと似ている。ロシアはリトアニアから多くを奪った代わりに多くを与えもし、サンクト・ペテルブルグという都市を抜きにしてリトアニア知識史を語るのは絶対に不可能であるような文化的連鎖も形成した。言ってみれば、ポーランド人にとってのパリ、ハンガリー人にとってのウィーンがリトアニア人にとってのサンクト・ペテルブルグだったのであり、国内の旺盛なドイツ人マイノリティの存在が文化の天秤を大きくドイツ側に傾ける役割を果たした他のバルト二国とリトアニアの決定的分岐点が、対露感情の相違にも現れたわけである。

今日でもロシアをめぐる紛争の度合いはリトアニアと他国では全く異なる。ラトヴィアとエストニアにおいては、それぞれの首都の人口の半分をロシア人によって占められるのに対し、リトアニアでは二〇パーセント程度に過ぎず、さらに二〇パーセントのポーランド人マイノリティを抱えている。そのため、民族問題は他の二国ではストレートに「ロシア人問題」となって現象するのと対照的に、リトアニアの場合、基本的に民族「問題」は存在しにくい。現在、ラトヴィアでもエストニアでも、公務行政を完全「国語」化し、「国語」試験に落ちたロシア人およびロシア語系住民（ウクライナ人、ベラルーシ人など）に「帰国」してもらう法律が制定され、「言語調査官」なる新職業まで登場した（彼らはしばしばテロに遭い、命がけの仕事でもある）が、リトアニアは道路標識や駅名のロシア語表記を周到に消し去った今も、ロシア語を話して決して嫌な顔をされない希有な旧ソ連国家の一つである。

ところで、以上のリトアニア略史のうちにいかなる日本との「交流史」を発見できそうだろうか。リトアニアのポーランドからのカトリシズム受容は一五世紀であったが、その時期までは独自の自然崇拝を維持していた。つまり、リトアニアの「栄光の過去」たる大帝国とは「異教の王国」だったのであり、リトアニアこそヨーロッパ大陸で最後の異教国なのであった。この改宗時期の遅さとかなり政策的色彩の濃い「皮相の改宗」の結果、リトアニアの異教信仰は、宗教的信仰から民俗慣行に姿を変えて強固に残存し、しばしばカトリシズムの表皮を食い破る勢いを見せたのであった。

私は時々次のような架空の「歴史」を思い浮かべたくなる。もしリトアニアの改宗がさらに一世紀早かったなら、リトアニアは宗教戦争の舞台となった後、カルヴィン派あたりに落ち着いたのではなかろうか、という仮説である。宗教改革に伴う「普遍主義」の否定は、狭義の国民国家のイデオロギーたるプロテスタンティズム諸派を生誕させ、一種の「一国資本主義的」「近代化論」を用意したが、普遍神学を切断した空白にしばしば独自な主知的神秘主義から土俗信仰に至る「疑似神学」が埋め合わせをした経過は、リトアニアでも想定できたのではあるまいか。

マックス・ウェーバーの『プロテスタンティズムの倫理と資本主義の精神』が経験的分析の対象外としたのは、単純に言えば、新教リゴリズムの非合理神学的側面だったが、勤労倫理と魔女狩りの接着部分に共同体（または民族）の論理が流れ込み、時として非キリスト教的な価値を大括弧で括って保守した事情を想起してみよう。

中央ヨーロッパの辺境地帯からハンガリー大平原、トランシルヴァニアにかけて展開したカルヴィニズムが一種の「キリシタン」と化したように、ポーランドのカトリシズムに対するリトアニア民族の抵抗は、ロシアによる併合故にカトリックをして「民族の牙城」たらしめる以前に十分な「カトリックの成熟」を見ていたなら、必ずやリトアニアにバルカン地域に近似のプロテスタンティズムを生んだのではないかと思うのである。ともあれ、ロシア帝国主義と正教会の手に手を取った侵略により、リトアニアのカトリシズムは奇妙な安定を保ってしまったものの、教義レヴェルではなく祭祀の様式で異教信仰が偶像崇拝さながらに温存され、全く「思い出したように」間歇的に異教の影がリトアニアの「民族的拠点」の如く言及されることになったのである。

ところでこの「異教」の特質であるが、ある種の自然現象（雷、火など）や動植物（蛇、樫の木など）、地形（孤立した丘陵など）を汎神論的に崇拝するもので、フレイザーの『金枝篇』の分類でいけば、最も原初的な宗教的感情に分類されるだろうものである。私のごく個人的な意見では、北欧の異教信仰に多くの類似物を見出せると思うが、リトアニアの場合、異教の系譜を汎ヨーロッパに求めるのでなく、汎アジアの文脈で考えてみようという知的衝動が周縁的に生ずる。何故かと言えば、リトアニアの存在証明たるリトアニア語はサンスクリット語に最も近似する「印欧祖語」の原形が残存していて、リトアニア語と異教信仰はともに「印欧語族の原郷」に連なるファンダメンタルな存在だとされるからである。

そして日本が顔を出すのはこの文脈である。メタ文化としての「インド・ヨーロッパ」＝理念的なユーラシアに共通性を見出しえるなら、もしかすれば日本文化の中にリトアニアと「共通の」何物かがあるかもしれない、とする議論に繋がるのである。

さて一切の批評を抜きにして、この特異な「関係付け」の方法を眺めると、すぐさま、ハンガリーの「トゥラニズム」運動を想起させる。「トゥラニズム」は印欧語族に対して、メタ・ユーラシア民族としての「ウラル・アルタイ語族」または「トゥラン民族」を仮定し、ハンガリー人がこの「トゥラン民族」の西端に位置して、ハンガリー民族のファンダメンタルな要素が「トゥラニズム」から引き出されるとするイデオロギーである。面白いことに、リトアニアの「印欧語族」主義が、インドからアジアという線上に日本を「発見」するのと完璧に逆向きに、「トゥラニズム」は「非印欧語族」＝いわゆる「ウラル・アルタイ語族」の線上に日本を「発見」するのである。ただし註を付けると、「トゥラニズム」はハンガリーでは、日本人研究者の予想以上に影響力の小さい運動であった。南塚信吾氏の『静かな革命』には、ハンガリーの西欧派対民族派の対立の後、民族派の一部がハンガリー民族の「真の起源」を求めて「トゥラニズム」に辿り着くかの記述があるが、そういう系譜の存在を否定しないまでも、ハンガリー民族派の中心部分はむしろ「トゥラニズム」を嘲笑していた。

私見では「トゥラニズム」のドクトリンに日本が登場するのは、第一次大戦後のトリアノン条約で小国化したハンガリーによる外交戦略と関係を有する。即ち国際連盟を介してヨーロッパ外交の重要発言者となった日本を自己の陣営に利用せんとして、一部の知識人がハンガリー＝日本同一起源論をでっちあげたのである。だから系譜的には民族派でなく西欧派こそ「トゥラニズム」のデマゴギーを用意してゆくのだ。とは言え、「トゥラニズム」は一種の冗談として有名になっただけで、ハンガリーでは西欧派も民族派も共通して「アジア」＝バルカンまたはスラヴ以東の「東夷」を敵視し、「下等動物」として蔑視するイデオロギーが圧倒的であった。黄禍劇『タイフーン』の著者レンジェル・メニュヘールトに代表されるように、ハンガリーは実に全世界規模での反日黄禍論と連動さえしていたのである。

これと同じく、リトアニアの「印欧語族」主義の最右翼たる「汎アジア」主義も極め付きの少数派であったし現在もそうである。先程も述べたように「西欧的な文化」のかなりの部分をロシア経由で享受したため、リトアニアの場合、ハンガリーと異なり、ロシアをアジアだと言い立てた上で反アジア主義の対象に祭りあげる手の議論は人気を呼ばないだろう。いずれにしてもリトアニアでは、思いもよらぬ脈絡で日本が登場するかも知れない、という「小さな未来」の作り出す「交流史」を知っておいても無駄ではない。

II

狭義の学問研究としての日本研究はリトアニアにおいていまだ存在しない。ごく最近、サンクト・ペテルブルク大学東洋学部を卒業した若い人がリトアニアで日本語を教え始め、私もカウナス大学 Vytauto Didžjojo Universitetas でリトアニア史上最初の講義「日本研究入門」とセミナー「日本社会論」を行ったが、学問としての対象化のためにはあと半世紀程度を要するだろう(1)。

広義の日本紹介として、リトアニア文化史を振り返ったなら、最初の日本論が社会民主主義者、ステポナス・カイリス Steponas Kairys によって日露戦争直後の一九〇六年に執筆されているのに突き当たる。これは『日本・過去と現在』、『現代日本人の生活』、『日本の政体』の三部作からなり、おそらく西欧文献に依拠して日本の概略を紹介したものである(2)。先程、リトアニアと日本が独立した主体としては直接交流した過去をほとんど持たないと述べたが、ロシアという中間項を設けてであれ、リトアニア・サイドの日本への注目は日露戦争をもって嚆矢を放たれると見てよかろう。戦争中に、日本は「明石工作」で知られる後方撹乱戦術を展開し、ロシアの従属民族の解放運動や革命闘争を扇動したが、ロシア側も極東戦線形成に伴う支配地域の不穏化を未然に防御する目的で、様々な懐柔策を用意したのだった。リトアニアではロシア帝政下、長らくリトアニア語のローマ字表記を禁止され、キリル文字の使用を強制されていたのだったが、この禁令撤廃は日露戦争勃発直後の出来事だったのである。象徴的にも、ステポナス・カイリスの日本論三部作はローマ字表記のリトアニア語で出版されている。ステポナス・カイリスの論点は、エキゾティズムと啓蒙史観の折衷で、突然降って湧いた話題と化した

「日本」を一般読者を対象に紹介の労を執る傍ら、「文明化された日本がロシアを破った」とする主張で貫かれている。ちょうどヘロドトスが「アテネの民主主義がペルシャの専制を破った」と『歴史』に記した態度とパラレルである。[3]

社会主義者キプラス・ビェリニス Kipras Bielinis は回顧録『夜明け』中に「日露戦争」の章を特筆し、彼自身の身辺を綴っている事情から察するに、ステポナス・カイリスのような立場は当時のリトアニア社会主義者として別段珍しくはなかった。[4] 日本の社会主義者が「非戦論」または「絶対平和論」を取ったのに対し、ロシアの従属民族は言わずもがなとして、ロシアの革命党派、ヨーロッパの社会主義者の大部分すら「ロシア敗戦主義」＝日本勝利待望論を標榜したのである。[5] ステポナスの著書は合法出版物であったため、さしたる過激な言葉に満ちてはいないものの、文明化された日本に「見習って」ロシアも改革すべきだ、というのが主調音であった。

政治史的に日露戦争を見た場合、ロシア帝国の敗戦が、リトアニアを含むバルト地域での一九〇五年革命の直接の原因となり、しかも日本によるロシア帝国バルト海艦隊の撃沈がロシアの「軍事的空白」を現出させ、第一次大戦後のリトアニア独立を準備するのであるから、戦争をめぐって文化交流史以上の「物理的」交流が日本とリトアニアの間に結ばれたのであった。実際、日露戦争には少なくないリトアニア人が徴用されて「ロシア兵」として日本軍と戦闘を交えたし、ジェマイテ Žemaitė など近代リトアニアの代表的作家たちが日露戦争の影響を深く刻み込んだ小説を発表していて、[6]「日露戦争とリトアニア」は本格的に研究すれば面白いテーマとなるだろう。因みに日本側のリトアニアに関する注目も日露戦争あたりから始まり、奇しくもリトアニアの一九〇五年革命の高揚を報じた日本の平民社社会主義者の機関紙『直言』一四号の論説「リスニヤの社会主義」がその早期の一例となるように思われる。（本書所収「『リスニヤ社会党』覚え書」を参照）

さて、独立リトアニア前後の時期に話題を移そう。一九二〇年から一九四〇年に至るこの時期においても日本研究は皆無であった。しかし、独立期には次のような重要な動向が思想的に見られた点を注目したい。まず一九一九年に首都ヴィリニュスがポーランドに軍事的に占領され、首都をカウナスに移転したために起こった民族的関係性の変化である。

ヴィリニュスはリトアニア国内でも極度にハイブリッドな多民族都市で、カウナスは反対にユダヤ人を除けば極めてホモジーニアスな「純リトアニア都市」である。そして、首都の中心大学であったとともにポーランド人、ユダヤ人知識人の拠点でもあったヴィリニュス大学に代わり、一九二二年に創立されたカウナス大学が国立中央大学となったのである。この創立の経過自体が物語るように、カウナス大学は民族主義的傾向の濃度が高かった。そして、このカウナス大学において前章で述べた「印欧語族」主義的な「アジア」への注目がリトアニア人の知識界の一部に登場したのであった。

一九五〇年にソヴィエトによって強制閉鎖されたカウナス大学も、一九八九年に全世界のリトアニア人の献身的努力によってアメリカ型新制大学として復興されたので、将来「独立期カウナス大学の知識史」はリトアニア思想史上の重大トピックとして研究される日も近いだろう。ここでは、「印欧語族」主義よりする「アジア・コネクション」を簡単に指摘しておきたい。

まずアジア研究で最初に博士号を取り、「印欧語族」主義の元祖と言うべき役割を演じたリトアニア人が、カウナス大学の教壇に立っている。リトアニアを代表する作家の一人でもあり、後にアメリカに亡命し、ペンシルヴァニア大学スラヴ語スラヴ文学教授として客死したヴィンツァス・クレヴェ Vincas Mickevičius-Krėvė である。彼はウクライナのキエフ大学とオーストリア＝ハンガリーのリヴォフ大学に学び、リヴォフで一九〇八年に「印欧語族の原郷」と題する論文で博士学位を獲得、何かの縁でアゼルバイジャンのバクーの高校で仏教を講じた後、アゼルバイジャン人と結婚、リトアニアに帰国して作家に転じた興味深い人物である。カウナス大学ではクレヴェは一九二三年から三七年まで人文学部長を務めている。次に、現在までに三世代の蓄積を有するリトアニアのエジプト研究の創始者マリヤ・ルジンスカイテ Marija Rudžinskaitė がカウナス大学教授となった事実である(7)。

考えてみれば、ポーランド人によって創られ、ポーランド人知識人に指導されてきたヴィリニュス大学は、カトリック神学をもって基礎学問とし、神学の補助学としての古典語学を講じても、東洋への注目を一貫して排除してきた。一九世紀にはユダヤ人知識人の間に東洋への関心が高まり、トルコ語を研究する人なども登場するが(8)、リトアニア社会の中では常に「外的」

な動きに留まっていたのであった。一七世紀にジョーンズらによる「サンスクリット語の発見」に刺激されて比較言語学がヨーロッパ各国で高まるも、今日、リトアニア語との近似性が取り沙汰されるサンスクリット語さえ、リトアニア人知識人の側から比較言語学的関心の脈絡で追究された事実は余りない。サンスクリット語が大学の正規科目に認められたのも独立期のカウナス大学が初めてであるし、リトアニア語の印欧語対照文法学からの分析は、かのソシュールを含む西欧言語学者に先んじられたのであった。(9)

いずれにせよ、首都カウナス時代に「純リトアニア大学」として創設されたカウナス大学は、アジアへの興味を初めて制度化し、もしソヴィエトに併合されず、廃校の憂き目を見なかったなら、日本への学問的興味も高まったかも知れない。

独立期の日本への文学的興味について付言しておこう。独立直前の一九一八年、後に未来派の代表詩人となるカジス・ビンキス Kazys Binkis が、日本の短歌にヒントを得た「ウトス Utos」(「うた」)を創作している。(10) 彼のいわゆる「うた」は、短い抒情詩という意味で、別に日本趣味でも短歌形式を踏まえているわけでもないが、一種の影響には違いあるまい。文学の世界でクレヴェを除き、人文科学研究と異なり「印欧語族」主義が独立期に重要な果実を結んでいない理由は、一九二〇年代のロシアを含むヨーロッパ世界にアヴァンギャルドから表現主義・構成主義・未来主義などが台頭し、このビンキスを代表者の一人とする『四つの風』(Keturi Vejai) 派などが率先して旧世代のロマン主義に殴り込みをかけたためである。今一つは、異端のモダニスト、ユルギス・サヴィッキス Jurgis Savickis の作品『赤い靴』Raudoni batukai である。(11) これは川端康成の『みずうみ』もかくやと思わせる夢と現を一人称が彷徨った告白である。ストーリー・ラインは、カウナスの街で日本人女性を見かけた「私」が、自嘲を交えた夢想の末、気がつけばフランスでの外交交渉のためホテルにいた、という話である。本稿は文学評論でないので、専門家から叱られそうな幼稚な推測を書くと、この話はもしかすれば、カウナスの日本領事館に居た杉原氏の夫人を作者が実際に見たのが契機になって執筆されたのではあるまいか。作者はリトアニア時代の花形外交官でもあり、後にフランスに亡命して、一九五二年にリヴィエラ近くで逝去した。一九五〇年に書かれた『赤い靴』は、従って、作者の過ぎ去りしカウナス時代への追想でもあったのだった。

III

一九四〇年にクライペダ地域のドイツからの返還、首都ヴィリニュスのポーランドからの帰還を取引条件に、モロトフ＝リッペントロップ条約によってリトアニアはソヴィエトに吸収された。

しかしナチ・ドイツの侵攻とともに国土は戦場化し、ヴィリニュスやカウナスのユダヤ人はリトアニアの反ユダヤ主義者の協力で徹底的に虐殺された。ヴィリニュスの人口の四〇パーセントはユダヤ人であったが、それはほぼ全滅したのであった。ソヴィエトにリトアニアが併合されてからは、今度は全国的な反ソヴィエト・パルチザンが展開されるも、そのほとんどがジェノサイドに近い方法で粉砕され、数万人規模でシベリアに流刑された。一九六四年以降、ブレジネフ・コスイギン体制のいわゆる「コメコン分業」の見直しによって、バルト三国は先進工業化のプライオリティを与えられたため、ロシアと比べてすら生活水準は高まったが、学問も「有機的に分業化」されたから、東洋研究はリトアニアより完全に取り去られてしまったのである。そして、一九五〇年のスターリン政府によるカウナス大学閉鎖以降、リトアニア国内からはアジア研究も「印欧主義」もろともに全滅したのである。

一九六〇年代に中ソ論争が激化し、マルクス主義シューレ内のソヴィエトの研究者をも含んだ「アジア的生産様式論争」の復活は、リトアニアでの東洋研究に直接的な影響を全く与えはしなかったが、ロシア語によるアジア研究の増大が、むしろ「ファッション」としての東洋趣味を作り上げた。

旧東欧の多くの国や旧ソ連の幾つかの共和国での日本研究の誕生は一九六〇年代であるが、リトアニアでは、狭義の「研究」に結び付かないまでも、「知的雰囲気」程度は形成したのであった。この「雰囲気」は、西欧やアメリカと共時の面もあって、ヒッピー文化から「禅」の影響までも微かに同時期のリトアニア文学に影を落としているが、おそらく最大の遺産は六〇年代中期にヴィリニュス大学を卒業した一人の青年に日本研究を志させたことかも知れない。

一九六五年にジャーナリズム・歴史専攻で大学を出たこの青年こそロムアルダス・ネイマンタス Romualdas Neimantas であり、彼は現代の最新のディシプリンで日本研究を進めはしなかったけれども、ヴィンツァス・クレヴェ以来の「印欧語族」主義を復活させ、驚くべき努力でもって実証研究の水準に高めたのみか、啓蒙的な日本文化概説を書きおろす最初のリトアニア人となったのである。[12]

ネイマンタスは一九三九年に低地地方のルオケに生まれ、六五年にヴィリニュス大学を卒業した。その後、ヴィリニュスでは、『夕刊ニュース』(Vakarines Naujienos)と『真実』(Tiesa)、カウナスでは、今日の『カウナス日報』(Kauno Diena)の前身である『カウナスの真実』(Kauno Tiesa)の記者を勤めながら、完全に独学で日本研究を進め、多くの著作を著し、「印欧語族」主義に関するビブリオグラフィーをまとめたのである。彼は最初の著作である社会評論『ヴェンタ川』[13]を書いた後、日本研究に主としてロシア語文献を通じて打ち込み、八〇年代に幾つかの著作を刊行する。

まず、リトアニア史上初の本格的日本文化概論となった『火山上の生活』[14]である。この本は同類が皆無であったため、今日に至るも日本文化の入門書として読み継がれている。そして、おそらくネイマンタスの独自な業績として後々まで残るのではないかと思われる一冊が『東洋とリトアニア』[15]である。この本の特徴を一言で表現すれば、本稿の第一章に展開した「印欧語族主義」の道具立てを一切合切満載した決定版となろうか。本格的な実証研究であるよりは網羅的な概説書であり、研究としては今後詳細な展開を期すべき細部を残しているものの、ネイマンタスのこの著作以前にはリトアニアにおいて誰一人「印欧主義」がこれ程までに体系的な像を描いていたとは想像もしなかったのである。

リトアニア人の読者は本書を手にして、僅かに「噂に」聞いていたアジアとの関連を初めて具体的に知り、リトアニア国内のアジア研究の過去を教えられたのではあるまいか。私はここでもハンガリーの「トゥラン主義」との対比を考えてみずにはおかれなくなる。「トゥラン主義」は一種の疑似学問ではあったが、歴史的にイデオロギーとして機能したよりも、むしろ潜在的なアジア学者を生む土台となった事実に意味があったかも知れない。ネイマンタスの業績は「トゥラン主義」よりはわずかに経験的研究に近いのではあるが、リトアニア人のアイデンティティというには辺境に位置し過ぎ、完全な実証研究と言い切るには理念的弁証に優る性格を持つ。おそらく、リトアニアに今後実証科学としての東洋研究が形成されるとして、ネイマンタスの業績は古典的源泉として読者を惹きつけ続け、実証主義者の嘲笑と羨望を同時に寄せ付けながら、東洋学者を生み出す種子になっていくと思われる。

さてネイマンタスの履歴に立ち戻れば、一九八一年から『火山上の生活』、『東洋とリトアニア』を出版した時期を挟んで一九八九年まで、モスクワのソヴィエト科学アカデミー東洋学研究所の博士候補生となっている。指導教官はH《エヌ》・A《アー》・ハルフィンで、ネイマンタスは一九八九年に「一八四七年から一九四〇に至るリトアニアとインドの文化交流史」を書き終え研究所から博士号を授与された。

私がネイマンタス本人に確かめたところでは、一九四〇年に時期を区切った理由は、ソヴィエト併合後を問題としなくてもよいと考えたからだという。この一九八〇年代はネイマンタスの黄金時代で、一九八五年には少年のための東洋入門というべき名著『琥珀の道』[16]を上梓している。

本書は、バルト海の琥珀が、ローマ、エジプト、フェニキア、アラビア、紅海、アフリカ北岸、インド洋、スリランカ、インド、チベットを経由してエニセイ川に運ばれた考古学的知見を基礎にした冒険小説で、一九九〇年にはロシア語訳も出版されベスト・セラーになった。ある意味ではネイマンタスという作者の本領を発揮したロマンの結晶の一つが本書で、彼は二〇〇〇年以上も前に実在した「琥珀の道」を「愛と死」をテーマにして辿りながら、異教文化の相互関係を注目させ、リトアニアの「本源」はアジアに繋がると低声で歌いあげたのだった。本書は、しかも「研究入門」でもあるため、各ページに参考文献まで克明に記載されているのである。

今一つのネイマンタスの功績はビブリオグラフィーの編集である。繰り返すようだが、ネイマンタスの研究はヴィンツァス・クレヴェ以来の「印欧主義」の復権を主題の一つとしているため、研究史の発掘、つまりは「研究史の創造」にかなりの重点が置かれている。ネイマンタス以前には、ヴィタウタス・クビリュス Vytautas Kubilius による詳細な研究論文「リトアニア文学におけるオリエンタリズム」が文学分野の研究を詳しくフォローしていたが、[17] ネイマンタスは二〇年以上の年月をかけ、リトアニアのありとあらゆる出版物を調べあげ、「東洋とリトアニア」をめぐるビブリオグラフィーを編集したのであった。

これまでに公刊された冊子は、エジプト関係書誌『ネマン川からナイル川まで』[18]、インド関係書誌『ネマン川からガンジス川まで』[19]、日本関係書誌『ネマン川から富士山まで』[20]の三冊で、因みにネマン川はリトアニアで一番長い川の名前である。

さて、本稿では大急ぎでネイマンタスの登場に至る「リトアニアという関係場における日本」を辿ってきた。現在、リトアニアは二〇世紀で二回目の独立を達成し、ヨーロッパへの統合を当面の目標とした国家的再編がなされつつある。学問的動向としては、旧来ナショナリストの牙城を形成したカウナス大学は過剰に外国人を擁する「急進改革派」の梁山泊と化し、ヴィリニュス大学は保守主義の根城とされながらもゆっくりと「西」に目は向いている。現在のリトアニアの知的ファッションは二五年遅れのカミュである。

構造主義革命をバイパスして一九七〇年代中期に近代主義と講座派マルクス主義の雪崩現象を起こし、構造主義以降の知的動向が「ポスト・モダニズム」という名で襲来した日本は、リトアニアの遅蒔きながらのカミュ・ブームを笑ってはならない。きちんとリオタールやアナール学派の文献も翻訳されてリトアニアの本屋の店頭を飾っているのである。

そのうちロラン・バルトの『表徴の帝国』だってリトアニア語で出版されるかも知れないの

である。文学の世界でも、詩人シギタス・ゲダ Sigitas Geda は日本の短歌や俳句への羨望を隠さないし、最近も突然、以前にロシア語から重訳された川端康成の『雪国』と有島武郎の『或る女』が久しぶりに再版されたのだった。(21) リトアニアが「民族国家」として自立する過程で日本に対する関心も「ナショナライズ」され、その性格はリトアニア民族の独立と「本源」を要求したヴィンツァス・クレヴェからロムアルダス・ネイマンタスの「印欧語族」主義者の夢とは全く異なり、ヨーロッパの平均的ディシプリンの焼き直しに過ぎないものとなるかも知れない。かく言う私にしてからが、一九六〇年代のロストウ学派の近代化論から最近のシカゴ学派の「ニュー・ヒストリー」に至るアメリカ日本学の成果を踏まえて、「日本研究入門」をリトアニア史上で初めて講義したのだった。(22)

分析的理性は、日本をリトアニアの「外」側に追い出すだろうが、一度は引き離した対象化を通過して、遠い将来、クレヴェからネイマンタスまでの夢が再び温かい眼差しで見つめられる日を待ち望むのみである。

最後にリトアニアの特殊なオリエンタリズムの比較文化的意味について寸評を挟んでおこう。既に述べたように、ハンガリーの「トゥラン主義」と正反対の論理で「東洋」を「内なるもの」として「発見」させたリトアニア「印欧主義」は、その「トゥラン主義」と同じく、サイードが批判的に対象化したヨーロッパ中心部におけるオリエンタリズムとは異質の「オリエンタリズム」の広汎な存在を喚起させるかも知れない。さしあたり、ラトヴィア、ドイツ辺境部、北欧、バルカン地域からわが日本の「アジア主義」にいたるいびつな円環をヨーロッパ中心部とは異なる視野から「比較オリエンタリズム研究」の光の下で今一度見直す必要はありはしまいか。

問題提起ばかりになるが、独立リトアニア期のカウナス大学は、一方、「バルト・スカンディア主義」なる地域的文化・政治統合が模索された実験場《アカデミア》でもあった。この時、リトアニアは主体的にスカンディナヴィアからの文化的衝撃をも直接に受け取るが、同時代の、とりわけスウェーデンはカール・ラールソン Carl Larson に典型を見るジャポニズムの興隆期を終えた直後であった。地域主義的統合の希求とオリエンタリズムは一見対立するも、スカンディナヴィア経由の「リトアニア・ジャポニズム」の可能性などを仮説化してリトアニア一九二〇年代を再照射してみるのも、「ヨーロッパの交差点」リトアニアを読み解く面白い糸口を提供するかもしれない。

［注］

（1）　一九九二年九月からヴィリニュス大学の夜間公開講座として日本語がDalia Švambarytė（一九九二年サンクト・ペテルブルク大学東洋学部卒）によって開講された。大学の正規授業としての日本語は一九九三年九月より開講されたカウナス大学外国語学部の小島亮、Gabija Čeplionytė（一九九三年サンクト・ペテルブルク大学東洋学部卒）の授業がリトアニア史上初である。因みに、リトアニア人で初めて日本専攻で大学を卒業した人は、Eduardas Jankauskas（一九八八年レニングラード大学東洋学部卒）である。

（2）Steponas Kairys, Japonija seniau ir dabar. Paraše Dėdė.-B.v. Bliumovičiaus sp., 1906. -16p.(Šviesa,Nr.11). Steponas Kairys, Kaip japonai gyvena dabar. Paraše Dėdė. -V., "Šviesa". 1906. -48p. (Šviesa Nr. 12). Steponas Kairys, Japonų konstitucija. Paraše Dėdė. -V., Bliumovičiaus sp.,1906.-31p. (Šviesa, Nr. 15).

（3）ガビヤ・チャプリョニーテ「日露戦争とリトアニア―スタテナス・カイリスと最初の日本論」（『リトアニア日本通信』Vol.1 一九九四年所収）。

（4）Kipras Bielinis, Dienojant: Spaudos draudino laiku atsiminimai. -New Yorkas: Amerikos Lietuvių socialdemokratų sąjungos literatūros fondas, 1958. -464p., il. (Boston, Mass.: Liet. enciklopedijos sp.)なお、キプラスは次の一九〇五年革命の資料集も編纂している。Kipras Bielinis, 1902 metai. Atsiminimai ir dokumentai.-K.,Sp. "Raidės",1931.-157p.キプラスはアメリカで反ボルシェヴィズムの論陣を張る人だが、彼が一九〇五年革命を重視するのは、リトアニアの社会主義は本源的にボルシェヴィズムに帰結せず、社会民主主義こそが正統だと弁証するためである。ソヴィエト期のリトアニア研究者も一九〇五年革命における左翼反対派の動向を過大評価する傾向があり、最近のリトアニア研究者は旧弊を批判して「反ロシア闘争」として再評価している。Aldona Gaigalaitė, Dėl 1905-1907 metų revoliucijos Lietuvoje vertinimo. -In:Istorija. -vol.4. 1993.

（5）小島亮「議会政策・敗戦主義・ロシア革命」（『日本史論叢』第八号、一九八〇年所収）

（6）Adolfas Sprindis, Žemaite: Monografija.-Vilnius; Vaga, 1986. -413p.

（7）小島亮「リトアニアという関係場―レイモンド・シドリスとの対話」（『リトアニア日本通信』Vol.2 一九九四年所収）。なお、Neimantasの（注13）の文献も参照。

（8）ダリア・シュヴァンバリーテ「ヴィリニュス大学での日本語」（『リトアニア日本通信』Vol.1 一九九四年所収）。

（9）Algirdas Sabaliauskas, Noted scholars of the Lithuanian language: Biographical. Sketches Translated. by William

R. Schmalstieg, Ruth Armentrout. Pensylvania state univ., 1973. -168p. なお風間喜代三『印欧語の故郷を探る』（一九九三年）に、印欧語「クルガン文化」起源説を唱えたヴィリニュス大学出身のギンブタス夫人M.Gimbutasが登場する。仮説としてのみ述べれば、この「クルガン文化」説にクレヴェの影は落ちていないだろうか。

（10） ガビヤ・チャプリョニーテ、杏音浬「カジス・ビンキスの『和歌』」（『リトアニア日本通信』Vol.3一九九四年所収）。

（11） なお英訳が次に収められている。Stepased Zobarskas, Selected Lithuanian short stories.-New York: Vayages Press, 1959. 263p.

（12） 小島亮「ネマン川から富士山まで―リトアニア日本研究の父・ロムアルダス・ネイマンタス博士とのインタヴュー」（『リトアニア日本通信』Vol.2一九九四年所収）。

（13） Romualdas Neimantas,Venta-draugystės upė. -Vilnius: Mintis, 1978. -77p.

（14） Romualdas Neimantas, Gyvenimas ant ugnikalnio. -Vilnius: Vaga, 1984. -199p., il.

（15） Romualdas Neimantas, Rytai ir Lietuva: Nuo Nemuno iki Gango. -Vilnius: Mintis, 1988. -310p., il.

（16） Romualdas Neimantas, Cintaro kelias. -Kaunas: Šviesa, 1985. -223p., il.

（17） Vytautas Kubilius, Orientalizmas lietuvių literatūroje.なお同論文は以下の論文集に収録されている。Vytautas Kubilius, Lietuvių literatúra ir pasaulines literatūros procesas. -Vilnius: Vaga, 1983. -470p.

（18） Romualdas Neimantas, Nuo Nemuno iki Nilo. Iš Lietuvos-Egipto kultūros ryšiu istorijos: šaltiniai, istoriografija. -Vilnius: Zinija, 1986. -34p.

（19） Romualdas Neimantas, Nuo Nemuno iki Gango. Iš Lietuvos-Indijos kultūros ryšiu istorijos: šaltiniai, Istoriografija. -Vilnius: Zinija, 1985. -36p.

（20） Romualdas Neimantas, Nuo Nemuno iki Fudzijamos. Iš Lietuvos-Japonijos kultūros ryšiu istorijos: Šaltiniai, istoriografija. -Kaunas: Orientas, 1992. -109p., il.

（21）本稿ではとくに体系的な論述をしないが、クレヴェの「印欧主義」とは次元の異なる日本文学への単なる注目という程度では、バリス・スルオガBalys Sruoga、カジス・ボルタKazys Boruta、サロメヤ・ネリスSaromeja Nėris、カジス・ヤクベネスKazys Jakubėnes、コスタス・コルサコスKostas Korsakas、エドゥアルダス・ミェジェライティスEduardas Miežėlaitis、など多くの詩人の名前が挙がる。なお次も参照。Vytautas Kubilius, XX a. Kinų ir japonų prozos klasikai. -In: XX a. Rytų Proza. -Vilnius: Vaga, 1986. -p551-559.

（22）Ryo Kojima, "Summary of lecture"（『リトアニア日本通信』Vol.1 一九九四年所収）。

レトロスペクティヴ・ノート

本稿は私がリトアニア在住中にまとめておいたメモであるが、平凡社の関口秀紀氏のご配慮で日の目を見たものである。

リトアニアのオリエンタリズムでは、哲学者のヴィドゥーナス Vydūnas などにも触れるべきであった。

なお本稿に近似する内容を別角度から論じた拙稿 "Lithuania and Japan" In "Bulletin of European Association for Japanese Studies" Vol.46,1997 も参照されたい。

（追記）このエッセイはヴィタウタス・クビリュス先生の回想とともにある。「ヴィリニュス追想」（『モスクワ広場でコーヒーを』所収）を参照されたい

「リスニヤ社会党」覚え書

I

自覚的・選択的という限定を付ける限り、リトアニア人の日本認識は二〇世紀初頭の日露戦争期に始まることは疑いを入れない。すでにネイマンタスが紹介し[1]、チャプリヨニーテが分析を加えたように[2]、リトアニアで最初に書かれた日本論は、日露戦争を契機にまとめられたものであった。リトアニアにとって、日本は支配者ロシアの敵国として肯定的に捉えられたばかりか、徴用された兵士が戦場で死闘を決する敵として、期待と恐怖の入り混じった姿で認識された[3]。チュルリョーニスのいくつかの作品に明示的に読み取れうるジャポニズムも、日露戦争との関連から再検討されねばならないし、リトアニアのみならずバルト地域に一般的に広まったと思われる日本像の文学的形象化も今後研究がすすめられるべき大きな課題であろう[4]。

政治史的にみた場合、日本海海戦でのバルト海艦隊の壊滅が、バルト海域におけるロシア帝国のプレゼンスを弱め、第一次大戦後のバルト諸国独立を保証するわけであるから、「日露戦争とリトアニア」は、多面的な研究の沃野といえそうである。

さて逆に日本人のリトアニア認識ということになると、自覚的な形でなされたものは、戦間期の独立共和国時代にまとめられた可能性を持つが、未調査の域を出ない。

リトアニアは近代史上、まずロシア帝国の従属地域として登場した経過から、いわばロシアの従属関数として日本人に関係したのはやむを得ないだろうか。但し、特記しておきたいのは、一七九四年に上梓された桂川甫周の『北槎聞略』においてすでに「リトウチ」という名前でリトアニアが識別されていることと、実際にリトアニアに幕末に訪れた福沢諭吉などの文永遣欧使節や明治初期の岩倉使節団の久米邦武が、リトアニアについてわずかに書き残している事実である(5)。有名な近代日本の世界地理教科書、例えば、一八六九年に書かれた福沢諭吉の『世界国尽』などにリトアニアは固有の名称として登場しないものの、日本近代の知識人が、ロシア帝国下のリトアニアについて何らかの情報に接したとき、少なくとも「リトアニア」がロシア帝国内の奈辺の従属民族であるかについて認識は可能であったろう。

日露戦争は、ロシア帝国の従属地域について日本人の認識を一気に広げ、実際の人的交流も飛躍的に拡大させた。兵士として徴用されたリトアニア人と日本人との直接的な関係も推測できるが、当時日本でリトアニアについて紹介された事実ははたして存在したであろうか。この時期の日本のマスコミはロシア帝国やヨーロッパ情勢の報道に実に貪欲なものがあり、中央アジア地域の小民族の動向などにもきちんと目を配っている。ヴィリニュス近郊で生まれたポーランド人のピウスツキが日露戦争期に来日し、政府・軍官僚のみかマスコミ関係者とも親しく懇談している事実もあるため[6]、リトアニアについての何某かのまとまった情報を日本人に与えた可能性も否定できない。ピウスツキの創立したポーランド社会党自体が、一種の「大ポーランド主義」を掲げ、「リトアニア問題」についてポーランド国粋主義を継承する形で「解決」しようとしたわけであるから、ピウスツキのポーランド国家構想においてリトアニアは瑣末事ではなかったに違いないからである。加えて、ポーランド社会党の戦略自体が、リトアニア人労働者を支持基盤の一つとするポーランド王国＝リトアニア社会民主党との対抗のなかで形成されたから、日露戦争時の日本との協力、日本人からのより大きな自党への注目を獲得するために、民族問題を主とする地政的説明と自党正当化の弁証が必要となったに相違ない。いずれも今後の研究を待つほかはないが、ここでは、たまたま管見に入った明治社会主義者による小さなリトアニア関連記事を紹介し、当時のリトアニア認識の一端を示す資料として若干のコメントを加えてみたいと思う。

II

まずもって件の記事を引用してみよう。これは平民社の発行していた『直言』第二巻第一四号（一九〇五・五・七）に掲載されたものである。

○リスニヤに於ける社会主義

露国リスニヤ社会党は従来多く世に著はれざりしが同党は今やリガ市に本部を置きてバルチック沿岸諸州に盛に活動しつゝあり、目下同市に在る六千の労働者は同盟罷工を行ひ、鉄道は積載する荷物を有せざる有様なるが、同党の秘密印刷所は機関新聞「戦闘者」の外無数の小冊子を刷出して此罷工者の間に撒布しつゝあり、印刷職工は大困難の下に殆ど日夜を別たず労働しつゝありと云ふ。（原文旧字）

本文中に見えるラトヴィアとリトアニアの混同を含めて、情報の妥当性はここでは不問に付し、この記事の成立事情について分析してみたい。

日露戦争が現実化した一九〇三年、幸徳秋水、堺利彦らは平民社を結成し、一一月一五日から『週刊平民新聞』を発行するが、発禁に次ぐ発禁で、紙名を一九〇五年二月五日以降『直言』に変更せざるを得なくなった。これは、その『直言』紙上の記事に他ならない。件の記事を「素直」に読むと、異国の社会主義者の動向を伝えているだけの記事に見えるが、このような小さな雑報にも、大げさにいえば「歴史的背景」が聳え立っている。煩雑を厭わず、多少の説明をここで行ってみよう。

まず、文中の同盟罷工論にかけられたバイアスについてである。

旧来、穏健なドイツ社会民主主義を奉じていた幸徳秋水らが、平民社を結成して日露非戦の論陣を張り、これが政府の弾圧のなかで「実践的に行き詰まり」、ロシア一九〇五年革命の同時代的影響の下、直接同盟罷工論を戦術的特色とするアナルコ・サンディカリズムに移行していったとする見解が多く行われてきた。これに対して、私は、平民社初期の社会論は民友社や『萬朝報』などの国民主義陣営と本来的な相違はなく、むしろ逆に日露非戦の展開のなかで第二インターナショナル中央派＝ベーベル・カウツキー主義的な形で主流派たる幸徳秋水・堺利彦らは自覚的な社会主義理論を生成する、と論じたことがある。(7) 私見によれば、一九〇五年のロシア革命の影響は、第二インターナショナル各派を含め、全ヨーロッパ的な「共通体験」だったのであり、ドイツ社会民主主義からの「逸脱」の指標にならないと思われる。したがって、同盟罷工の紹介など「リスニヤ社会党」関連の内容は、平民社同人の独創とは考えにくく、むしろ、何らかのルートで来た情報を主流派の基本線にしたがって翻訳しただけの可能性が高く、しかも情報獲得の経路は平民社初期以来の「通常」の範囲を出ていなかっただろう。

この問題については、明記はないものの情報の出所はロイター通信社か一九〇一年ブリュッセルに設置された International Socialist Bureau からの通信、またはシカゴの Charles H. & Kerr Company および International Socialist Review 関係者からの連絡であったとみてよいと考えられる。あくまで憶測に過ぎないが、このうち最も可能性の高いのは後者のシカゴ・ルートであると思われる。然りとすれば、シカゴがバルト移民の拠点であったことからして、Charles H. &

Kerr Company 周辺にリトアニア人なりラトヴィア人がいた可能性も存在する。「リスニヤ」の誤認については、平民社同人が、ロシア帝国バルト地方の同盟罷工にかんする情報に接したとき、相対的に未知のLatvia (n) という民族名に相対的に既知の「リスニヤ」＝リトアニアを思わず宛ててしまったと考えられないか。

Ⅲ

平民社同人の主論調は、「国民戦争」の趣を呈した日露戦争に「非戦」論、すなわち戦争自体が国民に敵対する帝国主義戦争に他ならないとする論理を「あるべき国民社会論」＝「社会主義」と統合させ、山路愛山、徳富蘇峰、黒岩涙香らの国民主義的国家主義論を超越しようとするものであった。明治の社会主義者と言えば、アウトロー集団のごとく想起する向きがあるかと恐れるが、日露戦争期の社会主義者の社会的状況を、その後の大逆事件から「冬の時代」に至る苦難の弾圧史から逆に類推してはならない。まず、平民社が機関紙誌の発禁や投獄を含む弾圧を被ったといっても、むしろ例外的であったと評価でき、公平にみても有名な七博士事件のように、扇情的主戦論と同じ程度に抑圧されていたに過ぎないのである。

これは、戦費調達先のヨーロッパ主要国から日本への高い評価を買う政府の戦術であったとみてもよいものの、少なくとも、出発点において、平民社の論調は言論界一般から全く孤立していなかった事実とも深い関係を持っていた。初期平民社社会論のほぼ唯一の国民主義左派との決定的違いが当の日露非戦であり、日露非戦の社会論・国家論的弁証こそが、論説の存在理由を作ったのである。

同時に非戦論は平民社をして国際社会主義との連携を深めさせた要因であったとともに、当時の国際社会主義に批判的参加をさせ、その社会主義論を特徴付けたのである。

日露戦争が勃発して以来、ヨーロッパ諸国民の対応は、きわめて日本に好意的で、新興文明国・日本と野蛮な専制ロシアを対比する二分法が支配的であった。戦争真っ只中の一九〇四年六月一八日の日付を持つジェイムズ・ジョイスの『ユリシーズ』に仄見える「西洋対東洋」という把握は、その後ドイツ帝国のヴィルヘルム二世の肝いりで広められるものの、戦争当時、日本は正体不明ながら「西」の一員と見なされていた。この事情は社会主義者の世界でも全く同じで、まずもってヨーロッパ反動のパトロンたるロシアを壊滅させてほしいという期待が日本に寄せられたのである。かくて、平民社の非戦論は国際社会主義者の陣営内部にあっても孤立した色合いを深め、『週刊平民新聞』『直言』英文欄、“International Socialist Review”誌への投稿、書簡などを通じて非戦論＝戦争自体の否認を平民社同人は次々と世界に向かって放っていったのである。

平民社の憂慮はロシア帝国内にもあった。レーニンなど例外的少数派を除き、ロシア社会民主党の本音は、ロシア敗戦主義＝日本勝利期待論であり、社会革命党のように対日協力をすめた社会主義勢力まで存在する有様であった。先に触れたポーランドなどの従属民族社会主義者の場合はさらにロシア敗戦主義を明言していたから、平民社は日本の従属民族になりつつある韓国の状況を紹介し、この戦争に対する社会主義者の態度はどちらかの国に対する敗戦論でなく、戦争そのものの終結であると論じつづけていったのである。平民社同人というよりも「周辺文化人」の一人である木下尚江の小説『火の柱』のなかに、ロシアの社会主義者から送られてきた連帯の挨拶を厳かに平民社同人らしき日本の社会主義者が受け取る場面が登場する。しかしこれは平民社をあたかも初期キリスト教徒の使徒たちのごとく粉飾した木下の筆法のなせるフィクションとはいえまいか。『週刊平民新聞』一九〇四年三月一三日号に掲載された有名な「与露国社会党書」にあっても、平民社の論調はロシア敗戦主義論の批判に終始していたのである。

さてこの道徳的にも高い理念に裏打ちされた論理は、平民社社会主義者の主流派をしてはっきりとした社会論と国家論を形成させるに至らしめたが、この社会主義の道義的成功が同時に社会改革論としての現実性の喪失と余裕あるラディカリズムの熟成を妨げ、平民社時代には深く結びついていた同時代の知的世界からの孤立を後続の初期社会主義者たちが招いたともいえるかも知れない。

最後にリトアニアとかかわる類推を一つ。「リスニヤ社会党」を含む平民社機関紙上の外国関連の彙報は、いくつかの例外を招き、平民社の主論調に沿うものであったから、逆にいえば、それに「沿わない」内容のリトアニア情報が前述の何れかのルートから入っていた可能性は勿論ある。リトアニアにおける一九〇五年革命の「反ロシア的性格」を再評価する流れのなかで、日露戦争時の社会的関係状況がもっと明らかにされる前提はすでに開かれたといえよう。ポーランド人と戦略的にも同一に語れない民族独立の課題を持つリトアニア人自身の対日協力の存否、ヴィリニュスに本部を置くブントなどユダヤ人ラディカルズの動向など、日本への同時代的影響という観点からも興味深いテーマとなろうか(8)。

［注］

（1）Romualdas Neimantas, Nuo Nemuno iki Fudzijamos, Orientas, 1992, Kaunas

（2）カビヤ・チャプリョニーテ「日露戦争とリトアニア―ステポナス・カイリスと最初の日本論―」（『リトアニア日本通信』Vol.1）一九九四年、ヴィリニュス

（3）カビヤ・チャプリョニーテ「ジェマイテと日露戦争」（『リトアニア日本通信』Vol.4）一九九四年、ヴィリニュス

（4）リトアニア文学におけるオリエンタリズムについては、Vytautas Kublius, Orientalizmus lietuvių literatūroje, In "Lietuvių literatūra ir pasaulinės literatūros procesas". Vaga 1983, Vilniusおよび、アンタナス・ダニエリウス「リトアニアにおけるオリエンタリズム」（『リトアニア日本通信』Vol.4）一九九四年、ヴィリニュス、を参照。簡単な通史として、小島亮「リトアニア・オリエンタリズム・日本」（本書所収）

（5）Rio Kodžima, Pirmieji japonų apsilankymai Lietuvoje, "Liaudies Kultūra" No. 6-51 1996, Vilnius

（6）木村毅『日本に来た五人の革命家』恒文社、一九七九年
阪東宏『ポーランド人と日露戦争』青木書店、一九九五年
阪東氏の浩瀚な著作は「日露戦争とバルト地域」のテーマに関する基礎文献とすべき作品である。欠陥を言えばリトアニア民族主義の完全な度外視であるが、これは今後のリトアニア研究者サイドの課題とむしろ考えておきたい。いわゆる明石工作については稲葉正晴氏の一連の作品、とりわけ『明石工作』、丸善、一九九六年を参照。

（7）小島亮「議会政策・敗戦主義・ロシア革命―第一次平民社研究序説―」（『日本史論叢』第八号）、一九八〇年ぜひとも参照されるべき関連作品は和田春樹『ニコライ・ラッセル』上下、中央公論社、一九七二年と西川正雄『初期社会主義運動と万国社会党』、未来社、一九八五年である。

（8）因みにアナーキストとして独自な位置を占めるエマ・ゴールドマンは、一八六九年にカウナスで生まれたユダヤ人であった。彼女と大逆事件とのかかわりについては、西川正雄「エマ・ゴールドマンと『大逆事件』」（『現代史の読み方』所収、平凡社、一九九七年）を参照。

付章

セント・ラースロー病院の日々

ブダペスト生活の初期に住んでいた Dimitrov u. 208 のアパート。もともとはペシュティヒデグクート（Pesthidegkút）というドイツ人の村であったが、1950 年のラーコシ時代に「大ブダペスト」計画によってII区に編入された。有名な奇跡のマリアの絵にちなむマーリアレメテ教会の前にある。現在は Máriaremetei u. と通り名も変更されている。Christina Gustafsson 撮影。

I

現在、私はブダペスト市九区のジャーリ通り五番から七番にある都立セント・ラースロー病院にカテーテルを挿管したまま病の床に伏せっている毎日である。

ハンガリーで入院歴を持つ日本人は皆無ではないだろうし、実際、今の病院に、本年の六月一〇日まで町田の若い女性が八ヶ月にわたりウィルス性の熱病で入院されていた。

彼女は旅行者で、まったくハンガリー語を理解されなかったらしく、恐るべき孤独の中、苦悶されたことだろう。病院に送られてきたこの女性の葉書を見せられたところ、Letter of Thanksと書かれた一行を除き、日本語以外のいかなる文字も書いていなかった。

あっさりした文章ではあったが、一種の沈黙は、若い女性に降りかかった異国の災難を雄弁に語るものではあった。

いずれにせよ、何らかのかたちでハンガリーと浅からぬ関係を結び、ハンガリー語の完全なコミュニケーション能力を持つ人物中では、ハンガリーでの入院経験を誇る日本人は極めて稀または皆無であろう。私の文章は、たまたま手元にノート・パソコンが存在する僥倖から書き始めるものであるが、記録というよりも一種の与太話として読み飛ばして下されば幸運である。

文章はまず過去にさかのぼり、次いで時間を追いかけて行く形になるから、本文のあるところから執筆時点と話題に時間的な一致をみることになる。

一九七五年七月一〇日、大学一年生のころ、私は今回ときわめてよく似た病気で京都の病院に入院したことがあった。現在から、四半世紀ほどを前方に倒せば、ちょうどそれは私の人生の終わりくらいの年齢になることになる。とするならば、私は、自己史の中間決算をこのブダペストの病床で瞑想していることになるのだろうか。

実は、私は病院に大変な興味というか、偏愛のようなものを持っている。大学を出て、上京を思い立ち、西川正雄先生の計らいで東京大学教養学部に研究生として在籍させていただいた期間、私は同時にある病院の夜間当直の仕事をやっていた。この病院の思い出は、私にとって一種の「原点」のような意味を今にいたるまで持ち続け、ことあるたびにあの時代と、夜の病院の人々を思い出す。そう、以来私は、自分の中の何かが吹っ切れたし、人間の好悪もはっきりするようになった。

どんな人と出会っても、かつてのクルーたちと一度は比べてみる習慣すらついてしまった。特に、毎日のように思い出すのは、当時の私より数歳年上だった、四国の山奥から出てきた高岡さんという准看護婦さんである。

彼女は、悪くない給料とはいえ、肉体磨耗的な仕事を敢行し、毎日のように夜間当直の仕事を引き受けていた。病院内にちょっとした揉め事が起こり、高岡さんがある夜に別れの挨拶にきて、私も同じ病院を旬日ならず辞めた。それ以来まったく消息を聞かないが、幸福な日々を送っていることだけを祈念している。今になって思うのだが、彼女は連日の激務をこなしながら、自分のアイデンティティを確認していたのである。彼女は自分自身が高熱を出している日も当直についていた。不規則な生活になるため、私も当時、頻繁に体調を崩したものだが、それでも夜間の病院勤務を溺愛していた。

歴史と文学を語り合った日本医大の塚本順先生なども印象深い人である。いつの日か、もう一度あの空間に戻り、ともに時間を過ごした人々と再会することが出来るだろうか。

いずれにしても、「病院」の文字が飛び込んでくると、何となく、私は他人事ではない気がしてならず、社会や歴史を考える単位として、常に念頭を去ることはない。

II

まず、病状の経過を書いておこう。八月の終わりころ、私は国立コシュート・ラヨシュ大学の友人・知人を訪ねようと考え、デブレツェンに行った。ルーマニア国境に近い大学都市で、一〇年前、私が博士候補生としての生活を送った街である。

社会学科は今も私を仲間として扱われ、訪問するたびに研究室も与えて下さっている。

八月三〇日（月曜日）。朝七時の「ハイドゥー・エクスプレス」でデブレツェンに向かった。

昼過ぎ、大学近くの路上で、まったく偶然に青年海外協力隊の日本語講師の畠中さんに会い、夕食に日本人留学生を招待してもよいと約束した。そして、午後六時に行き付けの「オーヴィガドー」というレストランに来ていただいたのであった。私がコシュート大学にいたときは、街中で唯一の日本人であったが、現在は千葉大学と交換協定まで締結していて、一般入学した優秀な日本人学生も在籍されている。

大いに飲んで愉快な一晩であった。そしてその翌朝までは何でも無かったのである。

八月三一日（火曜日）。昼食後、何かしら気だるい思いがしたので、コレーギウムの部屋に戻って寝ていると、泉のごとく猛烈な熱が出てきた、風邪にやられたなと思って、その日はおとなしくすることにした。

翌日もその翌日も熱は引かなかった。私は風邪を引かない性質であるから、おかしいとは思っていたものの、二四年前の病気を即座に思い出すことは困難であった。

九月三日（金曜日）になって、熱が引き始めた。本調子ではなかったが、少しくらいの外出は可能になった。先日来のお誘いをすべてキャンセルしていたので、大学に出かけて、研究室にお邪魔したりした。このまま快復すれば、デブレツェンの街に出て、昔お世話になった人々とも会えるかもしれない。私は市電に乗って、メインストリートのピアッツ通りを少しだけ散策してもみた。

図書館雑誌室にも出かけ、閲覧室で調べものをした。

翌日の四日（土曜日）に、女友達のエーヴァが、ギリシャ料理のムサカを作ってやると電話をかけてきたので、午後一時から訪ねていった。

夕方六時まで、エーヴァの家にいた。激しい下痢も続いていたのであるが、この日は調子よく、もう治ったものと考えていた。料理もおいしく、音楽を聞き、エーヴァの家の庭で快い午後を楽しんだ。

五日（日曜日）。午後二時から社会地理学科主任教授で一〇年来の大友人、シュリ＝ザカル・イシュトヴァーンさんがバルマズウーイヴァーロシュの別荘に車で誘いに来てくれた。

特製バーベキューを焼き、運河でカヌーを漕いで夕方まで二人で遊んだ。実は、シュリ＝ザカルさんは重要な話をいろいろご提案下さっていたのであるが、遊ぶのに忙しかったから、翌日の昼食時に改めて会うことにして、夕方に車でコレーギウムに送ってもらった。

そして六日（月曜日）。午前九時ころ社会学科に出向くと、かつての私の指導教授・知識社会学者のセケレシュ・メリンダは学生のテスト中。宗教社会学の准教授のキシュ・ガブリエラ（ガビ）に午後からまた来ると伝えて、デブレツェン中央郵便局に出かけていった。チャポー通りの中央市場に行って野菜を買い、午前一一時半ころ社会学科に立ち寄ると、誰もいないので、メリンダの机の上に、「昼食後やってくるが、用事があるなら、私は明日ブダペストに帰るからまた来年会いましょう」とメモを残しておいた。

正午、シュリ＝ザカルさんが「オーヴィガドー」でランチをおごって下さった。

ところが、メニューを選択している途中から明らかにおかしくなってきた。気が遠くなるというか、激烈な熱発が再来し、彼との相談もきちんとできないまま、またもコレーギウムの部屋で寝込むことになってしまったのであった。

午後三時ころ、起き出して研究室の鍵を返しに社会学科事務室へ行った。明日の朝、ブダペストに戻るため、社会学科の皆にも挨拶をしておかねばならない。というので無理をして出かけたところ、秘書のイボヤが私の顔を見るや血相を変え、額に手を当て、すぐにメリンダに電話してくれた。

あいにく、メリンダの知り合いの医師がつかまらないとのことで、社会学科研究員の若い女性が自家用車でデブレツェンの救急センターに連れていってくれた。簡単な検査の末、扁桃腺肥大症の診断がなされ、センターで出してくれた処方箋をもって扁桃腺治療薬と下痢止めを薬局で購入し、コレーギウムの部屋に戻り、これで一件落着のはずであった。

これからが私の責任である。翌日ブダペストに帰るので、夕方、畠中さんや他の留学生にリトアニア料理を作る約束をしていたのであった。結局、救急センターに出向いていた時間に肉を買うことが出来なかったから、無理を承知で「オーヴィガドー」に繰り出したが、これがいけなかった。前回と同じである。もういいだろうと勝手に思い込み、ビールに手を出してしまったのである。二四年前も、ビールを飲んでしまって、その夜から倒れてしまったのであった。

今回は、晩まで何とか持ったのであるが、明くる七日（火曜日）の朝は破局的な体調であった。いずれにせよ、早朝の「ウィステル・エキスプレス」に乗り、ブダペストに戻って、予定通り九日の飛行機で帰国せねば日本の仕事に間に合わない。ほとんど私は、放心状態であったけれど、これだけをやっと考えて、午前五時に起床してシャワーを浴び、体操まで試みた。午前六時一五分に、コレーギウムをチェック・アウトし、六時五九分デブレツェン発の「ウィステル・エキスプレス」にほうほうの体で乗り込んで、ブダペストに向かったのであった。もう荷物を持つ力もなくなったのだろうか。

列車に乗っている途中から、尿がまったく出なくなった事実に私は気づいていた。

これはまずいなと思いながらも、九時三〇分ころにブダペスト西駅に到着するから、市電で一〇時にはハンガリー外務研究所に着き、その後、友人のアティッラさんに救急病院に連れて行ってもらうことを当てにすることにした。私は腐ってもリアリストであるから、モスクワ広場の切符売り場で三日乗り放題の券まで購入したのである。明日はブダペスト中を走り回らなければならないのだ。ともあれ、外務研究所にふらふらになりながら到着し、秘書にアティッラさんに電話をしてもらって、一一時三〇分ころ、研究所まで来てもらった。即刻、近くのセント・ヤーノシュ病院に同行してくれることになった。

セント・ヤーノシュ病院は、モスクワ広場から五六番の市電で三つ目のところで、研究所のあるブダジョンジュからはさらに近い。私のブダペスト時代の住居はマーリア・レメテにあったから、毎日この病院の横をバスで通っていたのであった。

まず内科に行き、女医さんの問診の後、泌尿器科に回された。ここの中年の医師はひどい男で、尿を出さない限り、一切治療をしないと言い出したのであった。尿がまったく出ない患者に尿を出せとはむちゃくちゃであるが、すったもんだの挙句、爆発寸前の膀胱にカテーテルを挿管してくれたのは、なんと夕方の五時過ぎだったのである。

やっと内科に戻り、最初に診察して下さった女医さんが、私を一瞥して入院命令を即座に出された。「今日帰れませんでしょうか。明後日、日本に戻り働く必要があります」と言うと、彼女は「もうだめですよ。絶対に動いてはなりません。帰国はあきらめなさい」と答えたのを記憶している。

こうして、私はセント・ヤーノシュ病院内科の相部屋に、老人三人と一緒に泊まることになったのであった。これが、ハンガリーでの入院の第一日目であった。

当夜はまたひどかった。夕方にカテーテル挿管をしてくれたものの、すぐに抜かれていたから深夜から猛烈な尿意が襲ってきた。ヌーヴェール（看護婦さん）にいくら訴えても、当直医の許可がない限りは何も出来ないの一点張り。その当直医が、急変患者に付きっきりなのであった。

数回はヌーヴェールに訴えただろうか。明け方にカテーテル挿管が行われ、何とか平和が訪れた。翌日は、高熱を発していたから、夢現のまま、病室で寝ていた。

昼ころ、アティッラさんと息子のアールパード君が病院に来てくれ、女医さんの推薦で、より安定した治療ができる南ペストのフェレンツ・ヴァーロシュにあるセント・ラースロー病院に転院をすることになったのである。まったくの偶然がここであった。アティッラさんとも昔から深い関係にあり、私もお世話になったハンガリー現代史の生き証人・スーケ・パールさんが、私の隣の病室に入院してこられたのである。スーケさんは、ドイツ占領下のレジスタンスをバイチ＝ジリンスキ・エンドレとともに闘い、ユダヤ人逃亡を援助なさった英雄である。ソ連占領下では、一時期、ナジ・フェレンツ首相の近くにあり、エステルゴム県知事として占領軍当局と丁丁発止の交渉にあたられた。スーケさんは戦前のトゥラン運動にも深いかかわりを持ち、八〇年代に日本に内田吟風教授と会われたことがある。当方も歩くか歩けないかの状態なのでご挨拶は控えたが、ドアから八五歳のスーケさんの姿を覗うことができた。

このあたりで、一つの空白が私の記憶にある。セント・ヤーノシュ病院を出る時点で、自費治療代と、転送救急隊の実費を渡し、アールパード君にマスター・カードからのキャッシュ・アップを頼んだまでは記憶が残っているのだが、救急隊は、直接セント・ラースロー病院に運んだのではなく、途中に、どこかの検査施設に立ち寄り、そこでCTスキャンをしたらしいのである。CTスキャンの件は、ほんの少し記憶しているし、今回の病気を通じて唯一の英語での問診が行われたのは、この場所であったかとも回想するのである。

質問は、簡単な内容で、「あなたは最近トランシルヴァニアまで旅行しましたか?」程度であったと思う。私は、「いいえ、デブレッツェンまでしか行っていません」と答えたら、医師は、「あなたの病気にトランシルヴァニア脳膜炎の疑いがかかりました。いくつか似た点があるので厳重注意です」と言ったはずである。

某所でのCTスキャンの件が問題になったのは、セント・ラースロー病院に来てからの話であった。主治医になって下さったプリンツ・ゲーザ先生が、CTスキャンの写真を見る必要があると考えられ、アティッラさんが散々苦労の末、それらしき検査施設の場所を突き止めてくれたものの、担当課の電話番号が極秘になっているらしいのであった。

アールパード君とははぐれてしまったが、セント・ラースロー病院に到着し、二二八号室に体を横たえた。しばらく後に彼も着き、救急隊員が「四五分近くも待っていた」とアールパード君に話していたのを記憶している。この中年の心やさしい救急隊員は、その後二回、セント・ラースロー病院に来るたびに私の病室に病状を聞きに来てくれた。

かくて九月八日（水曜日）、帰国予定の前日、私は一八九四年に創立、中世ハンガリー国王の名前にちなむ都立セント・ラースロー病院の入院患者となったのであった。

III

セント・ラースロー病院に転院してから、高熱のためか、当初の記憶は少しばかりあいまいである。一一日（土曜日）の夕方、アティッラさんが見舞いに来てくれ、ヴェランダで、ハンガリーのフットボールについて話したことを覚えているのが、唯一のはっきりした記憶で、一日か二日くらいの記憶に空白がある。アティッラさんが来てくれたとき、当日を日曜日と誤解していて、いや今日は土曜日ですと修正された記憶も残っている。

自分では、完全に意識が明瞭なつもりでいたけれども、客観的には夢のうちにさまよっていたのだろうか。

ところで高熱のせいであろうと思うが、三日ほどのあいだ、私が見ていた白昼夢について記録しておこう。

私は友人の別宅で転地療養しはじめた様子なのである。この友人は医師で、六〇歳くらい、映画『利休』に主演した上条恒彦に似ている。私がこれまでお世話になった医師の誰かに面影が似てないわけではないが、設定は私の友人になっている。彼によれば、私は基本的に詩人であり、彼もリタイアしてからは、詩を読み、文章を書く毎日を送り、山海の珍味を一緒に賞味すべく、私といろいろ相談している。

病床近くには、スウェーデン人の女友達・ペチャとスウェーデン人の看護婦がいる。彼女はセント・ラースロー病院のヌーヴェールであるオーベルト・エリカに似ている。

私がものを考えている言葉はハンガリー語とスウェーデン語である。

医師とペチャと私を交えた会話は、英語であるから、この夢の中の友人医師は英語に堪能でもある。ペチャは、チェロを持ってきたので、彼女の得意な曲を弾いてくれたりする。

そのうち、私たちの話題は死者たちに向かっていった。私の人生で出会ったもっとも重要な日本人のうち数人は世を去ってしまったのである。高校時代の友人・今は亡き淡井敏夫のことも話になったが、郷土史家・山崎清吉先生と『生駒新聞』社主・西本喜一氏というかつての恩人たちのことが議論の中心になった。私の高校生時代、奈良の郷土紙『生駒新聞』に生意気な文章を書いていたころ、このお二人は私を育てて下さったのであった。

今一つ頭を去来したのは、江藤淳氏についてである。私が日本を飛び立つ少し前に奥様を追って殉死された江藤氏について、私はそれなりに衝撃を受けていた。

ロンドン行きの飛行機の中で氏の遺作『妻と私』の掲載された『文藝春秋』を読んだし、『生駒新聞』の今一人の関係者であった吉田伊佐夫氏が、慶応大学出身で江藤氏の直接的な影響を受けられていたことも夢と関係がある。吉田氏のお宅や高山八幡宮の山崎先生の部屋には江藤氏の著作が置かれ、そのうちの『夏目漱石』や『夜の紅茶』を私も読んでいた。江藤氏が奥様を追われる直前までカテーテルを挿管されていたことも、同じ境遇であった私の強い関心事になったと思われる。

友人医師と私との話は、結局、まず恩を受けた死者たちの骨を拾い集めるしかない、ということと、私が地方史研究のヤング・ラディカルズ時代に予想していたのとは異なり、奈良の地方史研究は在野研究ということでは壊滅したようだから、これをたてなおす必要があるのでは

セント・ラースロー病院見取り図

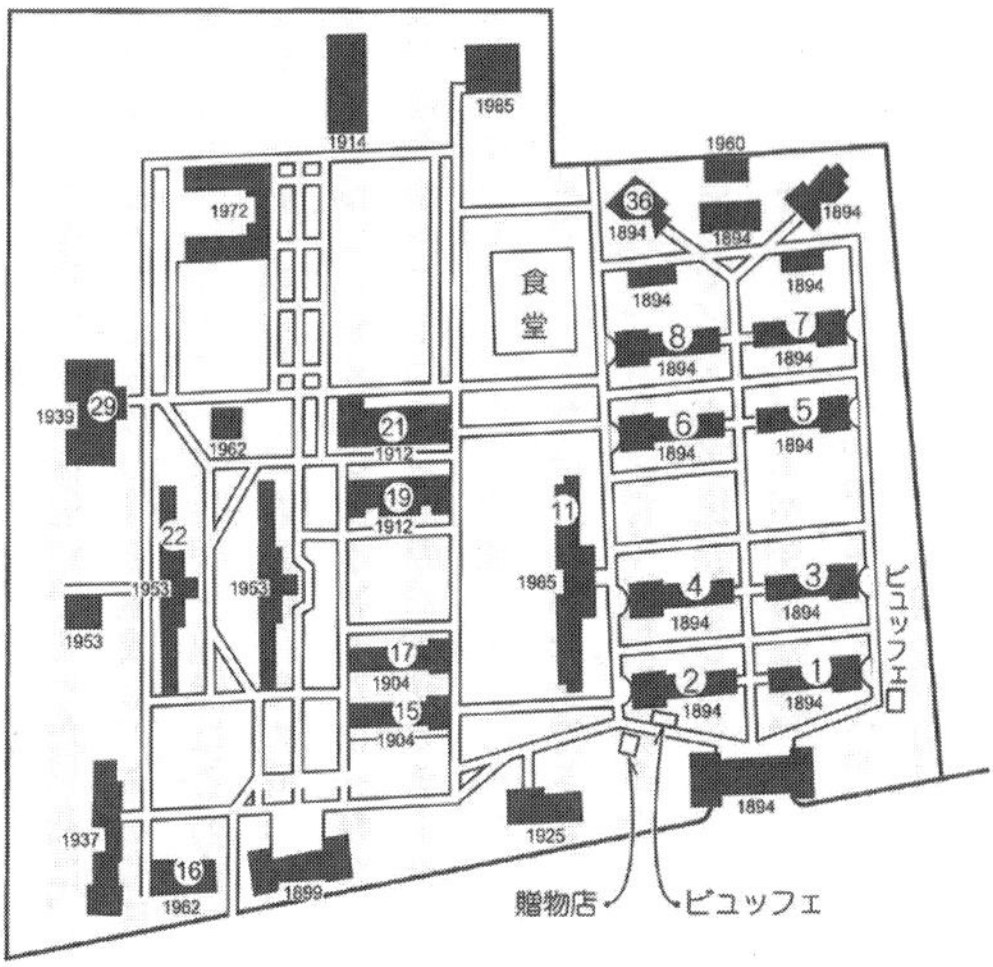

①小児救急科
②小児 ICU
③成人救急科
④成人 ICU
⑤第 3 内科
⑥第 6 内科
⑦透析
⑧ホスピス・眼科・皮膚科
⑪パヴィリオン（第1、3、4、6 内科　第 1 小児科、神経系疾患特別病棟）
⑮第 2 小児科
⑯患者事務部
⑰第 5 内科
⑱コンソレーション治療法援助科
⑳産婦人科
㉑外　科
㉒第 1 小児科・第 5 内科
㉙耳鼻咽喉科・第 2 内科
㊱病理学棟

※注：病棟の科名は病院入口に掲示された地図による。ただし、若干の誤りがあり、その部分はプリンス先生の示唆で改めた。番号のついていない建物は病棟でなく、行政関係か研究部などである。
　創立時の伝統的建築、スターリン＝ラーコシ時代の疑似監獄風病棟、カーダール時代のモダン建築など、病院内にもハンガリー現代史の記号群が満ちている。なお地図に付された年代は建築年を示す。

ないかということに落ち着くようになった。日本に戻ってから一度訪れた奥吉野の上北山の風景が、生駒や秋篠の風景とも交差するようになったが、友人医師の別宅は、大和高原のどこかであったろう。

私には日本人医師の友人がいるが、彼は夢の中の医師とはかなり異なるキャラクターをもった愉快な人である。医師は、いろいろな友人を寄せ集めた幻影であったのか。

熱が消え、ベッドに横たわっている自分を客観視できるようになるに従い、やがて医師の姿は消えていったが、この白昼夢のメッセージは確かに受け取ったのであった。

ところで、外国での入院生活で思い出したのは、井上靖の長篇『化石』である。あれは、フランスで癌に倒れ、同時にある日本人女性の幻影を病床の友とした会社社長が、病気から回復し、日常生活に戻って、幻影のモデルとなった女性とは、きれいに交友を謝絶されるまでを描いた作品であった。私の場合、外国といっても勝手知ったる国であり、死病ではない上、間違っても日本女性の幻影だけは登場しない自信を持っている。問題は、『化石』のラストで、もし私なら、病中の「心の友」をいつまでも追い払うことはないだろう。たまに会ってはおいしい料理に手塩をかけることだろう。

一三日（月曜日）からの週は、従って、入院患者としてのはっきりした自覚ができた時期になるが、院内の歩行を始めたこともあり、自分を取り巻く位置も把握できるようになった。まず、入院中の病棟であるが、第一一号館（パヴィリオン）というおそらくカーダール時代の建築物である。二階（日本的には三階）の私が入っている三人部屋の神経系疾患特別病棟二二八号室は、当初、向かいにおじいさんがいたはずなのだが、いつのまにか私一人になっている。

その夜半に、中年女性が、担ぎ込まれてきて、体中から出血していた様子で、夜通しの治療が続けられていたが、翌朝には、安定状態となって別な部屋に運ばれていった。

一四日（火曜日）からは、隣のベッドに若い女性が入ってきた。付き添いの母親との会話を聞いていると、この女性は、学校に関係した人であるようだ。

朝のプリンツ先生の回診で、約一週間便秘状態にあるので、何かの対策を講じてほしい旨を伝えたら、昼食後にスプーン三杯の水飴状の下剤を与えられた。

一五日（水曜日）から便通が始まった。私は、体外に現れた排泄物の量とおそらくまだ体内に残っていると思われるものの量を比較し、あと二日くらいの計画でこの便秘問題は解消だなとほくそえんだものであった。ところが、地獄はこの夜から始まった。下剤が効きすぎ、激烈な下痢に転じたからである。深夜の一時前には、私の計算では、すべての排泄物は一掃されたはずであるが、それで治まりはしなかった。排泄物または一種の粘液の猛攻撃が、夜明けまでに数回あり、そのたびに飛び起き便所に走ったものの、尿管カテーテルを付けていることも与って、自分をコントロールできなくなってしまった。

私は、制御できなくなった下半身を押さえながら、便所に駆け込みつつハンガリー語で自分自身に呟きつづけた。「いいだろう。いいだろう。ちょっとまってくれ。すぐに便所に到着するから！」。しかし、ベッドやパジャマは汚物まみれとなり、おまけに、便所の床にも排泄物は散乱した。

いちいちトイレットペーパーで掃除せねばならないから、もうやけくそであった。丸裸を決め込み、朝ヌーヴェールにベッドとパジャマを代えてもらうことにした。

一五日（水曜日）の昼間に、向かいのベッドに中年男性が入ってきた。気のよさそうな背の低いおじさんで、奥さんのつきそいによる歩行入院であった。その夕方、再び、アティッラさんが見舞いに来てくれた。明日の午後二時にカーロイ・ガシュパール大学のラチコーさんとマーテーさんが辞書編纂の件で病院に話に見えるという。アールパード君は扁桃腺をやられ大学に行けず、スーケさんは、セント・ヤーノシュ病院で金曜日に結石の手術をするかどうか判断が決まるという。

一六日（木曜日）。エーヴァに洗濯を依頼する。実はエーヴァを掃除のおばさんと誤解して頼んだのだが、彼女は嫌な顔一つせずやってくれたのだった。

相変わらず容赦なき下痢が続き、当初から数えるともう何日も一切の食物を取っていな

神経系疾患特別病棟見取り図

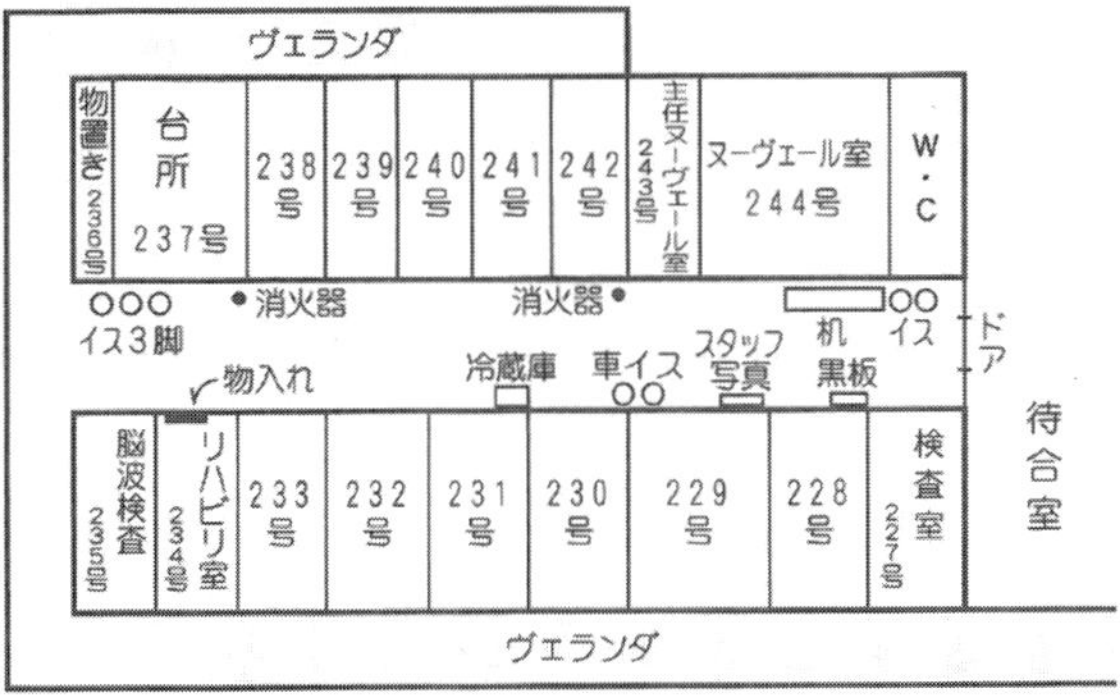

い。ラチコーさんたちが来るときに醜態をさらさなければよいが、とばかり考えていたら、午後一時ころヌーヴェールが入ってきて、男子部屋に空きベッドができたのでそちらに今すぐ移ってほしいと言い、そそくさと私の荷物を移動し始めた。ヌーヴェールの部屋から朝「リオの熱が引いて容態は安定しているよ」と話しているのが聞こえていたのは、転室の相談だったのか。私のいた二二八号室は監視病室であり、それで男女相部屋であったらしい。部屋を移動したら、ややあって同じ部屋にいたおじさんも隣のベッドに移ってきた。この二二九号室は五人部屋で、向かいには、若い人が二人と気の難しそうな年寄りが一人寝ている。向かいの真中の若い人は、荷物をたたみ、シャワーに入ってきたと思いきや、すぐに退院していったので、四人のメンバーということになった。

午後二時過ぎ。アティッラさんとラチコーさん、マーテーさんが来訪。辞書編纂、カーロイ・ガシュパール大学での客員教授の件や日本語図書の収集などの件に付き一時間半ほど話し合う。

ハンガリー研究者としては私は頼りない与太者であるが、辞書の話も引き受けようと即決した。

どうせ事務的なことはまったく苦痛にならない性分だし、角川書店の『世界史辞典』の経験も何かの役に立つかもしれない。ハンガリーで病を得、こういう機会が出来たのは「神の言葉」なのだろう。もしかしたらセント・ラースローの命令かもしれない。私は何人かの日本人側編集委員の候補を上げ、ハンガリー側の編者と資金問題をラチコーさんとマーテーさんに問い、退院後すぐに行動を起こす約束をした。ラチコーさんは、おみやげに彼自身の苦心になる良寛の俳句集と松尾芭蕉の俳文集のハンガリー語訳本を持ってきてくれた。美しい小さな本で、よくぞこんな厄介な日本語を訳したものだと感心しながら、さっそく何度も読ませていただいた。

一七日（金曜日）。午後五時ころ。アティッラさんが再び見舞いに来てくれた。聞けば、ヴァーシュ県の田舎にいるお母さんも容態が悪くなり、週末に家まで帰ってくるという。

アールパード君は全快したが今度は妹のキンガが風邪にやられたらしい。スーケさんのこともあり、アティッラさんにも災難続きで本当に申し訳ない思いがする。考えれば、一五年ほど前、まだ私が病院当直の仕事をしながら東大に行っていたころ、アティッラさんを韓国人留学生の李鐘久さんを介して知り合い、それがハンガリーへの私の接近の第一歩を作ったのだった。今になって思うが、ハンガリーへの興味は私の人生でありえたけれども、ハンガリー留学以降の道程は、彼と知りあう中でのみ作られたのだ。

V

下痢の愁訴も、薬によるものとしてなかなか聞いてくれなかったが、金曜と土曜の二日間お茶に薬を混ぜて出してくれ、一八日の朝食から可能になった。また紙オムツと軟膏も出してくれた。

「赤ちゃんに戻ったのよ」とヌーヴェールのアンナマーリアがそれを渡してくれた。気の難しそうな年寄りは、退院するようだ。

横のベッドの人はヤーノシュといい、チェペルの船工場で働いている。彼によると、チェペルの病院はひどいもので、患者が次々と死んで行くため、奥さんの伝でこのセント・ラースロー病院に入院することが出来たのだという。向かいの窓際のベッドにいるフェレンツは、この病院食堂のコックさんで、神経を病み、一睡もできない悪夢の日々が続いている。一六日に面会にきた彼の兄らしき人の方がもっと病人に見えたが（居合せたマーテーさんも「どっちが病人？」と洩らしたものだ）、内臓疾患を加えたのを潮時に、この病棟の人となったとのことである。彼は大食漢で、だいたい一般人の三倍の食事量が必要である。職場が目の前にあるので、いろいろな食い物を調達してきては食いまくっている。ヤーノシュもフェレンツも無類の善人で、私がまったくものを食べないのを心配して、親切な忠告をしてくれる。ハンガリー人はまず兵役時代に健康管理法を教育され、家庭内では日本のような子育ての性分業が固定されないためか、男性でも栄養や病気の知識が実に豊富である。二二八号室で隣にいた女性ともヴェランダで会った。

彼女はカタリン（カティ）という太陽のような笑顔を絶やさない心やさしい乙女であった。

一九日（日曜日）。昼食後、「一人部屋が空いたのでそちらに移す」とエーヴァが宣告し、すぐに持ち物を二四一号室に移動させ始めた。

これで、深夜に便所を求めて走り、音を立てて同室者を起こす可能性がなくなったが、心やさしいヤーノシュたちと別室になり寂しくなると思った。

さて、病室の風景と、病院生活日誌のようなものをここで特記しておこう。私の場合、三種類の病室に入り、基本的に生活リズムに違いはなかったことからして、セント・ラースロー病院神経系疾患特別病棟の入院生活をほぼ正確に記録できると思われるからである。

朝六時ころ、ヌーヴェールが見回りにくる。私の場合、カテーテルが挿管されているから、尿の袋がいっぱいならそのときに取り替えてくれるし、汚物にまみれていたときの処置も実行される。

ただし、私が愁訴しないとならない。さもなくばナース・コールを呼ばない限りは機会を逃すことになり、いちいち自分からベッドを点検することはない。

朝の食事の配給は、八時三〇分くらいにヌーヴェール自身によって行われる。このとき、掃除のおばさんが、大きなポットにミルクコーヒーか甘い紅茶を一日分作って持ってきてくれる。朝食時に一日分のジェムレ（ロールパン風のもの）を三個配られるが、この保管は各自に任される。

ジャム一個か、ウィンナー・ソーセージ一本、ゆで卵一個かチーズ一枚あたりが朝食メニューの相場で、三個のうち一個のジェムレを各自が食べることになっている。

食後の薬は、ヌーヴェールがテーブルにパーンと音を立てて裸で置いて行く。次に九時ころから掃除のおばさんが入ってきて、病室・シャワールーム・便所を掃除する。神経系疾患特別病棟にはピロシュカとテーヴェというおばさんが交代できていた。相部屋の場合も個室の場合も、シャワールームや便所は部屋の中についているので廊下を渡ってそういう場所に行く訳ではない。

人によって時間のズレはあったが、私の場合は九時ころから点滴が約一時間または二時間行われた。一一時ころに医師の回診があり、ここで簡単な体力テストをし、愁訴を聞いてくれる。医師のスタッフは常勤が三人。科長はカーリ・ファーヴォル先生、私の主治医のプリンツ先生、それにブダイ・ヨージェフ先生である。前の二人は医師らしい医師。一番若いブダイ先生は、独自な自由インテリ風の雰囲気を醸す人で、病室を出て行くときに「敬愛する紳士の皆さん、それではごきげんよう！」と必ず付け加えるのを忘れなかった。

回診が終われば一二時半くらいにランチが待っている。昼食がメイン・ディナーであるのはハンガリー社会の習慣で病室でも変わりない。スープ一品とパスタかジャガイモ料理にハンガリー料理を付け合せたもの（これはハンガリー料理の正式の食べ方と同じである）で、下痢食の場合はこれにデザートがついた。

この昼食が実に美味いのである。ハンガリー人は、私見によるとヨーロッパ最大のグルメであり、ハンガリー料理は人類の生んだ最高傑作とすら考えるものであるが、病院食も決して手は抜かれていない。セント・ラースロー病院全体でもっとも立派な建物は実にキッチンと職員食堂なのである。先述のフェレンツが病院のコックさんであることは皆が知っていて、掃除のおばさんも「今日はどんなおいしい料理が出てくるの？」などと話題にしている。私が何も食べないとき、アンナマーリアが同室患者に、「リオにスープだけでも食べさせてよ。どんな料理だったの？」と言ったことがあった。彼女はスープの種類を聞いたのだが、気の難しそうな年寄りがすかさず「スープ？ とても美味かった」と答えたのであった。ハンガリー人の真骨頂ここにありと言うべきか。

下痢症状が始まってからは、水分の多い料理が出てきたが、これも特別な病院食でなくある種の立派なハンガリー料理であった。

午後は、私に関しては完全な自由時間。カテーテルと下痢のためそんなに動けないから、ヴェランダを歩く程度で、昼寝をすることも多い。体力が弱りきっているためか、昼寝がまた何ともいえぬ至福の醍醐味なのである。

五時半ころに夕食。だいたいはパックに入ったパプリカ半分とパーリジ（ハムの一種）とヨーグルト一個（下痢食の場合はパーリジのみ）を配布される。これで朝のジェムレはおしまいとなり、薬を飲んで、食器を洗い夕食は瞬時にして終わる。

夜の回診はだいたい七時半から八時半に夜間当直医と当直ヌーヴェールによって行われた。これも簡単なもので、だいたい一〇秒で終わり。一日は終了する。あとは、どんな寝方をしても基本的に自由である。フェレンツはどこかを夜間徘徊していたようなのだが、本人の愁訴で夜に注射が行われたのが一回あるのを覚えているだけである。

自由では、私の感じた唯一の問題は喫煙であった。入院患者はどうやら吸いまくっているようであり、ヴェランダから火のついた煙草を捨てるため、庭が吸殻で埋もれている。

ヌーヴェールは二交代制である。そもそもハンガリーは朝社会であるのだが、午前七時からの一二時間労働を一一人のクルーで巡回させている。当直は二人のヌーヴェールによる午後七時からの一二時間勤務である。キシュ・エリカのような当直のみの人もいる。

二〇日（月曜日）の朝、脊椎に薬品を注入され、二時間の安静の上、注射と血液採集があった。午後三時ころエーヴァがやってきて、今からカテーテルをはずすと宣告するや、間髪を入れずそれを抜き、「いまもうこれは悪くなっているよ。自分で尿を出してみなさい」といって風のように去っていった。果たして、約二週間ぶりに自分の意思で尿が出たのであった。午後四時ころにアティッラさんが来てくれ、プリンツ先生と三人で帰国までのだいたいの日程について決める。プリンツ先生は週末くらいまで入院を続けたほうがよいとの意見であった。アティッラさんのお母様の具合は一応大丈夫のようだ。彼は、ここに来てくれた足ですぐに他の用事に向かう忙しさであった。

この夜、カテーテルなしの第一日目。変な尿の出方がするので、ほとんど眠れなかった。

VI

二一日（火曜日）。先日保険会社からかかってきた電話が気になっている。それによれば、金曜日に介護者付きで日本に帰国し、飛行場から救急車で即座に日本の病院に入院することになっているらしいのである。まさに寝耳に水で、大慌てをするはめになる。

アティッラさんに保険会社にファックスを出してもらい、過保護不要を伝えようとも考えたが、彼の電話番号を書いた名刺を、昨日、現金と一緒に保管を頼んだ荷物の中に入れてしまっていたのである。結局、プリンツ先生の回診のとき、「保険のことはこっちに任せてゆっくりしてなさい」と言われて落ち着いたが、保険会社の手回しがよすぎる。

本日の点滴はなし。歩行練習をするも、昨夜ほとんど寝なかったため、一日中気だるいうちにくれた。

二二日（水曜日）。点滴の針が少し痛いから、なくなったのはうれしい。点滴の主成分はブドウ糖溶液か生理的食塩水であろうが、経口投薬に依存するのは、健康体になりつつあるサインに他ならない。歩行練習の反動で、膝関節が痛む。足の筋肉が消え纏足状となり、腹の贅肉が残る歪な姿であるが、回復は時間の問題であろう。

午前一一時ころ。ブダイ先生に伴われて、保険会社のハンガリー側エージェントであるS.O.S HUNGARY のフェルカイ・ペーテル氏がお見えになった。氏は、ご自身が医師で、体制転換後、この仕事に就いたと自己紹介された。私が昔、『ハンガリー事件と日本』という駄作を執筆したことをアティッラさんがプリンツ先生に話したらしく、今では病院中がその話を知っているようだ。

フェルカイ氏もその話をご存知で、氏のご尊父が一九五六年革命時の救急医療についての本を自費出版しているので今度一冊進呈しますとご好意を示された。氏との会話で、保険関係の問題は病院費用に関しては解決したことがわかり、先日のプリンツ先生との話し合いのように退院日程を立てている旨をお伝えしておいた。

フェルカイ氏の帰られた後、カーリ先生とヌーヴェール数人の問診があり、冗談を連発したので大笑いとなる。午後三時、さらに保険会社から電話があり、一〇日前に送ったはずの緊急委託状と初見病状報告が到着していないこと、二日前に送っていた航空券写しも未着であることを知らされた。

アティッラさんに渡したファックス番号の国際電話番号がフランスでなくアメリカ合衆国であったのに気づいたのは昨日であったが、どうやら保険会社のヘッドクォーターに間違えてファックスを送付したみたいなのである。今朝のフェルカイ氏のレポートがすでに到着したと断られた上で、（1）退院後は保険会社の委託医療機関の管轄になるので、過保護対策の件は諒としてほしいが、プリンツ先生や私の決定は完全に理解した。（2）帰国運賃とブダペストでのリハビリ代金も立替形式で保険の対象となる可能性が大きい。（3）仮に帰国にトラブルが発生し、特別なサポートを要し、その費用が保険対象額を超過する場合、自費で支払う旨の念書を書いてほしい。（4）診察記録（カルテ）の全文を保険会社に送ってほしい。以上の用件を伝えられた。私は、再確認のため保険会社フランス代表部のファックス番号とご依頼の内容を今一度まとめた文章を当方にファックスしていただきたい旨を依頼しておいた。病気が私の主観よりは重篤であった事実もこの電話で初めて知らされた。午後四時三〇分ころ、歩行練習を始めていると再びアティッラさんと庭で会う。

アイヴァン・イリイッチとミシェル・フーコーを読みなおしたい心境になったと言いながら、ビュッフェでプレッソ・カーヴェを飲み、マッシュルーム入りホットサンドと水を買って、部屋に戻る。

彼はついに謎の検査施設を突き止め、ＣＴ写真を手に入れて来てくれたのであった。それはヒューヴォシュヴォルジュ通り一一六番にある国立生理学・神経学研究所であった。この住所ならセント・ヤーノシュ病院からも遠くない。私が夢のうちにさまよいながら、この場所を特に記憶していなかったのは、セント・ヤーノシュ病院内の施設であると錯覚したからであろう。

退院は週末でもよいが、来週月曜日午前中のほうが安全性からいってもよいことと、病室に余裕があればプリンツ先生も賛成されるとはアティッラさんの示唆である。

またアティッラさんは、帰国便のストップ・オーヴァー地点は、私の親友がいる国、たとえばストックホルムのオーランダ空港を選択するのが実践的ではないかと言ってくれた。これは杞憂で、その必要はないが、わが友人たちを少し思い浮かべる。

バーミンガムのロレーヌからロンドン・ヒースロー空港まで片道三時間の距離。スウェーデン北部のヤムトランドの山奥にこもっているアンネリにいたってはエステルシュンドに出るだけで大事である。現在マルメに住むクリスチーナからコペンハーゲンのカストラップ空港までの一時間も頭を掠めた。他の用件もあったのでスウェーデンのペチャにだけは体調を崩し入院した事実をファックスで伝えたが、ほかの友人にはこの件は秘密にしておこう。帰国便はまずブダペスト・フェリヘッジ空港を午前に出発し、日本の空港に午後の遅くない時間に到着することだけである。これは健康体の場合でも私が極力そうする旅行術に他ならない。ヨーロッパ内の所要時間は、最も遠いヒースロー空港を選択する場合でも二時間なので、おそらくストップ・オーヴァー地点はどこでも構わないだろう。保険会社との電話の件を話し、二日前両替を頼んでおいた現金を退院時のヌーヴェールへの謝礼金用、雑誌〝REGIO〟購読代金、何冊かの本の購入代金とアティッラさんの立替代金に別けた。

日本の大学のこと、私が大学にまったく向いていない人間であること、ハンガリー社会のポテンシャルについて、ついでに、戦前ハンガリーの歴史学者・セクフュー・ジュラとハイナール・イシュトヴァーンについてしゃべった。

この二人をそのうち研究したいので、博学のアティッラさんの知恵を借りたわけである。

日本研究で知られるライシャワーは、誰もがハーヴァード大学出身だと誤解しているものの、それは大学院の話で学部はオーヴァリン大学出身が正しく、そこで彼は亡命後のハンガリー近代社会科学の英雄ヤーシ・オスカルの薫陶を受けている。

これは、『ライシャワー自伝』を読めば出てくるエピソードなのであるが、ハンガリー研究者サイドはそんな本を読まないし、逆にライシャワーの読者はヤーシをまったく知らないので日本では無名の事実に過ぎない。物知りのアティッラさんですらご存知でなかった。彼はシカゴ大学の社会心理学者のチクセントミハーイ教授についてはよく知っていた。私は初めて知ったのであるが、この長めの名前はセーケイ人名であるらしいのである。

長話を恐れ、アティッラさんにシュリ＝ザカルさんからもらったバスク大学でのイポイ・ユーロレギオ研究報告の英文概要を読み終わったので差し上げた。

午後七時ころ、カティと廊下で会う。彼女を学校関係者であると予測していたと述べたら、果たせるかな、ブダペストの高校のフランス語とハンガリー語の先生であった。甲状腺に問題があり、来週いっぱいの治療が必要だと言う。そうしているとヤーノシュが戻ってきた。彼とは午後にちらりと会い、家族写真を見せてもらっていた。二人に日本の住所を教える。

午後八時。ヌーヴェールにインタヴューをする。アンナマーリアと慈母のようなキシュ・エリカが応対してくれた。本文の内容がきわめて正確なのは、このときに固有名詞や事実関係を再確認し、原稿を訂正したからに他ならない。

第一一号館はまだ築一〇年に過ぎず、カーダール時代以降の建築であるとのことである。九〇年代初期の建築は、設計や資材を旧体制下のものを用いたため、見かけよりは新しく、典型的なカーダール時代建築風を呈するだけであるらしい。そう言えばコシュート大学のナジエルデイ・コレーギウムなども新築の割には古ぼけていることを思い出した。

セント・ラースロー病院はブダペストの都立病院では最高水準の医療内容を持つとも話してくれた。神経系疾患特別病棟の総ベッド数は二二。ヌーヴェールの養成は、四年間の中等専門学校で准看護婦資格、その上二年間の専門学校で正看護婦資格がハンガリーでは取得でき、旧体制下ではさらに補助看護婦資格なるものも存在したが、これは国際水準に合わないので廃止されたと教えてくれた。看護学ヒューイシュコーラ（専門大学）もある。ヌーヴェールの賃金は絶望的に低く、二交代制労働も過酷である。ハンガリーの場合、さらに医師の賃金が信じられないくらい低いと彼女たちは言った。

昨日、お世話になっているヌーヴェールのお名前を聞いてみた。彼女は「イルマ・ヌーヴェール・ヴァジョク（私はシスター・イルマよ）」と誇らしく大きな声で答えてくれたのであった。

Ⅶ

二三日（木曜日）。今日は昨夜からの計画を実行した。私服に着替えて街に少しばかり出かける冒険である。今朝はいくら努力しても便通がないが、これは昨日までの下痢で出るものが出尽くした上、昨日分は正常な位置に留まっていると好意的に判断した。

しかし、突然の事態もありうるから紙オムツを装填した。午前一〇時。早目の回診後、ナジヴァーラド広場から地下鉄三号線でフェレンチィエク広場に出て、ヴァーツ通りに向かう。絵葉書、二冊の本、切手と紙を買って、すぐに戻ってきた。別に問題はなかったが、トイレについての悪い記憶が残っているだけに、異常がないのを奇としたからである。

帰り着くや、絵葉書を一八枚書いた。あて先はデブレッツェンのハンガリー人の友人たち、スウェーデンのペチャ、モンゴルのウラナや韓国のジンヒーなどである。

次に昨日届いた保険会社からのファックスを検討した。いくつかの質問を書き出し、未着らしき文書をそろえておく。

もしアティッラさんが来訪したら、これを託せばよい。ペンを持つ手つきは、かなりしっかりしたものになってきた。

昼食後、ぐっすり寝込み、夕方まで読書。夕食が足りないので、ビュッフェで食料を買い出し、大盛りのコールド・ディナーを作る。さすがに食いすぎたので、腹ごなしに一時間近く病院内を歩いた。ちょうど夜間当直の出勤時間のため、アンナマーリアを遠くで見た。

どうやら彼女は連日の当直となるらしい。何と粗末な服を着ているのか。ヌーヴェールの給料は絶望的よという昨日の話を思い出した。歩き疲れて、ベンチで休んでいると、隣室のモルナールが友人に連れられて散策していた。彼女は、脊椎カリエスで、もう二五日間も入院している。二三九号室にいるポツダム出身のドイツ人で、ハンガリー人と結婚しているという人とも出くわした。

二四日（金曜日）。ちっとも寝れず困ったものだ。午前七時、ビュッフェに買い出しに行くと、前に二四一号にいたという男性と会った。彼は私が部屋を替わった夜、自宅で再び容態が悪くなり、皮肉にも二二九号室に戻る羽目になったのであった。彼は本日、隣のセント・イシュトヴァーン病院にCTスキャン撮影に行くとのことである。新聞をたくさん買ったので、いつも通り、ヤーノシュに持っていった。

午前九時。私服に着替え、ペテーフィ・シャーンドル通りの郵便局に出かけた。

本日は実に三週間以上ぶりにまともな便通があった。郵便局に行き、ファックスを出す。ところが何度やっても反応なし。やむなく、ドローツィア通りの郵便局に歩いて行き、試みてもらうがやはりだめであった。いたずらに時間がかかった。くたびれて戻ると、一〇時半になっていた。

朝の回診に間に合わなかったが、途中イルマに会っているので問題はないだろう。保険会社のファックスをじっくり検討して送れない理由がわかった。担当者が書いてきたファックス番号が間違っていたのである。今までアティッラさんが送れなかったのは、国際番号もこの人が落としていたため、パリの地方番号の（1）をアメリカ合衆国と間違えていたのである。それに、新しく書いてきた番号に脱落まであった。

午前一一時。疲れてはいたが、もう一度同じ郵便局に出向く。やはり反応なし。他のは送信できているのだから、保険会社のファックス器械の故障と推測するほかない。本当はすぐに返事のほしい質問があったけれども、あきらめて、ＥＭＳメールで郵送した。四五五〇フォリントもかかった。帰りにスーパーに寄り、野菜サラダと缶詰を買う。

病院に戻ると正午近く。第一一号館の入口階段でプリンツ先生に会う。「これはまた結構な買い物で何よりですね」と声をかけられる。ややあってランチ。今日は少し早い。

大盛り野菜サラダも食べ尽くす。一発で眠気が襲い、幸福な闇の中に落ちていった。

午後四時半にアティッラさんが来訪。頼んでおいた“Jewish Budapest”などを買ってくれていたが、五千フォリントでなく一万四千フォリントもしたので迷惑をかけてしまった。メリンダからアティッラさんに電話があったとのことである。もしかすれば、昨日出した絵葉書がもう着いたのか。

午後六時ころ、保険会社から電話があった。担当者もファックス番号を間違えたことに気づいていたようだ。EMSメールで送った質問などを簡単にする。アティッラさんが、日曜日の午後二時に来て、ブダペストでのリハビリ期間の宿泊場所を決め、預けておいた貴重品を持ってきてくれるので、その夕方以降にもう一度電話をもらうように頼む。

隣室のモルナールは退院し、中年女性に部屋の住人がいつのまにか変わっている。

ヤーノシュは明日退院するらしい。

夕食後、私は今まで歩いたことのない古い建物の渡り廊下をゆっくり歩いてみた。見かけは古いが、中身は新しいのは、ヨーロッパならではで、旧病棟も外見は前世紀的ながら、内部は最新の設備を誇る。セント・ラースロー病院のほぼ全容がわかってきた。

二四二号室からオーベルト・エリカの声がする。「立ちなさい」「もう一度。そう、横になって」どうやらオムツ取替えのようだ。この患者は老人性痴呆でもあるらしい。

二五日（土曜日）。一日が二四時間であるのは、大きな意味を持っている。それは本当に二四時間であるからだ。睡眠が出来ず、それが一日に散在しているため、昼も夜もなく、平板な時間が流れる。今日は極力昼寝をせず、まとめて寝る努力をしよう。

午前九時。フューヴァーム広場の市場に出かけた。袋を買ってフェレンチィエク広場まで歩き、即刻戻ってくる。正午過ぎ。ヤーノシュが奥さんと別れを告げにきた。カティも見ないし、フェレンツのベッドにも新しい患者が寝ているから退院したのだろう。あのドイツ人女性だけが残ったが、彼女は二三九号室から二三〇号室に移動したようだ。

昼食後は、この病棟の見取り図を書き、病院入り口の院内地図をノートに写し、院内を歩行練習する。これをやってみて、セント・ヤーノシュ病院の女医さんがこの病院を推薦された理由がわかったのである。セント・ラースロー病院は、内科中心の病院であり、第六内科まで持っている。

私の病気に当初、トランシルヴァニア脳膜炎の嫌疑がかかったが、私の入院している神経系疾患特別病棟こそ、その治療を専門の一つにしていたのであった。歩行練習のため何回も病院中を歩く。

二四〇号室の中年女性は、どうやらかなり容態不安定なようだ。叫び始めたのでヌーヴェールに電話しようと思いきや、ヌーヴェールが措置を始めた音がした。

Ⅷ

二六日（日曜日）。今日はセント・ラースロー病院での最後の一日となる。日勤のヌーヴェールはイルマとエーヴァで、プリンツ先生もおられるから、この入院期間を通じてもっともお世話になったクルーが本日の担当である。

睡眠は、少なくとも四時間はまとまって取れたから、昨日よりは快適である。ビュッフェでコーヒーを飲み、院内を歩き、部屋に戻った。

午前八時。掃除のおばさんのピロシュカが入ってきて、少し話し始める。どこでハンガリー語を勉強したかとか、日本の仕事について聞かれる。息子さんは工業大学を卒業したが、薄給で頭が痛い毎日だと言う。おばさんは明日休日なので、お別れの挨拶をする。

午前一一時。プリンツ先生の回診。明日一〇時頃の退院決定となり、あと保険に関する事務的なお願いをしておく。このハンガリー語会話を聞いていた二四〇号室の患者の息子さんが話しにきた。彼はコンパックのコンピューター技師で、私のノート・パソコンを見て、日本語のワープロなどについて質問をされた。半時間ほど話し、少し実演もしてみせる。

最後のディナーは久しぶりに通常食が出た。フェレンツが作ってくれたのだろうか。

イルマが入ってきて最後の血圧測定をする。

アティッラさんが二時半ころ来てくれるので、門の近くのベンチで待つことにした。

何とよい天気なのであろうか。私の記憶に残っているブダペストの初秋は、この入院期間のようなすばらしい好天続きではない。入院が多少とも陽気な雰囲気を伴ったのは、天の配剤ともいうべく、常ならぬ晴天と快適な気温が助けてくれたからである。

アティッラさんと会い、病室に戻って、ヌーヴェールへの謝礼について相談する。

プリンツ先生は、確固たる姿勢で、謝礼の類を固辞されているので、エーヴァに私の退院後、わずかな謝礼を皆に配ってもらうよう依頼した。

アティッラさんを見送り、夕方近いセント・ラースロー病院を散歩した。

途中ドイツ人女性と出会い、名前を聞いた。エルケと言い、もう二三年ハンガリーに住んでいるらしい。彼女と歩きながら実によくしゃべった。日本映画、日本の健康哲学について、また最近のヨーロッパへの非ヨーロッパ人の移民問題などである。彼女も明日退院するらしく、偶然にも、入院期間を通じ、親しくしていただいたすべての患者とともに、私はここを去ることになる。

セント・ラースロー病院で出会った人々の何人かとはもう二度と会わないだろうし、ブダペストの街中でばたりと出くわすかもしれない。もしそうなら、私はすぐに抱擁をして久闊を辞すに違いない。文通でも続いたら、たまに会っておいしいものを一緒に食べよう。

午後六時前。夕食をイルマが届けてくれる。彼女は明日、わざわざ午前九時ころに病院に来てくれるという。夕食にメキシカン・ビーンズやきゅうりの漬物など、買っておいた食料とジュースのすべてを平らげる。

午後七時。保険会社から電話があり、アティッラさんが予約してくれたペンションの電話とファックス番号を教える。本日の当直ヌーヴェールはキシュ・エリカとアンナマーリアで、これまたお世話になったクルーである。その直後、プリンツ先生による最後の夜の回診があった。質問は、いつ帰国するのがもっともよいかであったが、現在の体調と日本での都合を勘案すれば、週末が適当である旨を答えた。

八時半くらいから、『ペシュチ・ミュショール』の映画館リストをパソコンに打ち込む。ややあって、隣室から、午前中に話した技師、すなわちフェニュヴェシ氏がまた来られた。日本の歴史や知識人について半時間ほど質問に答えた。ハンガリー人の技術者や理科系の人は、一般的にかなりの社会通でもあるが、氏の場合もまったくそうである。

とはいえ、この時間に病室にいるということは、お母様の具合が急変を告げているからなのだろう。今日の昼間には、家族の誰かがお母様を散歩させていたが、夕方になって病状悪化したらしい。危篤の母を横にしての日本人患者との討論は多少奇妙な光景かもしれない。しばらくして容態が重篤化したのか、奥様が呼ばれ、「今度ブダペストに来たときは必ず連絡をください」と言って隣室に戻られた。

本日は、昼寝をしなかったので眠れるかもしれない。寝ていないから夢も見ていない。深夜一時に起きる。ぐっすり寝たつもりが、たったの二時間ではないか。やむなく映画館一覧を完成させることにした。

ヴェランダに出て、しばし新鮮な空気を吸う。二四〇号室に誰もいなくなっているから、お母さんは容態が安定したようだ。

突風が吹いたと思っていると、ややあって雨が落ち始めた。午前四時まで作業を続けてやっと眠りに落ちる。

二七日（月曜日）。午前六時に起きる。総計四時間の睡眠であるが、多少はまとまった眠りがとれた。

完全に驚いたのは天候である。昨夜の雨も上がり、すっかり秋の天気に変身しているではないか。昨日まではまったく秋の気配さえ感じられない、常ならぬ晩夏の気候であった。空気の味から匂いまで本日をもって一変した。例年にはない遅い秋の第一日目である。

体操をし、シャワーを浴びて今日は私服に着替えた。二四〇号室でキシュ・エリカが措置をしているので、お母さんは昨晩を乗りきったようだ。

オーベルト・エリカとコズマネーがもう来ている。

午前七時。ビュッフェにコーヒーを飲みに行く。そのあと、ノートを持って、病院内を歩き回った。病院案内の地図に不正確な部分があり、プリンツ先生に聞いて、それを正したが、病棟の看板を見て、再確認を行う。途中、入院患者の家族らしき人から二二号館の所在を聞かれ、ノートに写した地図を見せ、道順を説明した。何としたことか、私の地図まで他人の役に立ってしまったのである。

午前七時四五分。二四一号室に戻り、ブダペストの映画館地図のプランをノートに書く。厳密には、退院後、訂正すればよいが、病院で行う最後の仕事というわけである。

午前九時になった。ノートを閉じた直後に、オーベルト・エリカが朝食を届けてくれた。廊下で私服を着てやってきたイルマにお礼を言い別れを告げる。彼女にとって本日は休みなのであるが、わざわざ私に別れの挨拶を言うためだけに病院に来てくれたのである。

午前九時二〇分。病棟を一周すると、エルケと出会い、住所を交換した。彼女も私服に着替えている。「次回は病院以外で会いましょう」といって握手をして別れた。

午前一一時。私は病院の事務部に出向いて、パスポートを返してもらい、パソコンとわずかな身の回りの荷物を持ち、病院を出た。

二八日（火曜日）。午前一〇時前、病院を再訪した。ビュッフェでコーヒーを飲んでいると出勤途中のプリンツ先生に会い、すぐに病棟まで出向く。診断書にサインをいただき、病気の説明と完治日程などを説明下さった。病気は、私が考えていた以上に重篤であった。

次回ハンガリーに訪問の際は、ぜひ家に招待したいとお誘いを受けた。ハンガリー語で書かれた日本の旅行案内を進呈し、お礼を述べ、握手をして辞した。ヌーヴェールの部屋に行くとアンナマーリアがいたので、強い握手をしてお礼を言う。もう一人、ずっとお名前を伺う機会のないまま今にいたったヌーヴェールがいた。

やさしい彼女はエリジェーヴェト（エルジケ）であった。彼女とも強い握手をする。

プリンツ先生の示唆で図書館に行き、セント・ラースロー病院の記念誌をもらった。

中庭で早速ページを繰ってみた。病院に関して、ヌーヴェールよりも私のほうが正しかった事実を一つだけ発見した。一一号館、すなわちパヴィリオンは、一九八五年に建設、やはりカーダール時代の末期の建築物だったのである。

午前一一時。病院を出る。時ならぬ夏の日々は終わったのだ。

補遺

ハンガリーとEUの現況

書評・山本直『オルバンのハンガリー　ヨーロッパ価値共同体との相克』

一九八九年六月一六日、正午を回った頃合い、ブダペストの英雄広場で開催された「ナジ・イムレ再葬儀」に佇んでいた私の目前で数人の演説が始まった。年配の演者たちの後に登壇したハンサムな青年は小慣れた口調で声高にソ連軍撤退を叫んで喝来を浴びた。私は演説中の「アジアの停滞に戻すな」なる台詞に鼻白んだものの、公然と破られた禁句に感慨無量であった。同年三月一五日の一八四八年革命記念日集会で人気俳優チェルハルミ・ジェルジによって封印は解かれたとは言え、当局はこの手の発言の隠匿に努めていたからである。広場で衆目を驚かせたコシュート・ラヨシュにちょっと似た精悍な若者こそ、今やEUの権威主義的急先鋒として悪名を馳せるオルバーン・ヴィクトールその人である。

本書は国際法の碩学による「EUの逆賊」への対処と二〇二一年のオルバーンの率いるフィ

デス（市民同盟）の欧州自由党離脱、さらにそれとパラレルのEU側の牽制過程を分析した本邦初の研究書で、EU法の仕組み詳しく紹介した時宜に適った著作である。本書の核心をなす法制度分析からの逸脱を承知の上で、重要な論点にいくつか異を唱えたい。

まず本書の理解ではオルバーンを「未知の惑星X」から飛来した生来の悪漢のごとく描かれるが（『君主論』に曰く、政治家は「獅子のごとく勇猛で狐のごとく狡猾たるべし」）、これではポーランド「法と正義」党なども含め旧東欧に出現した強面政権への内在的な把握になっていない。私見ではグローバル資本主義（自由主義）の跋扈と亡国の危機（国内産業の破綻、人口激減と青年の流出、東部農村地帯の疲弊、ロマ人口の大量流入）に直面して大多数の国民は統治能力回復をこれらの政権に託したのである。体制転換後、民営化による極端な格差社会の出現、貧困化に加え半植民地的屈辱に旧東欧民衆は慷慨し、脆弱な「民主」的政権は機能麻痺を呈した。ここで生まれたEUへの激烈な幻滅と怨嗟はドラクリッチの名着『ポスト・ヨーロッパ』（栃井裕美訳）を参照していただきたい。ハンガリーは二〇〇八年の世界金融危機では国家破産寸前に近づき、東北地域は経済的に壊滅、ブダペスト中にホームレスのキャンプができた。廃村には隣国からロマが大量に移住し、極右の抬頭とテロの頻発を前に、第二次オルバーン政権は国家の統治能力回復を目指して登場し、新自由主義とそれをプロモートするグローバル資本主義とその人脈に制限を加えた。ブリュッセル官僚に喧嘩を売り込んだのもこの政策の延長線上にあり、いわば国民はオルバーンに危機管理を委任したのであった。オルバーンらを不倶戴天の敵とするトゥスク前EU理事会議長らの批判のみから解釈するのは、エアコンの効いた部屋でビッグマックを頬張りながらCNNを見るかのごとき安易さと言える。

本書では未見のオルバーン政権を剔抉したマジャール・バーリント（SZDSZのリーダーの一人で社会学者）の『ポリープ』（英訳あり、原文はネットでも閲覧可）という著作がある。この書でマジャールは、フィデス政権が政財官界癒着によるコングロマリットに変身し、利益誘導型の集票マシーンも整備したと分析した。つまり「自民党政権化した」わけで、西欧モデルではないものの、これを理念的「自由民主主義」を基準にして批判しても的確な把握にはならないだろう。ハンガリー国民にとって「民主主義的権威の妥当性を信じるよう要請されることは、ストレスを増大」（ダール『ポリアーキー』）させるだけである。

よく誤解されるが、オルバーンの主敵は権威失墜した社会党やSZDSZでなく下手をすると制御不能に陥る人種主義的極右や領土修正主義者、例えばヨッビク（最近やや穏健化、ただし最大野党）である二〇一二年、オルバーンは国会議事堂に国旗とセーケイ旗（トランシルヴァニアのハンガリー人旗）を並揚し、弁舌逞しくナショナリズムの錦の御旗を極右から奪還し、わずかな言論制限を代償に求め暴走する極右を抑え込んだ。オルバーンが反ユダヤ主義を宣伝したと言うのはデマで、極右によるユダヤ人差別やロマへの暴力を彼は巧妙に抑止したのである。中央ヨーロッパ大学事務局閉鎖（私的には憤慨している）も「ユダヤ人」でなく「グローバル資本主義の先兵」としてのソロス（ショロシュ）への掣肘であり、この大学院大学の学生の約九〇％

は常に外国人留学生ではあった。

また本書でオルバーンの二〇一四年七月二六日のバールヴァーニョシュ夏季大学開校式辞を「ルーマニア講演」であると記すが、「トランシルヴァニア講演」に訂正すべきである。講演場所と聴衆を視野に収めるだけで、本書とはまったく異なった理解に導かれるに相違ない。なおこの催しを含む多民族共存特別区《ユーロリージョン》をオルバーンは妨害したこともなく、この点でナショナリズムの暴発をマネージしたEUの模範生に他ならない。

今ひとつ、宇露戦争での対ロシア緩和政策をザカルパッチャ・ハンガリー系少数派へのゼレンスキー政権の抑圧に求めるのも的外れである。トランシルヴァニアのハンガリー人の地位保全を目指しベッサラビア権益をめぐってルーマニアと対峙するロシアを尊重するのはトリアノン条約（第一次大戦講和、一九二〇年）以来の外交定石である。論理としてはドンバスやクリミヤへのプーチンのレコンキスタはハンガリーにとって共感でき、軍事侵攻ならぬ国際会議のアジェンダムならオルバーンはロシアに賛成票を投じたに違いない。この国家戦略からオルバーンはウクライナに距離を置いたのであり、本書の分析のように目前の経済的利害を求めたわけではない。「道徳的に悪」な国家も「敵である必要はない」（シュミット『政治的なものの概念』）のである。ちなみにポーランドのウクライナへの積極介入は、トッドの推測するガリツィア併合論の当否は擱くとしても、同国はこの旧領土をめぐるロシアへの潜在的敵対者ゆえに他ならない。ハンガリーとポーランドはともに潜在的覇権国家でもあり、ポーランドの東方戦略を「新サルマート主義」と仮称するなら、オルバーン（もっと過激にはヨッビク）のそれは「新トゥラン主義」（こっちは自称）であって、第一次大戦後の「西からの脅威」へ対応として登場した。この絶望的心性の根深さは旧東欧の歴史に内在しない限り絶対に解できない。二つの国家は同様の危惧を金融危機以降の国家崩壊寸前の状況を目前に抱き、自由民主主義の「薔薇の花束」がグローバル資本主義と一体となって「地獄への道」に敷き詰められている事態に気がついたのだ。

とは言え好青年オルバーンも醜悪な偏屈老人に化した姿はプーチンさながらである。国民の矜持を取り戻した危機管理政権も驕り昂って惰性化しつつあるならば、ヨーッパ安全保障の崩壊を前にポピュリズムの暴発を抑止してまずまずの多元的民主主義を維持できるか。日本さながら理念指向型政治勢力が自滅しがちの状況で近未来に代替政権は見込めるか。そもそも「ヨーロッパの東」をＥＵに編入して以降、西欧的基準による「自由と民主主義」——ＥＵ法規範《アキ・コミュノテール》に包括されたルソー的人権概念——は金科玉条たりうるのか？　政治的知性よ、ここがロドスだ、ここで跳べ！

初出・原題一覧

○第一章

一 ハンガリー社会への視点（『歴史学研究』六〇七号）一九九〇年

二 ハンガリーの中の日本（『人権と教育』一四号）一九九一年

三 ハンガリー文献の関係場（『大阪外国語大学図書館報』八号）一九九二年

四 民族問題を考える（『部落』六五四号）一九九九年

○第二章

一 シカゴの古本屋（『丁卯』三号）一九八八年

二 ブダペシュトの街頭書店（『丁卯』五号）一九九〇年

三 ブダペシュトの映画館 上・下（『丁卯』六・七号）一九九一・二年

○第三章

一 ハンガリー反乱と知識人（『地人会公演パンフレット』二四号）一九八八年

二 最近のハンガリーの出版事情（『週刊読書人』一九九〇年一一月二六日号）

三 （一）東欧の「市民社会」をみる（『月刊・人権と教育』二〇五号）一九九一年

（二）この民族関係の複雑さ（『月刊・人権と教育』二〇七号）一九九一年

（三）中欧の国民は日本よりマシ（『月刊・人権と教育』二一二号）一九九一年

四　少数言語のすすめ（『桃蹊』一七号）一九九一年
五　ブダペスト詩集（『丁卯』八号）一九九四年
六　リトアニア・オリエンタリズム・日本（『月刊百科』三九八号）一九九五年
七　リスニヤ社会党覚え書（『リエトヴァの会ニューズレター』三号）一九九九年

○付章　本書のための書き下ろし

○補遺　ハンガリーとEUの現況　『オルバンのハンガリー　ヨーロッパ価値共同体との相克』（『週刊読書人』二〇二三年六月一六日号）

執筆中の著者。1989年、ブダペストにて。Petja Svensson撮影。

小島 亮（こじま・りょう）

1956年11月、奈良市富雄に生まれる。1979年、立命館大学文学部卒業。1981～83年、東京大学教養学部研究生（指導教官：西川正雄教授）。1986年、シカゴ大学歴史学部客員研究員。1987年、政府交換留学生としてハンガリー科学アカデミー社会学研究所（Magyar Tudományos Akadémia Szociológiai Kutató Intézet 現在は MTA Társadalomtudományi Kutatóközpont Szociológiai Intézet に改組）に留学。博士候補としてコシュート・ラヨシュ大学（Kossuth Lajos Tudományegyetem 現在は Debreceni Egyetem に改組）の人文学群社会学講座（Bölcsészettudományi Kar Szociológia Tanszék）に所属し、ブダペストとデブレツェンを往来する生活を続ける。1991年、人文学博士（Bölcsészettudományi Doktor）を社会学（Szociológia）部門で最優等にて授与される。1991～92年、ハーヴァード大学ライシャワー研究所客員研究員、1992～93年、ハンガリー科学アカデミー社会学研究所研究員を経て1993～95年、リトアニア国立マグヌス・ヴィタウタス大学人文学群（Vytauto Didžiojo Universitetas Humanitarinių mokslų fakultetas）准教授。ソ連崩壊直後のヴィリニュスで生活する。帰国後、サントリー文化財団鳥居フェロー、角川書店辞書教科書部嘱託などを経て1999年、中部大学に奉職し、国際関係学部助教授、教授、人文学部歴史地理学科教授を歴任。2022年、退職。

現在、中部大学特命教授。

2006年、ハンガリー共和国大統領府から「自由の英雄」（A Szabadság Hőse）号が叙勲された。

多言語による著作も多く、国立国会図書館 NDL-ONLINE（https://ndlonline.ndl.go.jp）で「小島亮」を検索。

ブダペストの映画館 都市の記憶・1989年前後

2023年10月23日　第1刷発行　　（定価はカバーに表示してあります）

著　者　　小島　亮

発行者　　山口　章

発行所　名古屋市中区大須 1-16-29　振替 00880-5-5616 電話 052-331-0008　http://www.fubaisha.com/　風媒社

＊印刷・製本／モリモト印刷　　乱丁本・落丁本はお取り替えいたします。

ISBN978-4-8331-3192-6